LES LIVRES DES
CHRONIQUES

Ce fascicule a été revu, pour le Comité de Direction, par M. l'Abbé ROBERT, P. S. S., *Professeur à l'Institut Catholique de Paris, et par* M. Jean-Claude RENARD.

LA SAINTE BIBLE

traduite en français

sous la direction de l'École Biblique de Jérusalem

LES LIVRES DES

CHRONIQUES

traduits par

H. CAZELLES, P. S. S.

Professeur
à l'Institut Catholique de Paris

(2e édition revue)

LES ÉDITIONS DU CERF

29, boulevard Latour-Maubourg, Paris

1961

NIHIL OBSTAT :

Parisiis, die 5ª martii 1954.

A. ROBERT, P. S. S.

IMPRIMATUR :

Parisiis, die 23ª aprilis 1954.

M. POTEVIN, v. g.

INTRODUCTION

Titre et contenu. Les deux livres des Chroniques portent en hébreu le titre de *Dibᵉrê hayyâmîm,* « Actes des jours »; comme « jours » dans cette langue signifie parfois « années », on pourrait traduire par « Annales ». Les livres des Rois citaient ainsi souvent les « Annales » des Rois de Juda et d'Israël. Mais les « Actes des jours » étaient loin de relater les « Actes » ou « événements » année par année; saint Jérôme proposa de les intituler « Chroniques ». Sur l'heure l'expression n'eut pas de succès, les Pères suivirent plutôt la traduction des Septante qui donnaient au livre le titre de « Paralipomènes » : choses laissées de côté, omises; c'était dire que nos livres contenaient des éléments dont les livres antérieurs, en particulier les livres des Rois, n'avaient pas tenu compte. Ce terme passa dans la Vulgate. Mais Luther remit en honneur le vocable hiéronymien et c'est ce dernier qui tend de nos jours à prévaloir. Les livres des Chroniques ont un tout autre but que de transmettre des données omises; il nous reste à savoir — nous le verrons plus loin — si le mot « Chroniques » correspond bien au genre de l'ouvrage.

Ces deux livres n'en formaient primitivement qu'un; il en est des Chroniques comme des Rois et de Samuel. En outre, il apparaît de plus en plus certain qu'il faut joindre aux livres des Chroniques l'ensemble Esdras-Néhémie. Les versets qui terminent les Chroniques sont mot à mot ceux qui ouvrent le livre d'Esdras et constituent une transition parfaite entre 2 Ch 36 et Esd 1. Dans les deux œuvres on retrouve le même style, le même vocabulaire, les mêmes procédés de composition, les mêmes idées fondamentales; c'est la même main qui a utilisé les livres des Rois dans les Chroniques, les sources araméennes et les Mémoires de Néhémie dans Esdras-Néhémie. La phraséologie du Chroniste, si apparente dans les grands récits liturgiques de la première œuvre, se retrouve identique dans les passages rédactionnels de la seconde (voir l'introduction à Esdras-Néhémie). Aussi la Bible chrétienne, qui n'avait pas les mêmes raisons que la Bible hébraïque de couper en deux l'œuvre entière du Chroniste et de faire suivre Esdras-Néhémie par les Chroniques, a-t-elle choisi l'ordre suivant : 1 et 2 Chroniques, Esdras, Néhémie. Ce point est de première importance pour juger de l'œuvre. Elle n'était pas destinée à se terminer par 2 Ch 36 23; il n'est même pas sûr qu'elle fût destinée à s'achever par Ne 13 31, mais il est certain qu'elle englobait l'ensemble de ces livres, et le Talmud même en témoigne (*Baba Bathra*, 15ᵃ).

L'époque. La première conclusion à en tirer, c'est que l'œuvre a été composée après l'exil. Aucun doute sur ce point. Le deuxième livre des Chroniques lui-même nous parle des rois de Perse (36 20), les généalogies de 1 Ch 3-9 conduisent fréquemment jusqu'après l'exil, le style est de la dernière époque, l'auteur connaît les parties les plus tardives du Pentateuque. La tradition juive, qui a placé ce livre tout à la fin de son canon, l'admet elle-même; elle en a fait le dernier livre de cette troisième partie du canon qui comprend les compositions les plus récentes de la Bible.

Or, pour comprendre l'œuvre, il faut entrer profondément dans la mentalité de l'époque et en saisir les conditions de vie et de pensée. Israël et Juda ont perdu leur indépendance et l'édit de Cyrus (539) ne la leur a pas rendue. La Judée appartient à cette grande province de Transeuphratène que gouverne un satrape, dont un lieutenant, un gouverneur (*pèḥâh*), réside

8

à Samarie. A Jérusalem même on ne trouve qu'occasionnellement une autorité perse, et encore le titulaire en est-il plutôt
choisi parmi les Juifs eux-mêmes, comme ce fut le cas pour
Zorobabel et pour Néhémie. En fait l'autorité prépondérante
à Jérusalem est celle du sacerdoce Sadocite; c'est celle de la
famille du prêtre Sadoq, établi par David et maintenu par
Salomon, qui élimina Ébyatar son rival. Le livre d'Ézéchiel a
consacré la prééminence exclusive des Sadocites (44), et la
personnalité du grand prêtre Josué, qui revint d'exil dès le
début et contribua au relèvement du Temple, fut pour beaucoup dans la reconnaissance de cette autorité. Cette dynastie
sacerdotale sacrifia à l'esprit politique; son penchant pour les
alliances locales, même par mariages, lui attira l'hostilité des
milieux fervents et de Néhémie. Elle ne sut pas non plus se
garder indemne de tout esprit de lucre et de toute tiédeur
religieuse. Aussi fut-elle en butte aux attaques des derniers
prophètes comme Malachie (**1** et **2**) et Zacharie (**11** 4 s; **14**
20 s). Bien que souvent impopulaire comme tous les puissants
de ce monde, elle ne s'en imposa pas moins, car le Temple
qu'elle régissait était désormais le centre du monde juif et ses
droits étaient solidement appuyés sur le Pentateuque, dont
Esdras, à la fin du ve siècle, ou au début du ive, avait solennellement fait reconnaître l'autorité.

L'autorité sacerdotale et l'autorité du Pentateuque (comprenant les textes sacerdotaux), apparaissent donc à cette époque
comme les garants d'une vie religieuse authentique; ils sont
les seuls à affranchir de la domination des puissances païennes.
Sans ces autorités, on ne pourrait ni trouver Dieu, ni lui obéir,
comme la dramatique expérience de la monarchie et de l'exil
ne l'a que trop prouvé. Mais il n'en reste pas moins qu'on voit
apparaître d'autres courants religieux tendant à vivifier cette
structure. Les courants piétiste, sapientiel et prophétique
sourdent de partout et répondent aux différentes aspirations
de l'âme juive. La piété trouve son expression dans les Psaumes.
Les Psaumes peuvent demeurer dans la ligne de la piété collective du peuple de Dieu ou de la communauté choisie :

nombre d'entre eux expriment avec lyrisme ce que la Loi gravait avec sécheresse. C'est dans le Temple qu'on trouve la « présence » du Dieu du ciel. Il a fait de ce Temple son marchepied, c'est autour du sacerdoce d'Aaron qu'il est doux pour des frères d'habiter ensemble (Ps **133**), et c'est dans le sanctuaire que les serviteurs de Dieu bénissent (Ps **134**). C'est de là enfin qu'on élève les yeux vers Dieu et là qu'on le prie (Ps **123**).

Dans ce Psaume **123** transparaît déjà, non plus la vie de la communauté et les besoins d'une vie sociale qui attend de Dieu protection et prospérité, mais un accent beaucoup plus personnel. La piété rencontre le courant sapientiel. A l'époque de la monarchie, les prophètes comme Isaïe avaient lutté contre une sagesse trop humaine et trop politique, celle des scribes de la cour. Lorsqu'Ézéchiel eut révélé que, dans le nouvel Israël, ce ne serait plus la nation prise globalement qui recevrait ou perdrait la vie, mais que chacun individuellement vivrait ou mourrait suivant sa fidélité ou son infidélité, les yahvistes utilisèrent la littérature sapientielle pour y couler les préceptes assurant une formation personnelle. Le problème de la rétribution personnelle est en effet un des grands problèmes qui se posent après l'exil, soit pour affirmer que la crainte de Dieu et le respect de ses commandements sont le commencement de la sagesse, soit pour évoquer la tragique angoisse de Job ou pour décrire l'insatisfaction de l'Ecclésiaste dans la vie d'ici-bas.

L'auteur. L'auteur des Chroniques appartient profondément à son époque et en a toutes les préoccupations. La Loi est pour lui un absolu et il n'admet pas que l'histoire du peuple saint puisse se dérouler sans référence aux prescriptions du Pentateuque ou à celles des textes sacerdotaux qui s'y trouvent. Mais son légalisme n'est point sec. Il aime le Temple d'un amour religieux, il cite les Psaumes dans son œuvre et la célébration des louanges divines lui paraît presque l'acte essentiel du culte. C'est très probablement un lévite pour lequel le centre de la vie est au sanctuaire, et peut-être un chantre qui a vu dans le chant sacré l'expression collective des sentiments de piété individuelle les plus purs. Cette piété rejaillit chez lui, comme chez ses contemporains, sur l'étude de la sagesse : les expressions sapientielles ne signifient plus seulement la réussite de la vie mais aussi la découverte de ce que nous appellerions de nos jours les réalités spirituelles. On eut autrefois l'intelligence (*mébîn*) pour gouverner long-temps un peuple (Pr **28** 2); on l'a ici pour chanter avec âme les louanges de Yahvé (1 Ch **25** 1) ou pénétrer les sentences divines (1 Ch **15** 22). Le livre de Daniel verra de même dans les « intelligents » ceux qui ont le sens des voies de Dieu, vivront éternellement et mèneront les autres à la justice (**12** 3). C'est enfin parce qu'ils ont un sens exact de ce qui concerne Dieu que les lévites reçoivent certaines fonctions (2 Ch **30** 22).

Mais, comme ses contemporains de bonne volonté, notre auteur ne se borne pas à respecter la Loi et à pratiquer la Sagesse, il considère comme provisoire le régime sous lequel il vit et son cœur vibre de l'espérance qui fut celle des Pro-phètes. Car s'il n'y a plus de prophètes en son temps, les pro-phéties, elles, sont toujours là. On les médite beaucoup après l'exil, en particulier celles de Jérémie et surtout sa fameuse prédiction des soixante-dix semaines que devait durer l'exil. Notre auteur la rappelle d'ailleurs, comme le fait l'auteur du livre de Daniel (**9**). Mais il connaît aussi Isaïe et Ézéchiel. Le prince que décrit Ézéchiel dans son esquisse du nouvel Israël est son modèle, et le David d'Ézéchiel, **34** 23, futur pasteur d'Israël, est le gage d'espérance qui permet à notre auteur de mettre au centre de la vie d'Israël la figure et les institutions de ce roi. Quant à Isaïe, si notre auteur le cite peu, sa doctrine et sa foi se retrouvent en maints discours qu'il met dans la bouche de toute la série des prophètes au cours de l'histoire de la monarchie.

Notre auteur attend donc autre chose que le régime existant. On voit souvent du reste poindre sous sa plume une critique à l'égard du sacerdoce sadocite. Il blâme le grand prêtre (2 Ch 24 6). Les prêtres négligent de se sanctifier (2 Ch 29 34) et de respecter l'ordre des classes voulu par David (2 Ch 5 11). Certes, ces critiques sont très discrètes, elles n'ont pas la virulence des prophéties post-exiliques qui, avec Zacharie (11 7, 11; 14 21) traitent les prêtres de Jérusalem de « cananéens », c'est-à-dire de mercantis, et qui annoncent avec Malachie (2) leur réprobation. Avec plus de réserve, mais non moins de fermeté, notre auteur envisage un autre sacerdoce que le sacerdoce sadducéen, un peu comme le fait Is 66 21. Bref, il y a chez lui l'écho des Mémoires de Néhémie qu'il a conservés dans son œuvre; celle-ci se termine par quelques phrases redoutables où il est question de la profanation du sacerdoce et de ses obligations sacrées. C'est du groupe des lévites fidèles et dévots que notre auteur attend une rénovation et une restauration de l'idéal davidique.

L'œuvre. L'œuvre qu'il a conçue procède ainsi de quelques préoccupations centrales. Il s'agit pour lui de décrire la communauté davidique ou *qâhâl* (traduite en grec par ἐκκλησία) comme succédant à la communauté mosaïque ou *'édâh* des textes sacerdotaux du Pentateuque (traduite le plus souvent en grec par συναγωγή). Il n'hésitera pas dans ce but à parler de l'*alliance* conclue par Yahvé avec David et ses descendants (2 Ch 13 5) dans les termes où l'Exode parlait de l'*alliance* éternelle entre Dieu et les générations d'Israël (31 16), conclue par l'intermédiaire de Moïse (24 8). C'est donc le royaume de David et des fils de David qui est l'objet de la méditation et de l'étude de notre auteur que nous appellerons désormais le Chroniste et non le Chroniqueur; car nous voyons déjà qu'il ne s'agit pas tant pour lui de raconter des choses passées que de faire entrevoir ce que Dieu entend réaliser par la descendance de David.

Le Chroniste n'entend pas nier le travail déjà accompli et c'est toujours en recourant au passé qu'il suggérera l'avenir. Le royaume davidique ne renie nullement la Loi de Moïse.

L'auteur insistera sur la Tora et les références à la Tora, même là où les sources ne la mentionnaient pas. Il est tout particulièrement ferme sur la distinction du sacré et du profane, qu'avait soulignée Ézéchiel et qu'avaient consacrée les textes sacerdotaux. Dans son œuvre, les rois justes sont ceux qui respectent les droits sacrés du sacerdoce et, s'ils s'immiscent dans le sacrifice, ils doivent être punis comme Ozias. Les rois réformateurs tels qu'Ézéchias commenceront par réorganiser le clergé suivant les principes antiques fixés par David. Le rituel ne vaut pas par lui-même, il n'est agréé par Dieu que s'il est exercé par les hommes que Dieu s'est choisis, Aaronides aidés par les Lévites.

Dans la ligne d'Ézéchiel et du Pentateuque également, le Chroniste considère que l'acte essentiel de la communauté est l'acte religieux. La communauté s'unit à Dieu en se sanctifiant car Dieu « est saint », disait le Lévitique. Comme ce livre, le Chroniste estime qu'une vie religieuse morale est la condition de la sanctification et il s'efforce de présenter ses héros comme des êtres sans défaillances. Mais la sanctification même se réalise par les actes rituels fondamentaux que sont la purification par l'eau et la manducation des mets sacrés (voir 1 Ch **15** 14; **23** 13; 2 Ch **29** 34; **30** 17). Il y a donc chez notre auteur un certain sacramentalisme au sens large, qui ne répudie nullement l'héritage de ses prédécesseurs.

Mais, et c'est là un de ses apports originaux, une des idées fondamentales pour lesquelles il a pris la plume, le Chroniste ne conçoit pas cette sanctification comme réservée au clergé. Non seulement les lévites y ont accès (cf. p. 220, note *e*), — et le Chroniste ne dédaigne pas de parler de « prêtres lévites » comme le faisait le Deutéronome, — mais il étend cette sanctification aux laïcs (cf. p. 217, note *c*).

De plus, dans l'acte du sacrifice, le Chroniste ne met pas l'accent là où les textes sacerdotaux le mettaient. Pour ces derniers l'acte essentiel était l'holocauste. A la suite du Deutéronome notre auteur semble rendre la primauté au sacrifice de communion. C'est un sacrifice joyeux (Dt **12** 7) et le Chroniste aime les cœurs en joie et le peuple en liesse. Il insiste sur le sacrifice de communion « avec louange ». C'est même à cette louange qu'il s'attache tout particulièrement. Il semble se souvenir de la parole d'Osée, 14 3. « Comme taureaux, que nous t'offrions nos lèvres ! » s'écriait le prophète en envisageant l'Israël nouveau converti et enté sur Dieu. Cette confession ou action de grâces (l'eucharistie du texte grec des Maccabées et de Si 37 11) est pour le Chroniste un élément de si grande importance que les musiciens se verront confier la surveillance des travaux de réfection du Temple (2 Ch 34 12). On peut se demander s'il n'y a pas un rapport étroit entre les vues du Chroniste et celles de Ml 1 11 opposant aux sacrifices sacerdotaux de Jérusalem l'oblation pure offerte en tous lieux au nom de Yahvé des armées.

Les vues du Chroniste s'étendent en effet largement au delà de la communauté des lévites au Temple et même de la communauté judéenne. Il ne veut connaître que la communauté dirigée par la dynastie de David et par suite il mentionne le moins possible le royaume schismatique du Nord. Mais, pour lui, le royaume du Sud n'est pas le royaume de Juda, c'est le royaume de Juda et de Benjamin. Il aime à rappeler la présence d'Éphraïmites et de Manassites aux grands actes du culte de Jérusalem et il fait habiter à Jérusalem même non seulement les Benjaminites mais des Manassites. L'alliance mosaïque avec les Douze Tribus est le fondement de l'alliance davidique, et les chapitres qui précèdent la description de l'œuvre de David nous donnent un tableau de tous les clans israélites groupés par tribus. Ce qui pour nous paraît n'être qu'une nomenclature ou une liste généalogique est pour le Chroniste l'évocation d'une vie grouillante et complexe.

La vision du Chroniste s'étend même au delà des tribus d'Israël. Il entend décrire comme un règne universel le règne attendu du fils de David. Il montre comment tous ces clans ont de multiples connexions avec les non-Israélites. Il y a là des nomades, Yérahméélites, Calébites, voire Édomites et Égyptiens. Ainsi qu'à Ézéchiel (37 15-28), la restauration finale apparaît à notre auteur comme une réunion de toutes les tribus du Nord et du Sud, Éphraïm et Juda, mais il discerne en ces tribus mêmes tout autre chose que l'unité de sang et de descendance : un carrefour de populations. Le Chroniste est universaliste et voit dans le royaume davidique un royaume universel qui procède du premier homme, Adam. Au Temple fondé par cette dynastie Dieu écoutera même les étrangers (2 Ch **6** 32) et ce sont même des réfugiés et des étrangers qui ont contribué à le bâtir (2 Ch **2** 1-17). Les schismatiques sont d'ailleurs parfois meilleurs que les Judéens (2 Ch **28** 12 s) et le roi d'Égypte Néchao connaît mieux les desseins de Dieu que Josias lui-même (2 Ch **35** 21 s).

C'est que, pour le Chroniste, la communauté sainte, le royaume établi sur David et sur ses institutions, est une communauté qui doit constamment se réformer. L'œuvre conçue par notre auteur ne comprend pas seulement la fondation d'un royaume théocratique, c'est aussi le livre des réformes qui s'imposent dans un royaume que les hommes ébranlent sans cesse. La réforme consistera parfois à compléter certaines institutions; Josaphat organisera les tribunaux et l'instruction, Ozias s'occupera d'agriculture, Ézéchias et Josias accroîtront les pouvoirs des lévites. Mais une réforme est essentiellement un retour à l'esprit primitif, c'est une restauration. La réforme est un retour à Dieu, à la Loi de Moïse et aux institutions de David. Elle commence généralement par retrouver le sens de Dieu et de sa révélation, par se détacher des coutumes parasites. Elle se continue par une réforme du clergé et un retour aux règles révélées. Elle s'achève par un renouveau liturgique qui rend sa splendeur aux fêtes, sa ferveur à la communauté, sa sainteté au clergé et aux fidèles.

Traditionalisme, messianisme, sacramentalisme, universalisme, réformisme, tels seront les principaux points qui commanderont l'œuvre du Chroniste. Il allait par là faire revivre pour ses lecteurs l'idéal prophétique d'une communauté religieuse et croyante.

Sa réalisation. Cette œuvre, comment l'auteur allait-il la réaliser ? Cet idéal, comment allait-il l'incarner ? Car il n'entendait nullement décrire une Salente comme la décrira Fénelon ou une République à la manière de Platon. Le Chroniste veut faire une œuvre qui repose sur des données réelles; sa communauté n'est pas le fruit de son imagination, mais c'est elle que veut et que prépare le Dieu d'Israël, ce Dieu qui a appelé Moïse et choisi David. Le royaume qu'il décrit est déjà en germe, pour le Chroniste, dans la monarchie qui a duré de David à la prise de Jérusalem. C'est au nom du Dieu d'Israël que le Chroniste écrit; l'œuvre de Dieu qu'il dépeint doit avoir son support dans l'histoire, même si elle doit transcender cette histoire pour ne pas s'achever par un semblable échec.

La réalisation de l'ouvrage sera donc un travail difficile où l'auteur va se trouver aux prises avec des sources diverses qu'il lui faudra agencer, unifier, et présenter à ses lecteurs sous la très haute inspiration qui le mène.

Il a d'abord ses sources théologiques. Ce ne sont pas toujours les plus aisées à synthétiser. M. von Rad a analysé avec bonheur comment notre auteur dépend à la fois de la théologie du Deutéronome et de celle des textes sacerdotaux du Pentateuque. Pour le Chroniste, l'organisation sacerdotale devant laquelle il se trouve est une donnée; il utilisera souvent le vocabulaire et les institutions des textes sur lesquels elle se base : droits des prêtres, rôle des lévites, seconde Pâque (Nb 9, etc.), tout cela commandera sa rédaction. Mais parfois il abandonne cette terminologie et on le voit, en des institutions aussi importantes que la Pâque, donner la préférence au Deutéronome. L'esprit fraternel et cordial du Deutéronome semble en effet lui plaire davantage et c'est en se fondant sur lui qu'il rehausse les pouvoirs des lévites. Les petits discours prophétiques qu'il insère dans son œuvre sont souvent d'esprit deutéronomique. Ses fêtes auront le caractère joyeux que demandait le Deutéronome et que ne rappelaient guère les

textes sacerdotaux; enfin, tandis que la communauté décrite
dans les Nombres est une communauté en état de défense et
organisée pour la guerre sacrée (Nb **31**), le royaume davidique est un royaume de paix que Dieu défend miraculeuse-
ment si on lui est fidèle; les règnes de Salomon et d'Asa en
sont les plus beaux exemples; et c'est bien là encore un idéal
deutéronomique. Autour de l'héritier davidique, souverain de
tout Israël, le Chroniste veut faire vivre d'une vie heureuse
un peuple qui ait la paix sur toutes ses frontières. Retenant
des textes sacerdotaux la présence de la divine transcendance,
et du Deutéronome le don gracieux d'une vie heureuse, le
Chroniste a recueilli tout l'héritage du Pentateuque.

Mais outre les sources théologiques, les sources historiques
devaient donner à son œuvre ces traits réels et vivants sans
lesquels les idées du Chroniste auraient perdu tout contact
avec ce monde où devaient vivre les Israélites fidèles et où
agit leur Dieu créateur et provident. Le Chroniste s'intéressait plus aux hommes qu'aux faits et il s'attachait plus aux
familles, aux clans et à telles ou telles listes d'hommes qu'aux
dates, ou aux détails historiques et géographiques. Il n'en
sentait pas moins la nécessité de ne pas inventer et de partir
de données acquises avant de les présenter sous la lumière
qui lui importait. Ces données sont les sources proprement
dites du Chroniste.

Les sources. Les sources du Chroniste
se présentent d'une manière
assez curieuse. Il cite des
sources qui sont pour nous assez fuyantes et il n'en cite pas
qui nous paraissent assurées.

De même que le livre des Rois, à la fin de chaque règne,
renvoie son lecteur aux livres des Chroniques des Rois de
Juda ou d'Israël, voire au livre des Actes de Salomon (1 R **11**
41), s'il désire connaître plus de détails, notre auteur renvoie le sien à des sources dont il donne les titres. Références
qu'il fait figurer non seulement à la fin des règnes dont il parle,
mais à d'autres occasions : établissement d'une liste (1 Ch **9** 1;

27 24), ou lamentations (2 Ch **35** 25). Mais ceci est exceptionnel, tandis qu'il lui arrive fréquemment de donner plusieurs références à la fois pour le même règne.

Ces titres sont variés. Les uns se rapportent aux rois : les *Chroniques du roi David* (1 Ch **27** 24), le *Livre des Rois d'Israël* (1 Ch **9** 1; 2 Ch **20** 34), les *Actes des Rois d'Israël* (2 Ch **33** 18), le *Livre des Rois d'Israël et de Juda* (2 Ch **27** 7; **35** 27; **36** 8), le *Livre des Rois de Juda et d'Israël* (2 Ch **16** 11; **25** 26; **28** 26; **32** 32), et le *Midrash du livre des Rois* (2 Ch **24** 27). Les autres se rapportent à des prophètes : les *Actes de Samuel le voyant* (1 Ch **29** 29), les *Actes de Natân le prophète* (1 Ch **29** 29; 2 Ch **9** 29), les *Actes de Gad le voyant* (1 Ch **29** 29), la *Prophétie d'Ahiyya de Silo* (2 Ch **9** 29), les *Visions de Yédo le voyant* (2 Ch **9** 29), les *Actes de Shemaya le prophète* (2 Ch **12** 15), les *Actes de Iddo le voyant* (2 Ch **12** 15), le *Midrash du prophète Iddo* (2 Ch **13** 22), les *Actes de Jéhu fils de Hanani* (2 Ch **20** 34), les *Actes d'Ozias* consignés par *Isaïe* (2 Ch **26** 22), la *Vision d'Isaïe* (2 Ch **32** 32), les *Actes de Hozaï* (2 Ch **33** 19), et enfin les *Lamentations de Jérémie sur Josias* (2 Ch **35** 25).

On a beaucoup discuté sur ces sources et l'accord est loin d'être fait. Il est certain que les références aux ouvrages cités ne renvoient pas toujours à nos livres canoniques, si même elles y renvoient jamais. Quand il parle de *Livre des Rois* d'Israël ou de Juda, notre auteur fait allusion à des faits ou à des textes qui ne se trouvent ni dans nos livres de Samuel ni dans nos livres des Rois (voir par exemple 1 Ch **9** 1; 2 Ch **27** 7; **33** 18; **36** 8) et ses *Lamentations* de Jérémie ne sont point le livre canonique des Lamentations (voir toutefois 2 Ch **35** 25 et la note). Rudolph admet cependant que l'auteur renvoie à une édition plus complète de Samuel-Rois dont nous n'aurions qu'une édition amputée.

Ces sources sont-elles fictives ou non ? Sont-elles à répartir entre sources historiques et prophétiques ? Forment-elles les diverses parties d'un recueil unique ? Saint Paul renvoyant à Élie ne citait pas un livre particulier mais un simple passage du livre des Rois (Rm **11** 2); le Chroniste ne fait-il pas de

même ? On discute de tout cela, et sur ce point on ne peut
qu'indiquer certaines probabilités. Il ne semble pas que ces
sources soient fictives, car le Chroniste aime prendre pour
point de départ un texte ou un fait, quitte à les interpréter
selon l'inspiration qui l'anime. On a constaté depuis longtemps
des heurts et un manque d'harmonie dans les récits, tout spé-
cialement en 1 Ch **8-9; 15-16; 23**, où l'esprit du rédacteur
final n'est visiblement pas le même que celui des passages qu'il
conserve; M. Rothstein y a vu deux rédactions, l'une sacerdotale (P) et l'autre lévitique, M. von Rad deux rédactions lévitiques, M. Welch une rédaction deutéronomique suivie d'une
rédaction sacerdotale. Il nous semble qu'il s'agit plutôt d'une
rédaction du Chroniste utilisant des sources d'un esprit plus
voisin de celui des textes sacerdotaux, mais déjà proche du sien.

Tous ces textes devaient se ressembler et l'on peut difficilement, à notre avis, mettre d'un côté des textes prophétiques,
de l'autre des textes historiques. Pour des actes de rois « des
premiers aux derniers », le Chroniste renvoie en effet à des
titres prophétiques. Il ne semble pas que l'on puisse traduire
des phrases telles que 2 Ch **20** 34 autrement que : « les Actes
de Jéhu fils de Hanani qui ont été consignés dans le livre des
Rois d'Israël » (cf. **32** 32 : « Vision d'Isaïe fils d'Amoç au livre
des Rois de Juda et d'Israël »; voir aussi **33** 18); ce qui implique
que la source historique comprenait des extraits prophétiques.
Tous ces écrits devaient être des compositions religieuses
décrivant les différents règnes à la lumière des interventions
prophétiques. Ceci dit, il paraît difficile de ramener tous ces
textes à un seul recueil. Le Chroniste semble, par exemple,
avoir eu connaissance de la « Prière de Manassé » en deux
recueils différents (comparer 2 Ch **33** 18 et **33** 19). Il est donc
plus probable que notre auteur s'est trouvé en présence d'une
littérature assez considérable et qu'il l'a résumée en l'utilisant.
Plus tard l'auteur du deuxième livre des Maccabées utilisera
et résumera de même Jason de Cyrène; mais les ouvrages cités
par le Chroniste ont disparu comme a disparu l'œuvre de
Jason de Cyrène.

A côté de ces sources disparues il en est que nous connaissons bien, quoique le Chroniste n'y renvoie jamais explicitement. Ce sont en premier lieu les Livres de Samuel et des Rois. Les coïncidences de texte sont telles que l'on est obligé d'admettre une dépendance, même si l'on estime avec van den Bussche que le texte des Rois a souffert par rapport au texte primitif que suit le Chroniste. Grâce à la Synopse du P. Vannutelli, qui est un outil de travail incomparable, les ressemblances et divergences sautent aux yeux. Or on peut presque toujours expliquer, et généralement sans difficulté, pourquoi le Chroniste fait telle suppression, ajoute tel complément, ou apporte tel remaniement. On observe à merveille son esprit et son travail. La source est là, évidente, mais le Chroniste ne s'en juge nullement dépendant pour le mot à mot; il a pleinement conscience de faire une œuvre nouvelle tout en en utilisant une qui existe déjà. Il ne reculera pas devant d'apparentes contradictions car son point de vue n'est pas celui de son prédécesseur et, s'il entend respecter les grandes lignes de l'histoire, il ne veut point s'astreindre au détail des vicissitudes historiques de la monarchie israélite. En 2 S **21** 19 Elhanân de Bethléhem (maison de *Lḥm*) tue Goliath; en 1 Ch **20** 5 il tue Lahmi (*Lḥm*) le frère de Goliath. En 2 S **8** 18 les fils de David sont des prêtres; en 1 Ch **18** 17 ils ne sont plus que « les premiers à côté du Roi ». En 2 S **24** 1 c'est Yahvé qui incite à faire le dénombrement; en 1 Ch **21** 1 c'est Satan. En 2 S **24** 24, David achète l'aire d'Ornân pour 50 sicles d'argent; en 1 Ch **21** 25 il en paie 600 d'or. En 1 R **9** 10 Salomon cède à Hiram de Tyr un certain nombre de cités à titre d'indemnité; en 2 Ch **8** 1 s c'est Hiram qui les donne à Salomon. Et l'on en pourrait ajouter. Si l'on fait du Chroniste un historien, qui accumule des faits, ces libertés sont incompréhensibles, mais si l'on y voit un théologien qui « pense » le royaume davidique à la lumière du passé elles s'expliquent facilement; ce ne sont plus des libertés, c'est la résultante des forces du passé, du présent et de l'avenir qui conditionnent son œuvre.

Il y a encore d'autres sources bibliques. Ce sont les listes de la Genèse et du livre des Nombres. Là encore le Chroniste fait son choix, il ajoute et il retranche. Mais tandis qu'il se borne souvent à de brèves allusions aux livres bibliques (il en connaît d'ailleurs beaucoup), il suit de plus près le texte où se trouvent ces listes.

A côté de ces documents bibliques il semble en avoir maints autres à sa disposition. Certaines de ses énumérations sont artificielles : ainsi 1 Ch 12 24-38 où l'on verrait volontiers le « Paraissez Navarrais, Maures et Castillans » du Chroniste. Mais le cas est rare. Nous savons maintenant par les documents araméens d'Éléphantine (vᵉ siècle av. J. C.) et ceux de Ras-Shamra (xivᵉ siècle av. J. C.), combien l'antiquité sémitique a rédigé de listes nominatives, souvent bien difficiles à interpréter. Le Chroniste a dû disposer de beaucoup d'anciens documents. Il n'a pas toujours eu la science technique nécessaire pour en préciser le contexte historique, il a vu parfois une liste là où il y avait une prière (1 Ch 25 4); il n'a pas non plus toujours su comment les dater, ni voir à quoi les rapporter. Mais c'est d'eux qu'il partait et nous trouvons là un matériau fort intéressant.

Enfin il semble difficile de refuser au Chroniste l'utilisation de traditions orales. Elles sont d'ailleurs strictement judéennes, comme il convient à l'époque où il écrit. Il s'agit surtout de razzias qui ont paru terribles à ces populations (d'où l'énormité des chiffres donnés) et qui furent opérées par des Édomites ou des Kushites, en tous cas par des nomades du Sud. Le Chroniste les a placées dans le contexte historique qui lui paraissait le plus approprié, mais on voit qu'il est loin des événements. Les souvenirs antérieurs à l'exil, véhiculés par les rapatriés, et les souvenirs de la période qui a suivi l'exil sont souvent mêlés. On est déjà fort avancé dans la période postexilique. Ces données sont cependant intéressantes; des monuments égyptiens comme l'inscription du Pharaon Sheshonq à Karnak les ont parfois confirmées et des auteurs aussi versés dans l'archéologie orientale que M. Albright ont su en montrer la valeur.

La composition. On peut ainsi se faire une idée assez claire du but poursuivi par l'auteur, de la manière dont il a travaillé et du genre littéraire de l'œuvre qu'il a voulu composer. C'est une œuvre théologique, un aperçu sur le royaume de Dieu définitif que Yahvé entend réaliser par son alliance avec David et sa maison; mais cette théologie n'est pas faite à l'aide de concepts théologiques, — ceux-ci n'étant pas encore élaborés, — elle est faite à partir de données traditionnelles et de documents, sans que l'auteur se sente étroitement lié par eux. Il a conscience que la Révélation n'est pas close et qu'il y a plus à dire que n'ont dit ses prédécesseurs même inspirés, quoiqu'il travaille à leur suite. Pour décrire ce royaume davidique le Chroniste va utiliser le cadre de l'histoire de la dynastie davidique et les perspectives de restauration; il imite le document sacerdotal du Pentateuque qui replaçait les institutions dans le cours de l'histoire du monde et d'Israël avant la conquête de Canaan.

Une première partie sert d'introduction. On peut l'intituler : « Autour de David ». Elle a pour base des listes généalogiques groupant les différents clans qui composent les tribus. Juda et Lévi ont la part principale, Juda en tête, Lévi au centre. Puis l'intérêt se porte sur Benjamin dont relève Jérusalem et sur la population de cette ville.

A partir du ch. 10, les récits, qui n'étaient jusqu'alors que notices anecdotiques, prennent la première place; les listes, si nombreuses soient-elles, ne sont plus qu'un accessoire. La mort du benjaminite Saül fait transition et cette seconde partie (10-29) est consacrée à David et à ses institutions. David fonde sa monarchie à Jérusalem qui sera la ville sainte. Il a ses « preux », mais des hommes de toutes les tribus se rallient à lui et c'est de l'ensemble des douze tribus qu'il reçoit la royauté (12). Lorsqu'il a délivré l'arche, qu'il possède palais et enfants, et qu'il a obtenu la paix par sa victoire sur les Philistins, il peut établir l'Arche solennellement (15) et en confier le service aux lévites. Ceux-ci, de porteurs qu'ils étaient, deviennent des chantres et, parallèlement au culte sacerdotal de la Demeure à Gabaôn, fondent le nouveau culte psalmique à Jérusalem près de l'Arche (16). La prophétie de Natân assure la pérennité des bénédictions divines (17) et, à la suite de nouvelles victoires qui l'ont fortifié et enrichi (18-20), David peut consacrer ses forces à la préparation d'un sanctuaire définitif où seront offerts les holocaustes réguliers; la Demeure cessera d'être une Tente mobile pour devenir le Temple fixe où réside l'Arche. Le Chroniste peut ainsi faire fusionner dans un tableau unique les prêtres et les lévites (23) et détailler ensuite leurs classes et leurs fonctions (24-27) auxquelles sont adjointes les fonctions profanes des laïcs (27). Il ne reste plus à David qu'à donner ses dernières instructions et à organiser les offrandes qui permettront la construction de l'édifice (28-29).

La troisième partie (2 Ch 1-9) dépend de la seconde. Elle a pour objet la réalisation de l'œuvre par Salomon. C'est à cause de la Sagesse divine qui lui est impartie que Salomon peut réaliser cette tâche. Le Chroniste résume alors les préparatifs et les travaux selon les données du livre des Rois (2-5), mais il insiste sur les prières faites par Salomon tant à sa propre intention qu'à celle du peuple (6-7). Le Temple est consacré et Dieu rappelle au roi les conditions de son alliance. La bénédiction de Dieu est assurée au règne qui s'achève dans la gloire (8-9).

C'est alors que commence l'histoire de la dynastie et des réformes. Chaque roi reçoit sa propre rétribution suivant sa fidélité ou son infidélité aux principes de l'alliance davidique. Une quatrième partie (10-27) traite donc de désordres, et de réformes que nous pourrions appeler mineures. Roboam regroupe les lévites et se rachète finalement d'une faute grave (10-12). Abiyya condamne le peuple qui a rompu avec le sacerdoce légitime (13). Asa renouvelle l'alliance et assure la paix, mais il pèche gravement contre la fraternité des tribus (14-16). Josaphat réorganise l'enseignement de la loi, commet l'erreur de se lier au pervers Achab, mais se sauve par sa foi (17-20). Après quelques règnes impies, le prêtre Yehoyada, avec l'appui des lévites, restaure la monarchie davidique et son culte (**21-24**). Enfin l'orgueil d'Amasias et d'Ozias compromettent ce qu'ils font de bien (**25-26**).

Les grandes réformes sont décrites dans la cinquième partie (**28-36**). Après l'impiété d'Achaz, Ézéchias monte sur le trône, purifie le Temple, accomplit un grand sacrifice d'expiation, renouvelle le sacrifice de communion et convoque tout Israël pour une Pâque solennelle. Après quoi il pourvoit par des mesures précises à l'entretien et au bon ordre du clergé (**30-31**); aussi, lors du péril assyrien, la prière du roi est-elle exaucée. La réforme de Josias fait suite à l'impiété de Manassé et d'Amon qui ont porté les choses à un point tel que le peuple est irrémédiablement corrompu et ne pourra plus être sauvé. Cependant la réforme de Josias sauve le roi et son règne. Elle est grosse d'espérance pour l'avenir, grâce au renouvellement de l'alliance et à une célébration de la Pâque où les pouvoirs des lévites sont accrus et le peuple sanctifié (**34-35**). Mais s'en reviennent de mauvais successeurs, et la nation devient incapable d'écouter la parole de Dieu (**36**).

Ces réformes après ces désastres n'étaient que le signe de désastres et d'une réforme d'une tout autre envergure. L'œuvre du Chroniste continuait en effet par une sixième partie, les livres actuels d'Esdras et de Néhémie. Après l'exil, la restauration du Temple, suivie de la réforme religieuse d'Esdras et de la réforme politique de Néhémie, reprenaient les thèmes et les procédés du Chroniste sur une tout autre échelle. Y avait-il une septième partie messianique ? nous l'ignorons.

Tel est le plan et la composition de cette œuvre qui ne manque ni de souffle ni de puissance. Certes le Chroniste n'est jamais libre de sa composition et il subit la pression des documents dont il dispose, de la mentalité de l'époque où il vit. Son style n'est point coloré, les phrases sont souvent embarrassées par les surcharges ou les adaptations qu'il doit faire. Les listes de noms, si parlantes alors, n'évoquent pas grand-chose pour le lecteur moderne. Les procédés littéraires qu'il utilise pour décrire la providence surnaturelle de Dieu nous gênent plus qu'ils ne nous aident à entrer dans sa foi. Mais il a par moments

des accents d'épopée; certains discours comme celui d'Abiyya
aux Israélites ont du mordant, et le goût du chant sacré donne
à toute l'œuvre une atmosphère musicale qu'on ne trouve
guère ailleurs dans la Bible. Les sistres font place aux luths et
aux cithares, les trompettes guerrières n'interviennent plus
qu'au paroxysme de la bataille ou aux moments les plus tendus
de la liturgie. Ah ! s'il avait connu les orgues et les violons...

L'occasion. Œuvre postexilique, peut-on
préciser davantage la date de
la composition ? Sur ce point
les avis divergent. L'ouvrage ne peut être antérieur à la mission d'Esdras et la liste généalogique des descendants de
David conduit au moins jusqu'à la fin du ve siècle av. J. C.
La mention de « dariques » (monnaie créée par Darius) à
l'époque de David (1 Ch **29** 7), montre que l'auteur a perdu
le sens du mot; Darius meurt en 485, c'est dire que le Chroniste n'a pu écrire avant 400. Des auteurs comme Albright
admettent que l'œuvre a été composée au début du IVe siècle
av. J. C. et aurait même Esdras pour auteur, étant donné les
analogies de style et de mentalité entre les Mémoires d'Esdras
et les récits du Chroniste. Mais les expressions « roi perse »
ou « perse » appliquées à Cyrus et à Darius conviennent mieux
si l'on est au delà de la période persane. De plus la liste de
Ne **12** 22 inclut le grand prêtre Yaddua qui, selon Josèphe,
fut contemporain d'Alexandre. Goettsberger et Pfeiffer date-
raient donc plus volontiers l'ouvrage de la période grecque,
sans que l'on puisse descendre au delà de 157, date où Eupo-
lème utilise les Chroniques en traduction grecque, ni même
au delà de 180, date où Ben Sira paraît bien dépendre du Chroniste dans son portrait de David (**47** 2-11). Peut-on concilier
les deux hypothèses en adoptant les intéressantes vues de
Rudolph, qui admet deux éditions successives du livre ? Mais
cela l'entraîne à considérer comme additionnels une masse de
textes qui paraissent à d'autres essentiels à l'intelligence du
livre (ainsi 2 Ch **31** 2 suppose 1 Ch **24**, et 2 Ch **23** 18 s suppose 1 Ch **23-26**).

L'auteur, qui est un disciple d'Esdras, semble avoir pris la plume pour célébrer et continuer l'œuvre de son maître à une époque où celle-ci était remise en question. La première classe de prêtres est devenue celle de Yehoyarib, d'où vont sortir les Maccabées; on n'est donc plus très loin du second siècle. Il est probable que le Chroniste a vécu et travaillé au cours du iiie siècle av. J. C. C'est l'époque de la suprématie des Ptolémées, le schisme samaritain est dans toute sa force, le sacerdoce est étroitement lié aux Tobiades, qui sont les agents financiers des Ptolémées comme on le sait par les papyrus de Zénon. On conçoit bien que l'auteur ait voulu faire une œuvre de concorde et d'unité autour du milieu fervent que sont les lévites d'alors. Mais malheureusement nous connaissons trop mal cette époque pour pouvoir préciser davantage.

L'influence. L'œuvre du Chroniste ne fut pas admise sans lutte. L'opposition dut venir du sacerdoce sadducéen. Par contre, elle dut être favorisée par ce qui allait devenir le mouvement pharisien. La disposition actuelle de la Bible hébraïque nous montre que les livres d'Esdras et de Néhémie furent les premiers à être admis au canon; on ne conçoit pas autrement que le début de l'édit de Cyrus ait été écrit deux fois. C'est probablement lors de la clôture du canon juif, au concile de Jamnia vers 95 de notre ère, que les Pharisiens firent reconnaître définitivement la canonicité des Chroniques. Le sacerdoce sadducéen s'était effondré lors de la chute de Jérusalem en 70. Mais les résistances se firent encore sentir et l'on explique ainsi que l'Église syriaque ne l'ait reçu que tardivement à son canon.

Cette estime des milieux pharisiens explique l'influence du livre à l'époque du Christ. Le pharisien Josèphe suit plutôt les Chroniques que les Rois. Le Pseudo-Philon s'en inspire, comme l'a montré M. Spiro. C'est à cette influence et à ce respect que l'on doit le bon état du texte hébreu. Chaque fois qu'une divergence avec le texte des Rois sur un nom propre pourrait faire croire à un défaut dans la transmission du texte, il semble que l'anomalie remonte au Chroniste lui-même et qu'elle soit due, soit à une lecture différente d'un document (rédigé parfois en écriture ancienne), soit aux présupposés du Chroniste (ainsi Tadmor pour Tamar en 2 Ch 8 4). De fait, la traduction grecque des Septante est très proche du texte hébreu massorétique. On peut seulement noter une tendance à harmoniser l'un ou l'autre de ces deux textes avec le texte des Rois; le texte grec est plus harmonisant que le texte hébreu.

Les Pharisiens ne semblent pas avoir été les seuls héritiers du Chroniste. La secte dont on a retrouvé les textes dans le désert de Juda, et dont les règles sont bien proches de celles des Esséniens contemporains du Christ, est, elle aussi, sous la mouvance de l'esprit du Chroniste. Elle a le même idéal communautaire, les mêmes exigences morales, le même culte de la Loi et le même respect du sacerdoce d'Aaron. Elle attend comme lui la réalisation d'une nouvelle communauté, mais son Messie n'est plus seulement David, c'est un Messie d'Israël et d'Aaron. Et cependant le clergé de Jérusalem lui est suspect au point qu'on peut se demander si ses membres vont jamais sacrifier à Jérusalem. Son culte, c'est le culte où l'on chante des hymnes : « L'offrande des lèvres est apaisement de justice et la perfection de la conduite une oblation volontaire. » L'expiation des fautes se fait par l'établissement d'une communauté pourvue de règles précises et d'un esprit de sainteté « plus que par la chair des holocaustes et la graisse des sacrifices » (*Manuel de Discipline*, 9 3-6).

Les communautés de la primitive Église décrites dans les Actes et les Épîtres pauliniennes sont davantage dans la ligne du Chroniste et en réalisent mieux les aspirations; leur Messie est un descendant de David. Elles ont l'Esprit et le don de prophétie, elles se réunissent en banquets sacrificiels où est renouvelée la Cène de leur fondateur. L'Assemblée liturgique chante et célèbre Dieu : « Cherchez dans l'Esprit votre plénitude. Récitez entre vous des psaumes, des hymnes et des cantiques inspirés; chantez et célébrez le Seigneur de tout votre cœur. En tout temps et à tout propos, rendez grâce à Dieu le

Père, au nom de notre Seigneur Jésus Christ. » On voit bien par ces lignes de l'épître aux Éphésiens (5 18-20) comment l'Église chrétienne réalise par Jésus de Nazareth fils de David, victime du clergé sadducéen, l'espérance du Chroniste.

L'Église chrétienne reçut le livre des Chroniques avec l'ensemble des livres bibliques. C'est évidemment dans l'Évangile de saint Matthieu, écrit pour les judéo-chrétiens, que les traces de l'influence de ce livre sont les plus sensibles. Saint Matthieu ouvre son Évangile par une généalogie. Au lieu de mener à David et aux dix tribus, cette généalogie, dont l'idée théologique est celle du Chroniste, conduit à Jésus de Nazareth : elle présente le Sauveur au centre de la vie de son peuple. L'évocation discrète de Tamar, de Ruth et de Bethsabée est un écho du rôle que jouent les mariages dans les généalogies de 1 Ch 1-9. On admet assez souvent que lorsque le Christ en Mt 23 35 rappelle les massacres de prophètes en Israël depuis Abel jusqu'à Zacharie, il évoque par là la constante infidélité du peuple dans l'histoire du salut depuis le premier livre saint (Abel au livre de la Genèse) jusqu'au dernier (Zacharie au livre des Chroniques, 2 Ch 24 21); de fait, l'apostrophe du Christ aux vv. précédents est bien dans la ligne de 2 Ch 36 16. Enfin plusieurs expressions de Matthieu (7 7; 14 3; 24 7; 27 51) semblent venir des Chroniques. On pourrait en trouver également chez saint Paul (1 Co 14 16; 2 Co 9 7; 1 Tm 1 17). Mais elles sont naturellement plus nombreuses dans l'épître aux Hébreux; il suffit de comparer He 1 5 et 1 Ch 17 13; He 11 9 et 1 Ch 16 1 s; He 11 13 et 1 Ch 29 15. Le prologue de l'épître aux Hébreux résume les multiples interventions de prophètes que contiennent les Chroniques; lorsque d'une manière fort surprenante He 9 4 place l'autel des parfums (l'autel d'or) dans le Saint des saints, malgré Ex 30 6, il est bien dans la ligne du Chroniste pour lequel l'offrande des parfums, ainsi que le Saint des saints (ou choses très saintes), sont réservés aux prêtres tandis que les lévites ont la charge des choses saintes et du Saint, donc la charge du chandelier, de la table et des pains (quitte à entrevoir dans la monarchie davidique messianique un accès des lévites au Saint des saints).

La liturgie chrétienne use avec discrétion du livre des Chroniques. Au Missel on ne le lit guère que pour l'Office de la Dédicace, Épître et Offertoire (2 Ch **7** 1-16 et 1 Ch **29** 17 s). Mais il apparaît souvent dans les Antiennes de Vêpres et d'autres heures : ainsi les Antiennes de Noël, certaines antiennes et répons de la fête du Sacré-Cœur, de la Sainte Trinité, de la fête des Saints Anges, du 3e Dimanche après Pâques, du 3e et du 6e après la Pentecôte. Un des Psaumes du Lundi à Laudes n'est autre que le Cantique de David en 1 Ch **29** 10-13. L'Église, au concile d'Orange en 529, invoquera également le livre des Chroniques en son canon 11 (1 Ch **29** 14). Les Pères l'ont peu commenté (Théodoret, Procope de Gaza).

Le développement de la critique biblique a d'abord nui au livre des Chroniques. On cherchait avant tout dans les livres saints des faits, et on se demandait quel crédit on pouvait attribuer aux récits du Chroniste. Ses divergences avec le livre des Rois inquiétaient, l'apparent mécanisme de la rétribution terrestre choquait, sa phraséologie dogmatique n'était plus comprise. Cependant ses schémas ont toujours été admis dans la catéchèse chrétienne et lorsque nous apprenions que les tribus de Juda et de Benjamin étaient restées fidèles à la dynastie de David, c'est le livre des Chroniques que nous suivions et non le livre des Rois. Le renouveau de la compréhension théologique de la Bible permet maintenant de mieux comprendre le Chroniste et de garder la fermeté de ses cadres dogmatiques sans rien perdre de sa profondeur religieuse. Protestants (Rudolph) et catholiques nous ont donné de beaux travaux et les dernières études catholiques de Goettsberger, Marchal-Médebielle, Rehm, Bückers, Lefèvre, Brunet évitent bien des difficultés au lecteur.

N. B. *Là où les Chroniques présentent des passages parallèles à la Genèse, aux Psaumes, au livre d'Esdras et surtout aux livres de Samuel et des Rois, les notes explicatives n'ont pas été répétées.*

LES LIVRES DES CHRONIQUES

PREMIER LIVRE DES CHRONIQUES

I

AUTOUR DE DAVID : LES GÉNÉALOGIES[a]

I. D'Adam a Israël

Origine des trois grands groupes. 1. [1] Adam, Seth, Énosh, [2] Qénân, Mahalaléel, Yéred, [3] Hénok, Mathusalem, Lamek, [4] Noé, Sem, Cham et Japhet. || Gn 5

[5] Fils de Japhet : Gomer, **Les Japhétites.** Magog, les Mèdes, Yavân, Tubal, Méshek, Tiras. || Gn 10 2-4

[6] Fils de Gomer : Ashkenaz, Riphat, Togarma. [7] Fils de Yavân : Élisha, Tarshish, les Kittim, les Dananéens.

---

1 4. « Noé »; *Var. G :* « Fils de Noé ».
6. « Riphat » *plusieurs Mss hébr.*; « Diphat » H.

---

a) Ces premiers ch. sont presque exclusivement généalogiques, à part quelques allusions à des événements mal datés. L'auteur reprend ici le procédé littéraire qui, dans le Pentateuque, situait Abraham au milieu des nations qui devaient être bénies en son nom (Gn **12** 3). Mais la figure centrale est ici David, ancêtre et prototype du Messie; il est entouré des prêtres, lévites et chantres. L'Évangile selon saint Matthieu (**1** 1-17) introduit lui aussi le Christ par une généalogie, mais sans mentionner l'organisation sacerdotale du judaïsme. Dans l'Évangile de Luc (**3** 23-38) au contraire la généalogie sera précédée de deux ch. où le sacerdoce lévitique est représenté par Zacharie et Élisabeth. Les généalogies des Chroniques indiquent souvent de simples rapports entre tribus. Il faut étudier en chaque cas le sens de ces listes et celui que le Chroniste leur attribuait.

|| Gn **10** 6-8

Les Chamites.

⁸ Fils de Cham : Kush, Miçrayim, Put, Canaan.

⁹ Fils de Kush : Séba, Havila, Sabta, Rama, Sabteka. Fils de Rama : Sheba, Dedân. ¹⁰ Kush engendra Nemrod, qui fut le premier potentat sur la terre.

|| Gn **10** 13-18

¹¹ Miçrayim engendra les gens de Lud, de Anam, de Lehab, de Naphtuh, ¹² de Patros, de Kasluh et de Kaphtor d'où sont sortis les Philistins. ¹³ Canaan engendra Sidon, son premier-né, puis Hèt, ¹⁴ et le Jébuséen, l'Amorite, le Girgashite, ¹⁵ le Hivvite, l'Arqite, le Sinite, ¹⁶ l'Arvadite, le Çemarite, le Hamatite.

|| Gn **10** 22-29

Les Sémites.

¹⁷ Fils de Sem : Élam, Ashshur, Arpakshad, Lud et Aram.

Fils d'Aram : Uç, Hul, Géter et Méshek.

¹⁸ Arpakshad engendra Shélah et Shélah engendra Éber. ¹⁹ A Éber naquirent deux fils : le premier s'appelait Péleg, car ce fut en son temps que la terre fut divisée, et son frère s'appelait Yoqtân.

²⁰ Yoqtân engendra Almodad, Shéleph, Haççarmavet, Yérah, ²¹ Hadoram, Uzal, Diqla, ²² Ébal, Abimaël, Shéba, ²³ Ophir, Havila, Yobab; tous ceux-là sont fils de Yoqtân.

|| Gn **11** 10-26

De Sem à Abrahamᵃ.

²⁴ Arpakshad, Shélah, ²⁵ Éber, Péleg, Réu, ²⁶ Serug, Nahor, Térah, ²⁷ Abram —

---

11 *à* 16 *manquent dans* Gᴮ.

17. « *Fils d'Aram* » Gᴬ *Mss hébr.* Gn **10** 23; *omis par* H. — *Syr 6 Mss Gn ont* « *Mash* » *au lieu de* « *Méshek* ». — 17ᵇ-20 *manquent dans* Gᴮ.

24. *G a au début* « *Fils de Sem* ».

---

a) Abrégeant les longues séries de Gn **5** et **11** et copiant d'importants passages de Gn **10**, l'auteur ne retient de toutes les lignées sorties du premier homme que le Sémite Abraham.

c'est Abraham. ²⁸ Fils d'Abraham : Isaac et Ismaël. ²⁹ Voici
leurs descendances :

Les Ismaélites *ᵃ*. Le premier-né d'Ismaël, ‖ Gn **25** 13-16
Nebayot, puis Qédar, Ad-
béel, Mibsam, ³⁰ Mishma,
Duma, Massa, Hadad, Téma, ³¹ Yetur, Naphish et Qédma.
Tels sont les fils d'Ismaël.

³² Fils de Qetura, concubine d'Abraham. Elle enfanta ‖ Gn **25** 2-4
Zimrân, Yoqshân, Medân, Madiân, Yishbaq et Shuah.
Fils de Yoqshân : Sheba et Dedân. ³³ Fils de Madiân :
Épha, Épher, Hanok, Abida, Eldaa. Tous ceux-là sont
fils de Qetura.

Isaac et Ésaü. ³⁴ Abraham engendra ‖ Gn **25** 19
Isaac. Fils d'Isaac : Ésaü et
Israël.

³⁵ Fils d'Ésaü : Éliphaz, Réuel, Yéush, Yalam et Qorah. ‖ Gn **36** 10-13
³⁶ Fils d'Éliphaz : Témân, Omar, Çephi, Gaétam, Qenaz, ‖ Gn **36** 15-17
Timna *ᵇ*, Amaleq. ³⁷ Fils de Réuel : Nahat, Zérah, Shamma,
Mizza.

Séïr *ᶜ*. ³⁸ Fils de Séïr : Lotân, ‖ Gn **36** 20-28
Shobal, Çibéôn, Ana, Di-
shôn, Éçer, Dishân. ³⁹ Fils de
Lotân : Hori et Homam. Sœur de Lotân, Timna. ⁴⁰ Fils
de Shobal : Alyân, Manahat, Ébal, Shephi, Onam. Fils
de Çibéôn : Ayya et Ana. ⁴¹ Fils de Ana : Dishôn. Fils de
Dishôn : Hamrân, Eshbân, Yitrân, Kerân. ⁴² Fils d'Éçer :
Bilhân, Zaavân, Yaaqân. Fils de Dishôn : Uç et Arân.

---

a) De même que l'auteur a éliminé Japhétites et Chamites pour ne
retenir que le Sémite Abraham, il va éliminer successivement les Ismaélites pour ne retenir qu'Isaac, et les Édomites pour s'attacher à Jacob.

b) Timna, dans Gn, est le nom de la concubine, et non du fils, d'Éliphaz. Amaleq est le petit-fils de ce dernier.

c) Séïr est le nom d'une région montagneuse au sud de la mer Morte.
Une population horrite y habita; les Édomites la supplantèrent.

3

‖ Gn **36** 31-39

Les rois d'Édom.

⁴³ Voici les rois qui régnèrent au pays d'Édom avant que ne régnât un roi des Israélites : Béla fils de Béor, et sa ville s'appelait Dinhaba. ⁴⁴ Béla mourut et à sa place régna Yobab, fils de Zérah, de Boçra. ⁴⁵ Yobab mourut et à sa place régna Husham, du pays des Témanites. ⁴⁶ Husham mourut et à sa place régna Hadad, fils de Bedad, qui battit les Madianites dans la campagne de Moab; sa ville s'appelait Avvit. ⁴⁷ Hadad mourut et à sa place régna Samla de Masréqa. ⁴⁸ Samla mourut et à sa place régna Shaûl de Rehobot-han-Nahar. ⁴⁹ Shaûl mourut et à sa place régna Baal-Hanân fils d'Akbor. ⁵⁰ Baal-Hanân mourut et à sa place régna Hadad. Sa ville s'appelait Paï; sa femme s'appelait Mehétabéel, fille de Matred de Mé-Zahab.

‖ Gn **36** 40-43

Les chefs d'Édom.

⁵¹ Hadad mourut*a* et il y eut alors des chefs en Édom : le chef Timna, le chef Alya, le chef Yetèt, ⁵² le chef Oholibama, le chef Éla, le chef Pinôn, le chef Qenaz, le chef Témân, le chef Mibçar, le chef Magdiel, le chef Iram. Tels sont les chefs d'Édom.

---

46. « *Avvit* » *Qer* ; « *Ayyut* » *Ket.*
50. « *de Mé-Zahab* » *conj.* (*cf. Dt* **1** 1); « *fille de Mé-Zahab* » H.

---

a) Ceci ne se trouve pas dans la Genèse et il n'est pas probable que cette liste de chefs soit la suite chronologique de la liste des rois qui précèdent. Dans d'autres passages également le Chroniste est gêné par la liste qu'il a sous les yeux et l'interprète suivant les catégories de son temps, chronologique ou généalogique. Il recueille les données qu'il a à sa disposition pour aider son lecteur israélite à comprendre la fondation, la vie et l'avenir de la communauté religieuse d'Israël.

II. JUDA

2. ¹ Voici les fils d'Israël : ‖ Gn **35** 23-26

Fils d'Israëlᵃ.   Ruben, Siméon, Lévi, Juda, Issachar et Zabulon, ² Dan, Joseph et Benjamin, Nephtali, Gad et Asher.

³ Fils de Juda : Er, Onân ‖ Gn **38** 2-5

Descendants de Juda.   et Shéla. Tous trois lui naquirent de Bat-Shua, la Cananéenne ᵇ. Er, premier-né de Juda, déplut à Yahvé; ‖ Gn **38** 7
il le fit mourir. ⁴ Tamar, la belle-fille de Juda, lui enfanta ‖ Gn **38** 27-30
Pérèç et Zérah. Il y eut en tout cinq fils de Juda.

⁵ Fils de Pérèç ᶜ : Heçrôn et Hamul. ‖ Gn **46** 12

⁶ Fils de Zérah : Zimri, Étân, Hémân, Kalkol et Darda, ‖ 1 R **5** 11
cinq en tout.

⁷ Fils de Karmi : Akar, qui fit le malheur ᵈ d'Israël pour Jos **7**
avoir violé l'anathème.

⁸ Fils d'Étân : Azarya.

⁹ Fils de Heçrôn ᵉ : lui

Origines de David.   naquirent : Yerahméel, Ram, Kelubaï.

---

2 6. « *Darda* » 40 *Mss Vers.* 1 R **5** 11; « *Dara* » H.

---

a) L'auteur reproduit la liste de la Genèse où Ruben a la première place. Mais il va commencer par Juda, la tribu de David, et donner de nombreux renseignements non seulement sur Juda mais sur d'autres tribus habitant le territoire judéen.

b) Voir note sur Gn **38**. Il semble qu'il y ait là trois clans de la montagne de Juda, d'origine plus ou moins cananéenne, dont deux au moins ignorèrent le séjour en Égypte (Gn **46** 12).

c) Le nom du clan de Pérèç s'est maintenu longtemps dans la région de Jérusalem.

d) Il y a allitération entre 'âkâr et 'ôkér (faire le malheur).

e) La racine de ce nom évoque les « enclos », enceintes de pierres sèches

¹⁰ Ram engendra Amminadab, Amminadab engendra

Nb **1** 7 Nahshôn, prince des fils de Juda, ¹¹ Nahshôn engendra

‖ Rt **4** 19-22 Salma et Salma engendra Booz. ¹² Booz engendra Obed,
et Obed engendra Jessé. ¹³ Jessé engendra Éliab son premier-né, Abinadab le second, Shiméa le troisième, ¹⁴ Netanéel le quatrième, Raddaï le cinquième, ¹⁵ Oçem le sixième,
David le septième. ¹⁶ Ils eurent pour sœurs Çeruya et Abigayil. Fils de Çeruya : Abishaï, Joab et Asahel : trois.
¹⁷ Abigayil enfanta Amasa, le père d'Amasa fut Yéter
l'Ismaélite^{*a*}.

¹⁸ Caleb^{*b*}, fils d'Heçrôn,

Caleb.   engendra Azuba, Ishsha et

Yeriot : en voici les fils^{*c*} :
Yésher, Shobab et Ardôn. ¹⁹ Azuba mourut et Caleb
épousa Éphrata, qui lui enfanta Hur. ²⁰ Hur engendra Uri
et Uri engendra Béçaléel.

²¹ Puis Heçrôn s'unit à la fille de Makir, père de Galaad^{*d*}.
Il l'épousa alors qu'il avait soixante ans et elle lui enfanta
Segub. ²² Segub engendra Yaïr qui détint vingt-trois villes
dans le pays de Galaad. ²³ Puis il conquit sur Aram et

---

18. *Au lieu de « engendra Azuba », Vulg Syr lisent « prit pour femme Azuba
et engendra »* cf. G^L *et Mss.*

qui pouvaient protéger les troupeaux et leurs propriétaires. Beaucoup de
toponymes judéens sont construits avec ce terme (*hâçér*).

a) On voit le mélange des races de Juda.

b) Caleb (ou Kelubaï, v. 9) est donné en Nb **32** 12; **14** 6 et Jg **1** 13
comme un Qenizzite, de souche édomite. Au temps de David (1 S **25** 3;
30 14) il ne semble pas encore s'être assimilé aux Judéens. Il était monté
d'Édom, sans doute avec les Qénites, et colonisa une bonne partie de la
région de Juda. Il fusionna d'une manière ou d'une autre avec le clan
d'Éphrat (ou Éphrata) qui peupla Bethléem. Le Chroniste lui donne pour
père soit Heçrôn soit Yephunné (**4** 15).

c) D'Azuba.

d) Notation sociologique intéressante. Le Chroniste associe aux « enclos »
d'Heçrôn, les « douars » de Yaïr (Nb **32** 41-42), situés non plus au sud
mais à l'est de la Palestine; c'est un autre mode d'habitat non pleinement
sédentarisé.

Geshur les Douars de Yaïr, Qenat et ses dépendances, soixante villes. Tout cela appartint aux fils de Makir père de Galaad.

²⁴ Après la mort de Heçrôn, Caleb s'unit à Éphrata, femme de son père Heçrôn, qui lui enfanta Ashhur, père de Teqoa[a].

²⁵ Yerahméel[b], fils aîné de

Yerahméel. Heçrôn, eut des fils : Ram son premier-né, Buna, Orèn, Oçem, Ahiyya. ²⁶ Yerahméel eut une autre femme du nom de Atara; elle fut la mère d'Onam.

²⁷ Les fils de Ram, premier-né de Yerahméel, furent Maaç, Yamîn et Éqer.

²⁸ Les fils d'Onam furent Shammaï et Yada. Fils de Shammaï : Nadab et Abishur. ²⁹ La femme d'Abishur s'appelait Abihayil; elle lui enfanta Ahbân et Molid. ³⁰ Fils de Nadab : Séled et Éphraïm. Séled mourut sans fils. ³¹ Fils d'Éphraïm : Yishéï; fils de Yishéï : Shéshân; fils de Shéshân : Ahlaï. ³² Fils de Yada, frère de Shammaï : Yéter[c] et Yonatân. Yéter mourut sans fils. ³³ Fils de Yonatân : Pélèt et Zaza.

Tels sont les fils de Yerahméel.

---

23. « *Tout cela appartint...* » *d'après* G ; « *Tous ceux-là étaient fils de Makir, père de Galaad* » H.
24. « *Caleb s'unit à Éphrata* » G *Vulg* ; « *dans Caleb Éphrata* » H. — « *de son père* » 'âbîhu *conj.*; « *Abiyah* » H.
25. « *Ahiyya* »; *Var.* G : « *son frère* » 'âḥîhu.
30. « *Éphraïm* » Gᴮ; « *Appaïm* » H.

---

a) Ville du désert de Judée, sans doute l'extrême pointe de la colonisation d'Éphrata.
b) Autre tribu non israélite (1 S **27** 10 et la note), alliée de David (1 S **30** 29) et sans doute assimilée aux Judéens à partir de cette époque.
c) Plusieurs de ces noms propres se retrouvent à propos des guerriers de David (v. g. 1 Ch **11** 41).

[34] Shéshân n'eut pas de fils[a], mais des filles. Il avait un serviteur égyptien dénommé Yarha, [35] auquel Shéshân donna sa fille pour épouse. Elle lui enfanta Attaï. [36] Attaï engendra Natân, Natân engendra Zabad, [37] Zabad engendra Éphlal, Éphlal engendra Obed, [38] Obed engendra Yéhu, Yéhu engendra Azarya, [39] Azarya engendra Héleç, Héleç engendra Éléasa, [40] Éléasa engendra Sismaï, Sismaï engendra Shallum, [41] Shallum engendra Yeqamya, Yeqamya engendra Elishama[b].

Caleb[c].   [42] Fils de Caleb, frère de Yerahméel : Mésha, son premier-né; c'est le père de Ziph. Il eut pour fils Maresha, père de Hébrôn. [43] Fils de Hébrôn : Qorah, Tappuah, Réqem et Shéma. [44] Shéma engendra Raham, père de Yorqéam. Réqem engendra Shammaï. [45] Le fils de Shammaï fut Maôn et Maôn fut le père de Beth-Çur.

[46] Épha[d], concubine de Caleb, enfanta Harân, Moça et Gazèz. Harân engendra Gazèz.

[47] Fils de Yahdaï : Régem, Yotam, Geshân, Pélèt, Épha et Shaaph.

[48] Maaka, concubine de Caleb, enfanta Shéber et Tirhana. [49] Elle enfanta Shaaph, père de Madmanna, et Sheva, père de Makbena et père de Gibéa.

---

42. « *Il eut pour fils* » b^enô *conj.*; « *fils de* » b^enê *H.*

---

a) Tradition différente de celle du v. 31.
b) On a peine à identifier cet Élishama, personnage assez important cependant pour que le Chroniste insère à son sujet ce paragraphe.
c) Autre registre généalogique des descendants de Caleb, correspondant sans doute à une époque différente, lorsque les rapports entre les clans avaient changé. On trouve dans cette liste plusieurs noms de villes (Tappuah, Ziph, Bet-Çur...).
d) Sur Épha, cf. **1** 33; Gn **25** 4; Jr **40** 8.

La fille de Caleb était Aksa.

Jos 15 16-19

⁵⁰ Tels furent les descendants de Caleb.

Hur[a]. Fils de Hur, premier-né d'Éphrata : Shobal, père de Qiriat-Yéarim, ⁵¹ Salma, père de Bethléem, Harèph, père de Bet-Gader. ⁵² Shobal, père de Qiriat-Yéarim, eut des fils : Haroé, soit la moitié des Manahatites, ⁵³ et les clans de Qiriat-Yéarim, Yitrites, Putites, Shumatites et Mishraïtes. Les gens de Çoréa et d'Eshtaol[b] en sont issus.

⁵⁴ Fils de Salma : Bethléem, les Netophites, Atrot Bet-Yoab, la moitié des Manahatites, les Çoréatites, ⁵⁵ les clans Sophrites habitant Yabèç, les Tiréatites, les Shiméatites, les Sukatites. Ce sont les Qénites[c] qui vinrent de Hamat; la maison de Rékab en est issue.

III. LA MAISON DE DAVID

Fils de David. **3.** ¹ Voici les fils de David qui lui naquirent à Hébron : Amnon l'aîné, d'Ahinoam de Yizréel; Danniyel le deuxième, d'Abigayil de Karmel; ² Absalom le troisième, fils de Maaka, fille de Talmaï, roi de Geshur; Adonias le quatrième, fils de Haggit; ³ Shephatya le cinquième, d'Abital; Yitréam, le

|| 2 S 3 2-5

---

3 1. « *Danniyel* »; *Var. Syr* : « Klb » *cf.* 2 *S* **3** 3 (*Kiléab*).

---

a) Le nom de Hur est associé aux traditions d'Aaron (Ex **17** 10; **24** 14); il garde par ailleurs le nom d'une ancienne population du pays et semble avoir occupé la région à l'ouest et au sud de Jérusalem. Sur Hur, voir aussi **2** 19 s et **4** 1 s.

b) Au temps des Juges ces lieux dépendaient de Dan (Jg **13** 2; **18** 2).

c) L'auteur rattache cette population à la migration des Qénites vers le Nord. Sur l'habitat primitif des Qénites voir aussi Nb **24** 21 et la note. Sur les Rékabites, cf. 2 R **10** 15-16.

sixième, de Égla sa femme. ⁴ Il y en eut donc six qui lui
naquirent à Hébron, où il régna sept ans et six mois.

Il régna trente-trois ans à Jérusalem. ⁵ Voici les fils qui
lui naquirent à Jérusalem : Shiméa, Shobab, Natân, Salomon, tous quatre enfants de Bat-Shua, fille de Ammiel;
⁶ Yibdar, Élishama, Éliphélèt, ⁷ Nogah, Népheg, Yaphia,
⁸ Élishama, Élyada, Éliphélèt : neuf.

⁹ Ce sont là tous les fils de David, sans compter les fils
des concubines. Tamar*ᵃ* était leur sœur.

= **14** 3-7
‖ 2 S 5 14-16

Rois de Judaᵇ.

¹⁰ Fils de Salomon : Ro-
boam; Abiyya son fils, Asa
son fils, Josaphat son fils,
¹¹ Joram son fils, Ochozias son fils, Joas son fils, ¹² Amasias son fils, Azarias son fils, Yotam son fils, ¹³ Achaz son
fils, Ézéchias son fils, Manassé son fils, ¹⁴ Amon son fils,
Josias son fils. ¹⁵ Fils de Josias : Yohanân l'aîné, Joiaqim
le deuxième, Sédécias le troisième, Shallum le quatrième.
¹⁶ Fils de Joiaqim : Jékonias son fils, Sédécias son fils.

**La lignée royale
après l'exil**ᶜ.

¹⁷ Fils de Jékonias le cap-
tif : Shéaltiel. Ses fils : ¹⁸ Mal-
kiram, Pedaya, Shéneaççar,
Yeqamya, Hoshama, Nedab-
ya. ¹⁹ Fils de Pedaya : Zorobabel*ᵈ* et Shiméï. Fils de Zoro-

---

5. « *Bat-Shua* »; *Var. G Vulg* : « *Bat-Shèbaᶜ* » (*Bethsabée*).
15. « *Yohanân* »; *Var. Gᴸ* : « *Joachaz* ».
17. « *Shéaltiel. Ses fils* » bânâyw *conj.*; « *Shéaltiel, son fils* » bᵉnô *H.*

a) Sur Tamar, cf. 2 S **13** 1 s.
b) Cette liste dépend du livre des Rois; le roi qui reçoit en 2 Ch **26** le
nom d'Ozias y est en effet appelé Azarias, comme ici. Mais c'est par Jérémie, **22** 11, que nous pouvons identifier le Shallum fils de Josias avec le
Joachaz du livre des Rois. Sur le second Sédécias, cf. 2 Ch **36** 10.
c) Cette liste nous conduit fort avant dans l'exil, sans doute jusqu'au
temps du Chroniste lui-même.
d) Dans tous les autres textes (Esd **3** 2; Ag **1** 1) Zorobabel est fils de
Shéaltiel sans que l'on mentionne Pedaya.

babel : Meshullam et Hananya; Shelomit était leur sœur.
[20] Fils de Meshullam : Hashuba, Ohel, Bérékya, Hasad-
ya, Yushab-Hésed : cinq. [21] Fils de Hananya : Pelatya;
Yeshaya son fils, Rephaya son fils, Arnân son fils, Obadya
son fils, Shekanya[a] son fils. [22] Fils de Shekanya : Shemaya,
Hattush[b], Yigéal, Bariah, Néarya, Shaphat : six. [23] Fils
de Néaryah : Élyoénaï, Hizqiyya, Azriqam : trois. [24] Fils
d'Élyoénaï : Hodaïvahu, Élyashib, Pelaya, Aqqub, Yohanân, Delaya, Anani : sept.

IV. LES TRIBUS MÉRIDIONALES[c]

Juda. Shobal.

4. [1] Fils de Juda : Péreç, Heçrôn, Karmi, Hur,
Shobal[d].

[2] Reaya, fils de Shobal, engendra Yahat, et Yahat
engendra Ahumaï et Lahad. Ce sont les clans Çoréatites.

Hur.

[3] Voici Abi-Étam, Yiz-
réel, Yishma et Yidbash, dont
la sœur s'appelait Haçlelponi.

---

20. « *Fils de Meshullam* » *conj.*; *omis par* H.
21. « *Yeshaya son fils, Rephaya son fils, Arnân son fils, Obadya son fils, Shekanya son fils* » G ; « *et Yeshaya, les fils de Rephaya, les fils d'Arnân, les fils d'Obadya, les fils de Shekanya* » H.
4 2. « *Reaya* ». *Cf.* 2 52 : « *Haroé* ».
3. « *Abi-Étam* »; *Var.* G : « *les fils d'Étam* ».

---

a) Peut-être le Shekanya d'Esd **10** 2, mais le nom est commun après l'exil.
b) Comparer avec Esd **8** 3.
c) L'auteur donne maintenant un tableau des clans appartenant à chaque tribu en respectant les grandes lignes de la géographie, mais en donnant à Lévi la place centrale qu'a cette tribu en Nb **2** et Ez **48**.
d) Cette nouvelle énumération remplace les trois clans plus ou moins cananéens de **2** 3 par trois autres clans plus authentiquement israélites : Karmi, qui dut subir primitivement l'attraction de Ruben (**5** 3, cf. Gn **46** 9), Hur (cf. p. 39, note *a*) et Shobal qui peupla la région de Qiryat-Yéarim et de Çoréa, à l'ouest de Jérusalem.

⁴ Penuel était père de Gedor, Ézer père de Husha.

Tels sont les fils de Hur*ᵃ*, premier-né d'Éphrata, père de Bethléem.

Ashehur.

⁵ Ashehur, père de Teqoa, eut deux femmes : Héléa et Naara.

⁶ Naara lui enfanta Ahuzam, Hépher, les Timnites et les Ahashtatites. Tels sont les fils de Naara.

⁷ Fils de Héléa : Çéret, Çohar, Etnân.

⁸ Qoç engendra Anub, Haççobéba et les clans d'Aharhel, fils de Harum. ⁹ Yabeç*ᵇ* l'emporta sur ses frères. Sa mère lui donna le nom de Yabeç en disant : « J'ai enfanté dans la détresse. » ¹⁰ Yabeç invoqua le Dieu d'Israël : « Si vraiment tu me bénis, dit-il, tu accroîtras mon territoire, ta main sera avec moi, tu feras s'éloigner le malheur et ma détresse prendra fin. » Dieu lui accorda ce qu'il avait demandé.

Caleb*ᶜ*.

¹¹ Caleb, frère de Shuha, engendra Mehir; c'est le père d'Eshtôn. ¹² Eshtôn

---

7. « Çohar » *Qer G ;* « Yeçohar » *HKet.*
11. « Caleb » *G Syr VetLat ;* « Calub » *H.*

---

a) L'auteur rattache à Hur les deux données qu'il vient de recueillir; l'une se rapporte à des sites judéens (Étam, cf. Jg **15** 8; Yizréel, cf. 1 S **25** 43), l'autre à des sites benjaminites (Penuel, cf. 1 Ch **8** 25; Ézer, cf. 1 S **4** 1; Husha, autre forme pour Hushim, 1 Ch **8** 8).
b) Cf. 1 Ch **2** 55. Dans la région S.-O. de Jérusalem, sous l'influence de Benjamin. Le nom de Aharhel est à rapprocher de celui de Rachel. Il se pourrait que l'anecdote ici rapportée soit un écho de la tradition rapportée en Gn **35** 18-20 sur la mort de Rachel. Il y a une allitération voulue dans l'hébreu entre *Ya'béç* et *'Oçèb* « détresse ». Comme Benjamin qui donna un roi à Israël, Yabeç connut ensuite une réelle extension (v. 10).
c) Le Chroniste recueille ici sans les harmoniser une série de données traditionnelles relatives aux clans mal sédentarisés qui habitaient le territoire judéen. Sans doute certains d'entre eux avaient-ils échappé à Nabuchodonosor et subsistaient encore au temps du Chroniste. Eshtemoa, Soko, Qéïla sont des villages judéens. Sur Caleb, voir 1 Ch **2** 18 s.

engendra Bet-Rapha, Paséah, Tehinna, père de Ir-Nahash,
frère d'Éselôn le Qenizzite. Tels sont les hommes de Rékab.

¹³ Fils de Qenaz : Otniel et Seraya. Fils de Otniel : Hatat ‖ Jg **1** 13
et Meonotaï ¹⁴ qui engendra Ophra. Seraya engendra
Yoab père de Gé-Harashim*ᵃ*. Ils étaient en effet artisans.

¹⁵ Fils de Caleb fils de Yephunné : Ir, Éla et Naam. ‖ Nb **13** 6
Fils d'Éla : Qenaz.

¹⁶ Fils de Yehalléléel : Ziph, Zipha, Tirya, Asaréel.

¹⁷ Fils de Ezra : Yéter, Méred, Épher, Yalôn. Puis elle*ᵇ*
conçut Miryam, Shammaï et Yishba père d'Eshtemoa,
¹⁸ dont la femme judéenne enfanta Yéred père de Gedor,
Héber père de Soko et Yequtiel père de Zanoah. Tels sont
les fils de Bitya, la fille du Pharaon qu'avait épousée
Méred.

¹⁹ Fils de la femme de Hodiyya, sœur de Naham père
de Qéïla le Garmite et d'Eshtemoa le Maakatite.

²⁰ Fils de Shimôn : Amnôn, Rinna, Ben-Hanân, Tilôn.
Fils de Yishéï : Zohet et Ben-Zohet.

Shéla*ᶜ*.   ²¹ Fils de Shéla, fils de
Juda : Er père de Léka,
Lada père de Maresha et
les clans des producteurs de byssus à Bet-Ashbéa. ²² Yo-
qim, les hommes de Kozeba, Yoash et Saraph qui allèrent

---

12. « *frère d'Éselôn le Qenizzite* » *d'après G ; omis par H.* — « *Rékab* » *G cf.* **2** 55; « *Réka* » *H.*
13. « *Meonotaï* » *Gᴸ Vulg ; omis par H.*
15. « *Ir* » *G Vulg;* « *Iru* » *H.*

---

a) Cf. Ne **11** 35. Le terme signifie « Val des Artisans ». Valable pour son temps l'explication de l'auteur ne l'est peut-être pas pour les origines.
b) La femme de Méred, Bitya, fille du Pharaon, donc une Égyptienne (cf. p. 45, note *d*).
c) Autour de Shéla (cf. **2** 3) notre auteur groupe non plus des nomades ou semi-nomades, mais des artisans sédentarisés, tisserands ou potiers. Il note lui-même que leur venue de Moab remonte à une antiquité reculée. Sur les corporations après l'exil, Ne **3** 8, 31.

se marier*a* en Moab avant de revenir à Bethléem. (Ces événements sont anciens.) ²³ Ce sont eux qui étaient potiers et habitaient Netayim et Gedéra. Ils demeuraient là avec le roi, attachés à son atelier.

Siméon.

²⁴ Fils de Siméon : Nemuel, Yamîn, Yarib, Zérah, Shaûl*b*. ²⁵ Son fils Shallum, son fils Mibsam, son fils Mishma. ²⁶ Fils de Mishma : Hammuel son fils, Zakkur son fils, Shiméï son fils. ²⁷ Shiméï eut seize fils et six filles, mais ses frères n'eurent pas beaucoup d'enfants et l'ensemble de leurs clans ne se développa pas autant que les fils de Juda.

²⁸ Ils habitèrent Bersabée, Molada et Haçar-Shual, ²⁹ Bilha, Éçém et Tolad, ³⁰ Bétuel, Horma et Çiqlag, ³¹ Bet-Markabot, Haçar-Susim, Bet-Biréï, Shaarayim. Telles furent leurs villes jusqu'au règne de David. ³² Ils eurent pour enclos : Étam, Ayîn, Rimmôn, Tokèn et Ashân, cinq villes, ³³ et tous les enclos qui entouraient ces villes jusqu'à Baalat. C'est là qu'ils demeurèrent et qu'ils se groupèrent*c*.

³⁴ Meshobab, Yamlek, Yosha fils d'Amaçya, ³⁵ Yoël, Yéhu fils de Yoshibya, fils de Seraya, fils d'Asiel, ³⁶ Élyoé-

---

22. « *avant de revenir à Bethléem* » wayyâšubû bêt lèḥem *conj.*; H *inintelligible* : wᵉyâšubî lâḥem (*haplographie*).

27. « *six* »; *Var* G^BA : « *trois* ».

a) Autre traduction : « furent maîtres de Moab ». Sur les mariages entre Moabites et Bethléemites, cf. Rt 1.

b) D'après Gn **46** 10, Shaûl était d'origine cananéenne, Mibsam et Mishma d'origine ismaélienne selon Gn **25** 13 (cf. 1 Ch **1** 29 s). Ces incertitudes expliquent la formule équivoque du v. 25.

c) Hébr. : *hityaḥéś*. Ce mot n'apparaît pas avant l'œuvre du Chroniste dans la littérature israélite. On y voit d'ordinaire l'inscription sur un registre généalogique, mais le mot semble d'origine perse et paraît impliquer l'action de se grouper dans une communauté de travail sédentaire; en fait, dans la pensée de l'auteur, tous ces groupements sont à base de liens familiaux.

naï, Yaaqoba, Yeshohaya, Asya, Adiel, Yesimiel, Benaya,
[37] Ziza, Ben-Shiméï, Ben-Allôn, Ben-Yedaya, Ben-Shimri,
Ben-Shemaya[a]. [38] Ces hommes, recensés nominativement,
vinrent avec leurs clans et leurs familles[b]; ils multiplièrent
et se répandirent. [39] Ils allèrent du col de Gérar[c] jusqu'à
l'orient de la vallée, cherchant pâture pour leur petit
bétail. [40] Ils trouvèrent de bons et gras pâturages, le pays
était vaste, tranquille et pacifié. Des Chamites[d] en effet y
habitaient auparavant.

[41] Les Siméonites, inscrits nominativement, arrivèrent
au temps d'Ézéchias, roi de Juda; ils conquirent leurs
tentes et les abris[e] qui se trouvaient là. Ils les vouèrent à
un anathème qui dure encore de nos jours et ils s'établirent
à leur place, car il y avait là des pâturages pour leur petit
bétail.

[42] Certains d'entre eux, appartenant aux fils de Siméon,
gagnèrent la montagne de Séïr : cinq cents hommes ayant
à leur tête Pelatya, Nearya, Rephaya, Uzziel, les fils de
Yishéï. [43] Ils battirent le reste des réchappés d'Amaleq[f]
et demeurèrent là jusqu'à nos jours.

---

39. « *Gérar* » G ; « *Gedor* » H.

a) Beaucoup voient en ces derniers noms ceux des ascendants de Ziza;
mais on a trouvé chez les Sémites de Ras-Shamra des tablettes comportant
des séries de noms de ce genre.

b) L'auteur se fondant sur cette liste de Siméonites se les représente
comme organisés d'après Nb **1** 2, et envahissant Canaan.

c) Sur Gérar, cf. Gn **20** 1 ; sur sa « vallée », Gn **26** 17.

d) L'auteur appelle ici Chamites les habitants non israélites du Sud
palestinien, auxquels il donne parfois le nom d'Égyptiens (cf. Hagar
l'Égyptienne de Gn **21** 9).

e) Autre traduction : « et les Méûnites », cf. 2 Ch **20** 1, tribu édomite.

f) Sur Amaleq, cf. 1 S **15**; Ex **17** 8.

V. LES TRIBUS DE TRANSJORDANIE

5. [1] Fils de Ruben, pre-
Ruben.   mier-né d'Israël. Il était en
effet le premier-né; mais
Gn **35** 22 quand il eut violé la couche de son père, son droit d'aînesse
fut donné aux fils de Joseph, fils d'Israël.

Le groupement de Ruben[a] perdit le droit d'aînesse,
[2] car Juda prévalut sur ses frères, ayant le prince issu de
lui, et Joseph ayant le droit d'aînesse[b].

|| Gn **46** 9   [3] Fils de Ruben premier-né d'Israël : Hénok, Pallu,
|| Nb **26** 5 s Heçrôn, Karmi.

[4] Fils de Yoël : Shemaya
Yoël.   son fils, Gog son fils, Shi-
méï son fils, [5] Mika son fils,
Reaya son fils, Baal son fils, [6] Bééra son fils que Téglat-
Phalasar, roi d'Assyrie, emmena en captivité. Il fut prince
des Rubénites[c].

[7] Ses frères, par clans, groupés selon leur parenté :
Yeïel en tête, Zekaryahu, [8] Béla fils de Azaz, fils de Shéma,
fils de Yoël.

---

5 4. « *Yoël* »; *Var. Syr Arabe* : « *Karmi* ».

---

a) « de Ruben » n'est pas dans le texte.
b) Le Chroniste concilie ainsi sa foi messianique dans la dynastie
judéenne de David et la prééminence des tribus joséphites (Gn **49** 26;
cf. **48** 20). — Dans le texte grec c'est la « bénédiction » (*brkh*) et non le
« droit d'aînesse » (*bkrh*) qui est donnée à Joseph (cf. Gn **48**).
c) Yoël est le clan rubénite qui, déporté après la victoire de Téglat-
Phalasar sur Damas et Samarie en 732 (2 R **15** 29), revint de l'exil. Il ne
put préciser ses rapports généalogiques exacts avec l'ancêtre éponyme des
Rubénites. Le chef devait alors en être Béla (v. 8).

C'est Ruben qui, établi à   ‖ Nb **32** 37

Habitat.   Aroër, s'étendait jusqu'à Ne-
bo et Baal-Meôn. ⁹ A l'orient,
son habitat atteignait le seuil du désert que limite l'Euphrate, car il avait de nombreux troupeaux au pays de
Galaad.

¹⁰ Au temps de Saül, ils firent la guerre aux Hagrites*ᵃ*,
ils tombèrent entre leurs mains et les Hagrites s'établirent
dans leurs tentes sur toute la zone orientale de Galaad.

¹¹ A leur côté, les fils de

Gad.   Gad habitaient le pays du
Bashân jusqu'à Salka*ᵇ* :
¹² Yoël en tête*ᶜ*, Shapham le second, puis Yanaï et Shaphat
en Bashân.

¹³ Leurs frères, par familles : Mikaël, Meshullam,
Sheba, Yoraï, Yakân, Zia, Éber : sept.

¹⁴ Voici les fils d'Abihayil : Ben-Huri, Ben-Yaroah,
Ben-Giléad, Ben-Mikaël, Ben-Yeshishaï, Ben-Yahdo, Ben-
Buz. ¹⁵ Ahi, fils de Abdiel, fils de Guni, était le chef de
leur famille.

---

a) Les Hagrites sont naturellement à rapprocher de Hagar (Gn **16** et
21), bien que les textes de la Genèse donnent à première vue l'impression
que Hagar habitait au Sud et non à l'Est comme ici (et au v. 20). On tra-
duit d'habitude : « Les Hagrites qui tombèrent entre leurs mains et (les
Rubénites) s'établirent ». Mais cette traduction est grammaticalement
difficile et, en mentionnant l'époque de Saül, l'auteur semble faire allusion
non à la conquête, mais à l'effacement de la tribu de Ruben, conséquence
de sa faute.

b) Ces indications ne correspondent qu'imparfaitement avec celles de
Dt **3** 10 s et Jos **13** 24-28.

c) Cette liste ne concorde pas avec celles de Gn **46** 16 et Nb **26** 15-18.
Si l'on se réfère au v. 17, on peut voir là la liste des clans gadites qui
savaient avoir été exilés par Téglat-Phalasar en 732, peu après le règne de
Jéroboam II. Le Chroniste qui se place systématiquement au point de
vue de la dynastie de David donne comme synchronisme le nom du roi
judéen Yotam, lui aussi antérieur au grand désastre de la Transjordanie
qui eut lieu sous son successeur Achaz; mais ce synchronisme n'est
qu'approximatif.

¹⁶ Ils étaient établis en Galaad, en Bashân et ses dépendances, ainsi que dans tous les pâturages du Siryôn jusqu'à leurs extrêmes limites. ¹⁷ C'est à l'époque de Yotam, roi de Juda, et de Jéroboam, roi d'Israël, qu'ils se groupèrent tous.

¹⁸ Les fils de Ruben, les fils de Gad, la demi-tribu de Manassé, certains de leurs guerriers, hommes armés du bouclier, de l'épée, tirant de l'arc et exercés au combat, au nombre de 44.760 aptes à faire campagne, ¹⁹ firent la guerre aux Hagrites, à Yetur, à Naphish et à Nodad*a*. ²⁰ Dieu leur vint en aide contre eux et les Hagrites, ainsi que tous leurs alliés, tombèrent en leur pouvoir, car ils avaient fait appel à Dieu dans le combat*b*, et ils furent exaucés pour avoir mis en lui leur confiance. ²¹ Ils razzièrent les troupeaux des Hagrites, 50.000 chameaux, 250.000 têtes de petit bétail, 2.000 ânes, et 100.000 personnes, ²² car, Dieu ayant mené le combat, la plupart avaient été tués. Et ils s'installèrent à leur place jusqu'à l'exil.

‖ Nb **32** 39

La demi-tribu de Manassé.

²³ Les fils de la demi-tribu de Manassé s'établirent dans le pays entre Bashân et Baal-Hermôn, le Sanir et le mont Hermon.

Ils étaient nombreux. ²⁴ Voici les chefs de leurs familles : Épher, Yishéï, Éliel, Azriel, Yirmeya, Hodavya, Yahdiel*c*.

---

16. « *Siryôn* » *conj.*; « *Sarôn* » H.

a) Comme les Hagrites, Yetur et Naphish sont des tribus ismaélites (Gn **25** 15).

b) Ce que n'avait pas fait Ruben (v. 10). Le Chroniste revient souvent sur la nécessité de cet appel à Dieu pour la victoire (v. g. 2 Ch **14** 10). Sur la puissance de Gad se taillant « une part de chef », peut-être celle qu'avait laissé échapper Ruben, cf. Dt **33** 20 s.

c) Pas plus que pour les clans gadites, cette liste ne concorde avec les sources bibliques. Comme la précédente elle doit se référer aux Manassites exilés. Cf. v. 26.

C'étaient des preux valeureux, des hommes renommés, chefs de leurs familles.

²⁵ Mais ils furent infidèles envers le Dieu de leurs pères, et se prostituèrent aux dieux des peuples du pays que Dieu avait anéantis devant eux. ²⁶ Le Dieu d'Israël excita l'animosité de Pul[a], roi d'Assyrie, et celle de Téglat-Phalasar, roi d'Assyrie. Il déporta Ruben, Gad et la demi-tribu de Manassé, et les emmena à Halah, près du Habor et du fleuve de Gozân. Ils y sont encore aujourd'hui.

VI. Lévi

6. 1		²⁷ Fils de Lévi : Gershôn, ‖ Gn **46** 11
2	**L'ascendance**	Qehat et Merari. ²⁸ Fils de
	des grands prêtres[b].	Qehat : Amram, Yiçhar, ‖ Ex **6** 18
3		Hébrôn, Uzziel. ²⁹ Fils d'Am- ‖ Nb **26** 59-60

---

26. *Après « Habor » H ajoute « et Hara »; omis par G Syr.*

---

a) Pul et Téglat-Phalasar ne sont qu'un seul et même personnage, cf. 2 R **15** 19 et la note.

b) Le Chroniste introduit le tableau des clans lévitiques par la liste des grands prêtres jusqu'à l'exil, qui répond à la liste des descendants de David du ch. **3**. Ceci correspond à la théologie d'Ézéchiel qui fait reposer la vie de la communauté sur le sacerdoce et sur le prince, plus encore à celle de Zacharie qui à côté du grand prêtre réserve les droits du descendant de Zorobabel (**3** 8 s) et après le couronnement du grand prêtre Josué prévoit le couronnement de ce même « Germe » (**6** 11 s).
Cette liste des grands prêtres comprend douze générations de la Tente au Temple et douze du Temple à sa ruine. Elle omet des prêtres connus par ailleurs tels que Yehoyada (2 R **12** 8) et Uriyya (2 R **16** 10). Elle a été composée par le Chroniste avec la liste de **6** 35-38 et celle des ascendants d'Esdras (Esd **7** 2). Mais nous savons par cette dernière que Merayot (**5** 33) fut père d'Azarya (**5** 38) père d'Amarya père d'Ahitub. Tous les noms mentionnés en **5** 33-36 (sauf Yohanân) font double emploi. La glose actuellement adjointe à Azarya (v. 10[b]) visait sans doute primitivement à distinguer deux Sadoq dans la liste. Le Chroniste estimait ce dernier trop proche de Hilqiyya, très probablement le grand prêtre contemporain de Josias

||Nb **26** 59-60   ram : Aaron, Moïse et Marie. Fils d'Aaron : Nadab et
                Abihu, Éléazar et Itamar.

4   ³⁰ Éléazar engendra Pinhas, Pinhas engendra Abishua,
5   ³¹ Abishua engendra Buqqi, Buqqi engendra Uzzi,
6   ³² Uzzi engendra Zerahya, Zerahya engendra Merayot,
7   ³³ Merayot engendra Amarya, Amarya engendra Ahitub,
8   ³⁴ Ahitub engendra Sadoq, Sadoq engendra Ahimaaç,
9   ³⁵ Ahimaaç engendra Azarya[a]. Azarya engendra Yohanân.
10   ³⁶ Yohanân engendra Azarya. C'est lui qui exerça le sacer-
                doce dans le Temple qu'avait bâti Salomon à Jérusalem.
11   ³⁷ Azarya engendra Amarya, Amarya engendra Ahitub,
12   ³⁸ Ahitub engendra Sadoq, Sadoq engendra Shallum,
13   ³⁹ Shallum engendra Hilqiyya, Hilqiyya engendra Azarya,
14   ⁴⁰ Azarya engendra Seraya, Seraya engendra Yehoçadaq
15   ⁴¹ et Yehoçadaq dut partir quand Yahvé, par la main de
                Nabuchodonosor, exila Juda et Jérusalem.

16   **6.** ¹ Fils de Lévi : Ger-
||Nb **3** 17-20   **Descendance de Lévi.**   shom, Qehat et Merari.

17   ² Voici les noms des fils
18   de Gershom : Libni et Shiméï. ³ Fils de Qehat : Amram,
19   Yiçhar, Hébrôn, Uzziel. ⁴ Fils de Merari : Mahli et
                Mushi. Tels sont les clans de Lévi groupés selon leurs
                pères.
20   ⁵ Pour Gershom[b] : Libni son fils, Yahat son fils,

(2 R **22** 4) ; mais l'auteur de la généalogie d'Esdras n'hésitait pas à sauter
certains échelons.

a) D'après 1 R **4** 2 Azaryahu est fils de Sadoq.

b) Gershom (appelé Gershôn dans le livre des Nombres) descendait
probablement de Moïse selon les traditions du Nord (Ex **2** 22 ; Jg **18** 30).
Cette famille avait eu la charge du sanctuaire schismatique de Dan, aussi
la tradition sacerdotale préféra-t-elle les Qehatites qui semblent d'origine
méridionale. La formule employée par le Chroniste dans ces versets :
« *x* son fils, *y* son fils », semble impliquer autre chose qu'une généalogie ; Libni, Yahat, etc., sont différents clans qui se rattachent tous à
Gershom.

21 Zimma son fils, ⁶ Yoah son fils, Iddo son fils, Zérah son fils, Yéatraï son fils.

22   ⁷ Fils de Qehat : Amminadab son fils, Coré son fils,
23 Assir son fils, ⁸ Elqana son fils, Ébyasaph son fils, Assir
24 son fils, ⁹ Tahat son fils, Uriel son fils, Uzziya son fils,
25 Shaûl son fils. ¹⁰ Fils d'Elqana : Amasaï et Ahimot.
26 27 ¹¹ Elqana son fils, Çaphaï son fils, Nahat son fils, ¹² Élyab
28 son fils, Yeroham son fils, Elqana son fils. ¹³ Fils d'Elqana : ɪ s 1 ɪ
Samuel l'aîné et Abiyya le second.

29   ¹⁴ Fils de Merari ᵃ : Mahli, Libni son fils, Shiméï son
30 fils, Uzza son fils, ¹⁵ Shiméa son fils, Haggiyya son fils,
Asaya son fils.

31   ¹⁶ Voici ceux que David
    Les chantresᵇ.   chargea de diriger le chant
                             dans le Temple de Yahvé,
32 lorsque l'arche y eut trouvé le repos. ¹⁷ Ils furent au service du chant devant la demeure de la Tente de Réunion
jusqu'à ce que Salomon eût construit à Jérusalem le

---

6 11. « *Elqana son fils* » *d'après HKet G Syr* ; « *Elqana les fils d'Elqana* » *HQer*.

13. « *Fils d'Elqana : Samuel* » *conj.*; « *Fils de Samuel* » *H* ; « *Fils de Samuel : Yoël* » *Gᴸ Syr.* (*cf.* ɪ S **8** 2). *Il est plus probable qu'un des* « *Elqana* » *du v. 26 vient de ce v.*

---

a) Autres indications en Ex **6** 19. — Nb **26** 58 (probablement pré-exilique) ne rattache pas Mahli (et Mushi) à Merari mais directement à Lévi. C'est au temps d'Esdras que les Merarites (et surtout le Mahlite Shérébya) témoignèrent d'un grand zèle (Esd **8** 18). Le texte d'Esdras, comme celui-ci, ne parle pas de Mushi, à la différence du texte des Nombres que le Chroniste a recopié en tête de ce paragraphe, soucieux de couvrir son œuvre par la tradition sacerdotale. Voir l'Introduction.

b) Le chant sacré joue un très grand rôle dans les perspectives du Chroniste. Dans la ligne d'Os **14** 3; Is **12**; 25-26, sans doute Ml **1** 11, il y voit l'essentiel du sacrifice comme expression collective des vraies dispositions du cœur humain. C'est la *Tôdâh*, la confession, peut-être l'eucharistie de 2 M **1** 11; **10** 16. Il tient à le rattacher à David comme un élément important du culte de la communauté religieuse fondée sur la dynastie de David.

Temple de Yahvé, et c'est en se conformant à leurs règles qu'ils remplissaient leur fonction.

33   ¹⁸ Voici ceux qui étaient en fonction et leurs filsᵃ :

Parmi les fils de Qehat : Hémân le chantre, fils de Yoël,
34 fils de Samuel, ¹⁹ fils d'Elqana, fils de Yeroham, fils
35 d'Éliel, fils de Toah, ²⁰ fils de Çuph, fils d'Elqana, fils
36 de Mahat, fils de Amasaï, ²¹ fils d'Elqana, fils de Yoël, fils
37 de Azarya, fils de Çephanya, ²² fils de Tahat, fils d'Assir,
38 fils d'Ébyasaph, fils de Coré, ²³ fils de Yiçharᵇ, fils de
Qehat, fils de Lévi, fils d'Israël.

39   ²⁴ Son frère Asaph se tenait à sa droite : Asaph, fils de
40 Bérékyahu, fils de Shiméa, ²⁵ fils de Mikaël, fils de Baa-
41 séya, fils de Malkiyya, ²⁶ fils d'Etni, fils de Zérah, fils
42 d'Adaya, ²⁷ fils d'Étân, fils de Zimmaᶜ, fils de Shiméï,
43 ²⁸ fils de Yahat, fils de Gershom, fils de Lévi.

44   ²⁹ A gauche, leurs frères, fils de Merari : Étân, fils de
45 Qishi, fils d'Abdi, fils de Malluk, ³⁰ fils de Hashabya,
46 fils d'Amaçya, fils de Hilqiyya, ³¹ fils d'Amçi, fils de Bani,
47 fils de Shémer, ³² fils de Mahli, fils de Mushi, fils de
Merari, fils de Lévi.

48

Les autres lévites.

³³ Leurs frères les lévites étaient entièrement adonnésᵈ au service de la Demeure du

---

29. « *Qishi* » Mss Gᴸ *Vulg* ; « *Qushi* » H.

---

a) Le Chroniste rattache les trois grandes figures parées à son époque d'une certaine auréole légendaire aux trois grandes familles lévitiques. En fait Hémân et Étân étaient d'antiques sages (1 R **5** 11) du clan de Zérah (Ps **89** 1 ; 1 Ch **2** 6), qui se rattacha à Juda.

b) Remarquer que Yiçhar est ici considéré comme fils de Qehat.

c) Pour Shiméï et Zimma comparer avec vv. 2 et 5. Autre indice du caractère systématique des listes des vv. 18-32.

d) Ce sont les « donnés », les *Netûnîm* ou *Netînîm* de Esd **2** 43 s; **8** 17, 20. Il y avait en Babylonie une institution semblable de personnes « données » au temple. A la suite de Nb **3** 9 le Chroniste assimile ces « donnés » aux lévites.

49 Temple de Dieu. ³⁴ Aaron et ses fils faisaient fumer les offrandes sur l'autel des holocaustes et sur l'autel des parfums ; ils s'occupaient exclusivement des choses très saintes[a] et du rite d'expiation sur Israël ; ils se conformaient à tout ce qu'avait prescrit Moïse, serviteur de Dieu.

50   ³⁵ Voici les fils d'Aaron[b] : Éléazar son fils, Pinhas son
51 fils, Abishua son fils, ³⁶ Buqqi son fils, Uzzi son fils,
52 Zerahya son fils, ³⁷ Merayot son fils, Amarya son fils,
53 Ahitub son fils, ³⁸ Sadoq son fils, Ahimaaç son fils.

54   ³⁹ Voici leurs lieux d'ha-   Jos 21 4-40

Habitat[c] :   bitation, selon les limites de

1) des Aaronides.   leurs campements :

              Aux fils d'Aaron, du clan   ‖ Jos **21** 4,
55 de Qehat (car c'est sur eux que tomba le sort), ⁴⁰ on donna   10-19
56 Hébron, dans le pays de Juda, avec les pâturages envi-
ronnants. ⁴¹ On donna la campagne et ses villages à Caleb,
57 fils de Yephunné, ⁴² mais on donna aux fils d'Aaron les
villes de refuge : Hébron, Libna et ses pâturages, Yattir,
58 Eshtemoa et ses pâturages, ⁴³ Hilaz et ses pâturages, Debir
59 et ses pâturages, ⁴⁴ Ashân et ses pâturages, Bet-Shémesh
60 et ses pâturages. ⁴⁵ Sur la tribu de Benjamin on leur donna
Géba et ses pâturages, Alémet et ses pâturages, Anatot et
ses pâturages. Leurs clans comprenaient en tout treize
villes.

---

a) Sur les parts très saintes, cf. Lv **2** 3 et la note. Sur le rite d'expiation Lv **1** 4 et la note.

b) Cette liste, faisant suite à **6** 1 s, évite de rattacher Aaron à Qehat par Amram et marque ainsi davantage la différence entre prêtres et lévites, les premiers seuls ayant les droits rappelés au v. 34. Mais le Chroniste a mis les choses au point en incorporant cette liste dans la liste **5** 27-41 qui sert de préface à tout ce tableau.

c) L'auteur reproduit ici la liste du livre de Josué, mais avec des modifications très instructives. Le résumé qu'on lit aux vv. 46-49 servait d'introduction générale dans le livre de Josué. Le Chroniste le fait précéder de la liste concernant les Aaronides de manière à séparer ceux-ci de l'ensemble des lévites et même de leurs parents qehatites.

⁶¹

‖ Jos 21 5-8   **2) des autres Lévites.**

⁴⁶ Les autres fils de Qehat obtinrent au sort dix villes prises aux clans de la tribu^{*a*},

⁶² de la demi-tribu, moitié de Manassé. ⁴⁷ Les fils de Gershom et leurs clans obtinrent treize villes prises sur la tribu d'Issachar, la tribu d'Asher, la tribu de Nephtali et

⁶³ la tribu de Manassé en Bashân. ⁴⁸ Les fils de Merari et leurs clans obtinrent du sort douze villes prises sur la tribu de Ruben, la tribu de Gad et la tribu de Zabulon.

⁶⁴ ⁴⁹ Les enfants d'Israël attribuèrent aux Lévites ces villes avec leurs pâturages.

⁶⁵ ⁵⁰ Sur les tribus des fils de Juda, des fils de Siméon et

‖ Jos 21 9 des fils de Benjamin, ils attribuèrent aussi par tirage au sort les villes auxquelles ils donnèrent leurs noms^{*b*}

⁶⁶ ⁵¹ C'est sur la tribu d'Éphraïm que furent prises les

‖ Jos 21 20-39 villes du territoire^{*c*} de quelques clans des fils de Qehat.

⁶⁷ ⁵² On leur donna les villes de refuge suivantes : Sichem et ses pâturages dans la montagne d'Éphraïm, Gézer^{*d*} et

⁶⁸ ses pâturages, ⁵³ Yoqméam^{*e*} et ses pâturages, Bet-Horôn

⁶⁹ et ses pâturages, ⁵⁴ Ayyalôn et ses pâturages, Gat-Rim-

⁷⁰ môn et ses pâturages, ⁵⁵ ainsi que sur la demi-tribu de Manassé : Aner^{*f*} et ses pâturages, Bileam et ses pâturages. Ceci pour le clan des autres fils de Qehat.

---

a) La liste du livre de Josué a ici Éphraïm. Il y a d'autres variantes; le Chroniste a tenu compte (v. 51) de Jos 21 20.

b) Les villes prenaient souvent le nom de l'ancêtre éponyme du clan.

c) Dans Josué il est question non de « territoire », mais de sort. De fait ces possessions lévitiques ne formaient pas un territoire, la tradition qui excluait Lévi du partage de la terre promise s'y opposait. Mais Ézéchiel (45 5) prévoyait un territoire pour les lévites.

d) Gézer n'était pas ville de refuge (Jos 20 7-8), pas plus que Libna, Yattir, etc., mais le Chroniste est d'une époque où le refuge est lié à la présence du sacerdoce lévitique.

e) En Jos 21 34, Yoqméam est en Zabulon et donné aux Merarites.

f) Aner semble être une mauvaise lecture pour Taanak (Jos 21 25) et cette mauvaise lecture s'explique mieux si le Chroniste avait sous les yeux un texte en caractères anciens, dits phéniciens.

71   ⁵⁶ Pour les fils de Gershom, on prit, sur les clans de
la demi-tribu de Manassé, Golân en Bashân et ses pâtu-
72 rages, Ashtarot et ses pâturages, — ⁵⁷ sur la tribu d'Issachar, Cadès et ses pâturages, Daberat et ses pâturages,
73 ⁵⁸ Ramot*ᵃ* et ses pâturages, Anem et ses pâturages, —
74 ⁵⁹ sur la tribu d'Asher, Mashal et ses pâturages, Abdôn et
75 ses pâturages, ⁶⁰ Huqoq et ses pâturages, Rehob et ses
76 pâturages, — ⁶¹ sur la tribu de Nephtali, Cadès en Galilée
et ses pâturages, Hammôn et ses pâturages, Qiryatayim
et ses pâturages.

77   ⁶² Pour les autres fils*ᵇ* de Merari : sur la tribu de Zabulon : Rimmôn et ses pâturages, Tabor et ses pâturages, —
78 ⁶³ au delà du Jourdain vers Jéricho, à l'orient du Jourdain,
sur la tribu de Ruben : Béçer dans le désert et ses pâtu-
79 rages, Yahça et ses pâturages, ⁶⁴ Qedémot et ses pâtu-
80 rages, Mephaat et ses pâturages, — ⁶⁵ sur la tribu de
Gad : Ramot en Galaad et ses pâturages, Mahanayim et
81 ses pâturages, ⁶⁶ Heshbôn et ses pâturages, Yazèr et ses
pâturages.

VII. Les tribus du Nord

Issachar.

7.   ¹ Pour*ᶜ* les fils d'Issachar : Tola, Pua, Yashub,
Shimrôn : quatre.

|| Gn **46** 13
|| Nb **26** 23-24

---

a) Non pas Ramot en Galaad, du v. 65, mais le Yarmut de Jos **21** 29.
Anem et Mashal sont aussi des lectures déficientes.

b) Formule étrange car il n'a pas encore été question de Merari dans
cette liste. Elle résulte d'une copie hâtive de Jos **21** 34 où l'on trouve :
« fils de Merari, les autres fils de Lévi ». Les variantes se multiplient dans
ce paragraphe.

c) Ce « pour », inusité dans ce chapitre et ces listes, vient du « pour »
de la liste précédente (v. 62).

² Fils de Tola*ᵃ* : Uzzi, Rephaya, Yeriel, Yahmaï, Yib-sam, Shemuel, chefs des familles de Tola. Celles-ci comp-taient, au temps de David, 22.600 preux valeureux, groupés selon leur parenté.

³ Fils de Uzzi : Yizrahya. Fils de Yizrahya : Mikaël, Obadya, Yoël, Yishshiyya. En tout cinq chefs ⁴ respon-sables des troupes de combat, comptant 36.000 hommes*ᵇ*, répartis selon leur parenté et leurs familles; il y avait en effet beaucoup de femmes et d'enfants. ⁵ Ils avaient des frères appartenant à tous les clans d'Issachar, preux valeureux au nombre de 87.000 hommes, ils appartenaient tous à un groupement.

Benjamin*ᶜ*.   ⁶ Benjamin : Béla, Béker, Yediael : trois.

⁷ Fils de Béla : Eçbôn, Uzzi, Uzziel, Yerimot et Iri : cinq, chefs de famille, preux valeureux, groupant 22.034 hommes.

⁸ Fils de Béker : Zemira, Yoash, Éliézer, Élyoénaï, Omri, Yerémot, Abiyya, Anatot, Alémèt*ᵈ*, tous ceux-là étaient les fils de Béker; ⁹ les chefs de leurs familles, preux valeureux, groupèrent selon leur parenté 20.200 hommes.

¹⁰ Fils de Yediael : Bilhân. Fils de Bilhân : Yéush, Benjamin, Éhud, Kenaana, Zetân, Tarshish, Ahishahar. ¹¹ Tous ces fils de Yediael devinrent des chefs de famille, preux valeureux, au nombre de 17.200 hommes aptes à faire campagne et à combattre.

---

a) Sur Tola, voir Jg **10** 1.

b) Il est étrange que le Chroniste attribue plus d'hommes à Uzzi, l'un des clans de Tola, qu'à Tola même. Peut-être date-t-il le recensement du v. 4 d'une autre époque que celle de David.

c) Cette liste diffère considérablement des indications de Gn **46** 21 et Nb **26** 38 qui se rapprocheraient davantage de la seconde liste de Benja-min au ch. **8**.

d) Anatot et Alémèt sont sûrement des villes (Jos **21** 18).

¹² Shuppim et Huppim*ᵃ*. Fils de Ir : Hushim; son fils : Aher *ᵇ*.

Nephtali. ¹³ Fils de Nephtali : Yahaçéel, Guni *ᶜ*, Yéçer, Shal-lum. Ils étaient fils de Bilha *ᵈ*.   ‖ Gn **46** 24
‖ Nb **26** 48-
50

Manassé. ¹⁴ Fils de Manassé : Asriel qu'enfanta sa concubine ara-méenne *ᵉ*. Elle enfanta Makir, père de Galaad. ¹⁵ Makir prit une femme pour Huppim et Shuppim. Le nom de sa sœur était Maaka.   Nb **26** 31

Le nom du second *ᶠ* était Çelophehad *ᵍ*. Çelophehad eut des filles.   ‖ Nb **26** 33

¹⁶ Maaka, femme de Makir, enfanta un fils qu'elle appela Pérésh. Son frère s'appelait Shéresh et ses fils Ulam et Réqem.

---

7 15. « *du second* »; *Var. G*ᴮ : « *de la seconde* ».

---

a) Identiques à Shuppam et Huppam de Nb **26** 39. C'est peut-être une addition au texte.

b) Peut-être à identifier avec Ahiram de Nb **26** 38. Son père Hushim est rattaché à Dan en Gn **46** 23. De fait Dan était voisin de Benjamin avant d'émigrer (et en partie seulement, cf. Jg **18**) vers le Nord.

c) Guni appartient aussi à Gad (**5** 15). Les deux tribus furent peut-être voisines à une certaine époque.

d) Les fils de Bilha furent Dan et Nephtali (Gn **30** 6-8). En Gn **46** 23, Hushim fils de Dan précède comme ici Nephtali; Hushim représente donc sans doute ici la tribu de Dan qui n'est pas décrite par ailleurs.

e) Témoignage important sur les rapports entre Manassé et les Ara-méens avec lesquels ils furent en contact en Transjordanie (cf. Gn **32** 46 s). Makir est la demi-tribu transjordanienne (Nb **32** 39 s) et sans doute la plus ancienne des deux (Jg **5** 14). Huppim et Shuppim sont benjaminites mais Jg **21** 12 témoigne aussi à sa manière d'alliance entre la manassite Yabesh de Galaad et les Benjaminites.

f) Le premier était sans doute Asriel. Asriel est à rapprocher des Assu-rites-Gessurites (cf. *Nombres*, p. 116, note *g*) voisins des Maakatites (2 S **10** 6; Dt **3** 14) au nord de la Transjordanie.

g) Le territoire de Manassé occidental fut lentement colonisé (Jos **17** 12). Les Israélites assimilèrent ou fondèrent des villes, filles de Çelophehad (Nb **26** 33 et la note), telles que Mahla et Milka ou Malkat (Nb **26** 33).

¹⁷ Le fils de Ulam : Bedân. Tels furent les fils de Galaad, fils de Makir, fils de Manassé.

¹⁸ Il avait pour sœur Malkat. Elle enfanta Ishehod, Abiézer*ᵃ* et Mahla.

¹⁹ Shemida*ᵇ* eut des fils : Ahyân, Sichem, Liqhi et Aniam.

‖ Nb **26** 35   ²⁰ Fils d'Éphraïm : Shu-

Éphraïm.   télah. Béred son fils, Tahat son fils, Éléada son fils, Tahat son fils, ²¹ Zabad son fils, Shutélah son fils, Ézer et Éléad*ᶜ*.

Les gens de Gat les tuèrent, car ils étaient descendus razzier leurs troupeaux. ²² Leur père Éphraïm s'en lamenta longtemps et ses frères vinrent le consoler. ²³ Il s'en fut alors trouver sa femme; elle conçut et enfanta un fils qu'elle nomma Béria car, dit-elle, « dans ma maison on est dans le malheur »*ᵈ*. ²⁴ Il eut pour fille Shééra qui

---

18. « *Malkat* » *d'après G ; «* Hammolèket *» H.*

21. *Après «* de Gat *» on omet «* nés dans le pays *» (glose ?).*

23. « *qu'elle nomma Béria car, dit-elle, dans ma maison* » *d'après G ; «* qu'il nomma Béria, car dans sa maison *» H.*

a) Le clan de Gédéon, d'un yahvisme d'abord mal établi (Jg **6** 25-32).

b) Shemida et d'autres sites sont connus par les ostraca découverts à Samarie. L'incohérence de ce paragraphe vient de ce que la colonisation israélite en Manassé occidental s'est faite dans des conditions confuses.

c) Le Chroniste complète la liste de Nb **26** 35 s (Éléada, sans doute le même que Éléad du v. 21 et Ladân du v. 26, semble devoir être iden-tifié au *l'rn* de Nb) par une autre liste qui ajoute à trois des quatre noms de la liste (Shutélah, Tahat, Éléad) deux noms benjaminites : Zabad (cf. **8** 15 s) et Ézer (cf. **4** 4 et la note). Éphraïm et Benjamin étaient en effet voisins et certains clans ont pu passer d'une tribu à l'autre.

d) En **8** 13 un épisode connexe se rapporte à Béria (et Shema). Béria est donc un clan qui lui aussi appartint à Éphraïm avant de passer à Ben-jamin, tribu qui se constitua sur le tard, en terre même de Canaan (Gn **35** 18). C'est peut-être à la suite de ce désastre que la tribu de Benjamin dut se constituer en tribu indépendante; on s'expliquerait ainsi la multiplicité des traditions sur une naissance pénible dans cette région (Benjamin, Gn **35** 18; Yabèç, 1 Ch **4** 9 s; Béria). Le nom de Béria est interprété « dans le malheur » (*bᵉrâ'âh*).

bâtit Bet-Horôn, le bas et le haut, et Uzzèn-Shééra[a].

[25b] Réphah son fils, Shutélah son fils, Tahân son fils, [26] Ladân son fils, Ammihud son fils, Élishama son fils, [27] Nôn[c] son fils, Josué son fils.

[28] Ils possédaient des domaines et habitaient à Béthel et dans ses dépendances, à Naarân à l'est, à Gézer et dans ses dépendances à l'ouest, à Sichem[d] et dans ses dépendances, et même à Ayya et ses dépendances. [29] Bet-Shéân avec ses dépendances, Tanak avec ses dépendances, Megiddo avec ses dépendances, Dor avec ses dépendances, étaient aux mains des fils de Manassé. C'est là que demeuraient les fils de Joseph, fils d'Israël.

Asher.	[30] Fils d'Asher[e] : Yimna, Yishva, Yishvi, Béria; Sérah leur sœur.

‖ Gn **46** 17
‖ Nb **26** 44 s

[31] Fils de Béria : Héber et Malkiel. C'est le père de Birzayit. [32] Héber engendra Yaphlet, Shémer, Hotam et Shua leur sœur.

---

25. « *Shutélah* » *conj.*; « *et Résheph et Télah* » H.
28. « *et même à Ayya* »; *Var. G* : « *jusqu'à Ayya* ».

a) Bet-Horôn est bien localisé (Jos **16** 3), mais pas Uzzèn-Shééra.
b) Le Chroniste donne ici la généalogie du héros éphraïmite comme il a donné celle des autres héros de chaque tribu (David, Samuel, Tola...). Réphah mis à part, les noms sont empruntés à des passages bibliques : pour Shutélah, Tahân (= Tahat), Ladân, cf. v. 21 et la note; pour Élishama et Ammihud, cf. Nb **1** 10; pour Nûn et Josué, Ex **33** 11.
c) Vocalisation inhabituelle.
d) Sichem est d'ordinaire rattaché à Manassé. Comme Osée (**5** 3; **7** 1) et d'autres passages bibliques, la notice du Chroniste semble ici appeler Éphraïm l'ensemble Éphraïm-Manassé. D'où la précision du v. 29.
e) Asher habitait entre Phénicie et Carmel (Jos **19** 24-31). Mais les noms de clans ici donnés nous ramèneraient plutôt dans la région au sud d'Éphraïm : Béria (**7** 23), Sérah (cf. Jos **24** 30), Héber (cf. 1 S **14** 21), Shua (1 Ch **2** 3)... Ceci s'explique si les Ashérites sont passés par la région avant d'aller s'établir plus au nord; mais c'est peut-être aussi qu'au retour de l'exil des Ashérites se sont installés non loin de Jérusalem comme les autres rapatriés.

³³ Fils de Yaphlet : Pasak, Bimhal et Ashvat. Tels sont les fils de Yaphlet.

³⁴ Fils de Shémer son frère : Rohga, Hubba et Aram.

³⁵ Fils de Hélem son frère : Çophah, Yimna, Shélesh et Amal. ³⁶ Fils de Çophah : Suah, Harnépher, Shual, Béri et Yimra, ³⁷ Bécer, Hod, Shamma, Shilsha, Yitrân et Bééra. ³⁸ Fils de Yitrân : Yephunné, Pispa, Ara.

³⁹ Fils d'Ulla : Arah, Haniel, Riçya.

⁴⁰ Tous ceux-là étaient fils d'Asher, chefs des familles, hommes d'élite, preux valeureux; recensés*, ils se groupèrent en troupes de combat comptant 26.000 hommes.

VIII. BENJAMIN ET JÉRUSALEM

|| Gn **46** 21
|| Nb **26** 38-
40

Descendance de Benjaminᵇ.

8. ¹ Benjamin engendra Béla son premier-né, Ashbel le second, Ahiram le troisième, ² Noha le quatrième, Rapha le cinquième. ³ Béla eut des fils : Addar, Géra père d'Éhudᶜ, ⁴ Abishua, Naamân et Ahoah, ⁵ Géra, Shephupham et Huramᵈ.

---

34. « *son frère* » 'ăḥîw *conj.*; « *Aḥî et* » H ; « *Aḥiuan Obab* » G.
38. « *Yitrân* » *conj. cf. v.* 37; « *Yètèr* » H.
8 1. « *Ahiram* » *conj. cf.* Nb **26** 38; « *Aḥrah* » H.
3. « *père d'Éhud* » 'ăbî 'éḥûd *conj. cf.* Jg **3** 15; « *et Abihud* » H.

---

a) Sur cette expression, cf. Nb **1** 2.
b) Le Chroniste reprend les listes benjaminites, non plus en fonction du tableau des tribus israélites, mais en fonction de Jérusalem qui traditionnellement appartient à Benjamin (Jos **18** 28); c'est à Jérusalem que David va préparer l'édification du Temple de Yahvé, centre de la Jérusalem nouvelle selon Ez **40**.
c) Sur Éhud fils de Géra, cf. Jg **3** 15 s.
d) Cette liste est composite. Addar, Shephupham et Huram semblent

⁶ Voici les fils d'Éhud.

A Géba. Ce sont eux qui furent les chefs de famille des habitants de Géba et les emmenèrent en captivité à Manahat : ⁷ Naamân, Ahiyya et Géra. C'est lui qui les emmena en captivité *ᵃ*; il engendra Uzza et Ahihud *ᵇ*.

⁸ Il engendra Shaharayim

En Moab. dans les Champs de Moab *ᶜ* après qu'il eut répudié ses femmes, Hushim et Baara. ⁹ De sa nouvelle femme il eut pour fils Yohab, Çibya, Mésha, Malkom. ¹⁰ Yéuç, Sakya, Mirma. Tels furent ses fils, chefs de famille.

¹¹ De Hushim il eut pour

A Ono et Lud. fils Abitub et Elpaal. ¹² Fils d'Elpaal : Éber, Mishéam et Shémed : c'est lui qui bâtit Ono, et Lud *ᵈ* avec ses dépendances.

---

12. « *Shémed* »; *Var. Mss G Syr* : « *Shémer* ».

---

bien représenter les Ard, Shuppim et Huphim (Shupham et Hupham) de Nb **26** 38 s.

a) Un récit du drame de Géba (confondu avec Gabaa) se trouve en Jg **19-21**; Osée (**9** 9) y fait allusion. Le Chroniste rattache cet événement à la sujétion de Benjamin à Moab dont Éhud fut le libérateur et que par suite le Chroniste date de Géra, le père d'Éhud.

b) Uzza et Ahihud (Ahiyyo ou Ahoah) jouent un rôle dans la région benjaminite à l'ouest de Jérusalem (2 S **6** 8, cf. 3) mais ils y sont considérés comme des individus.

c) Le Chroniste considère que l'oppression moabite fut une déportation. Les clans mentionnés aux vv. 9-10 semblent en effet transjordaniens (Mésha est un nom moabite, Milkom une divinité ammonite). Mais le Chroniste nous précise que Gééra s'était alors séparé de Hushim, ce clan qui fut danite et paraît avoir eu pour habitat la région de Bet-Shémesh où nous trouvons des traces d'Uzza et Ahihud.

d) Ono et Lud se trouvent entre Bet-Shémesh et la mer; ils sont benjaminites après l'exil (Ne **11** 34-35). On comprend que le Chroniste les ait rattachés par Elpaal à Hushim.

¹³ Béria et Shéma. Ils

A Ayyalôn. étaient chefs de famille des habitants d'Ayyalôn et mirent en fuite les habitants de Gat^a.

¹⁴ Son frère : Shéshaq.

^bYerémot, ¹⁵ Zebadya,

A Jérusalem. Arad, Éder, ¹⁶ Mikaël, Yishpa et Yoha étaient fils de Béria.

¹⁷ Zebadya, Meshullam, Hizqi, Haber, ¹⁸ Yishmeraï, Yizlia, Yobab étaient fils d'Elpaal.

¹⁹ Yaqim, Zikri, Zabdi, ²⁰ Élyoénaï, Çilletaï, Éliel, ²¹ Adaya, Beraya, Shimrat étaient fils de Shiméï.

²² Yishpân, Éber, Éliel, ²³ Abdôn, Zikri, Hanân, ²⁴ Hananya, Élam, Antotiyya, ²⁵ Yiphdéya, Penuel étaient fils de Shéshaq.

²⁶ Shamsheraï, Sheharya, Atalya, ²⁷ Yaaréshya, Éliyya, Zikri étaient fils de Yeroham.

= 9 34   ²⁸ Tels étaient les chefs des familles groupées selon leur parenté. Ils habitèrent Jérusalem.

= 9 35-38   ²⁹ A Gabaôn demeurait

A Gabaôn^c. Abi-Gabaôn dont la femme s'appelait Maaka. ³⁰ Il eut

---

14. « *Son frère* »; *Var. Ms G* « *ses frères* » *ou* « *leurs frères* ».
20. « *Élyoénaï* » *G*^A; « *Éliénaï* » *H*.
29. « *demeurait* » *d'après* 1 *Ms Syr ;* « *demeuraient* » *H, cf.* 9 35.

---

a) Cf. **7** 23 et la note.

b) Cette liste de familles benjaminites se rapportant à cinq des clans mentionnés au paragraphe précédent (Yeroham semble devoir être identifié à Ahiram) doit avoir été dressée après le repeuplement de Jérusalem postérieur à l'exil. Ne **11** 4-9 mentionne des familles de Benjaminites à cette occasion. Quoique certains noms se retrouvent dans les deux listes (Meshullam, Zikri), elles ne doivent pas être de la même date, car il y a trop de divergences.

c) Cette notice mentionne un autre transfert de population, celui des Gabaonites. Elle présente pour le Chroniste l'avantage de souligner une connexion entre deux cités saintes : Gabaôn où selon lui résidait la Demeure

pour fils aîné Abdôn, puis Çur, Qish, Baal, Ner, Nadab,
³¹ Gedor, Ahyo, Zaker, ³² Miqlot qui engendra Shiméa.
Eux aussi, près de leurs frères, habitaient Jérusalem avec
leurs frères.

³³ Ner engendra Qish,

Saül et sa famille. Qish engendra Saül, Saül engendra Jonathan, Malki-Shua, Abinadab et Eshbaal. ³⁴ Fils de Jonathan : Merib-baal. Meribbaal engendra Mika. ³⁵ Fils de Mika : Pitôn, Mélek, Taréa, Ahaz. ³⁶ Ahaz engendra Yehoadda, Yehoadda engendra Alémet, Azmavèt et Zimri. Zimri engendra Moça. ³⁷ Moça engendra Binéa.

$\parallel$ 1 S **14** 49-51 = 1 Ch **9** 39-43

Rapha son fils, Élasa son fils, Açel son fils ᵃ. ³⁸ Açel eut six fils dont voici les noms : Azriqam son premier-né, puis Yishmaël, Shéarya, Obadya, Hanân. Ils étaient tous fils d'Açel.

³⁹ Fils d'Ésheq son frère : Ulam son premier-né, Yéush le second, Éliphélet le troisième. ⁴⁰ Ulam eut des fils, hommes preux et valeureux, tirant de l'arc ᵇ.

---

30. « Ner » Gᴬ cf. **9** 36; omis par H.
32. G ajoute à la fin : « et Miqlot ».
38. « son premier-né » bᵉkorô Mss G Syr ; « Bokru » H (pour avoir le total de six fils !).

---

avant David (**21** 29) et Jérusalem où elle va être transférée avec l'autel. D'autre part deux noms, ceux de Ner et de Qish introduisent la généalogie de Saül. Le Chroniste la donne jusqu'à la huitième génération après Saül. Il avait fait de même pour David, mais avec plus d'ampleur, poursuivant la généalogie jusqu'après l'exil afin de souligner la pérennité de la dynastie davidique.

a) A cette liste le Chroniste en a joint une autre, différemment rédigée, ce qui lui permet d'atteindre la douzième génération; certains se demandent si, pour lui, ces douze générations ne menaient pas jusqu'à l'exil. En recopiant ce passage au ch. **9** de manière à introduire le récit de la mort de Saül et de l'échec de sa dynastie, le Chroniste a arrêté là la reproduction d'un texte qui continue visiblement aux vv. 39 s.

b) C'est un trait caractéristique des Benjaminites (cf. **12** 2 ; 2 Ch **14** 7; 2 S **1** 22). Yéush est connu comme benjaminite (**7** 10).

Ils eurent beaucoup de fils et de petits-fils, cent cinquante. Tous ceux-là étaient fils de Benjamin.

Jérusalem ville israélite et ville sainte.

9. ¹ Tous les Israélites furent répartis par groupes et se trouvaient inscrits sur le livre des rois d'Israël et de Juda*ᵃ* quand ils furent déportés à Babylone à cause de leurs prévarications. ² Les premiers à habiter dans leurs villes et leur patrimoine*ᵇ* furent les Israélites, les prêtres, les lévites et les « donnés »*ᶜ*; ³ à Jérusalem habitèrent des Judéens, des Benjaminites, des Éphraïmites et des Manassites*ᵈ*.

|| Ne **11** 3-19

⁴ Utaï, fils d'Ammihud, fils de Omri, fils d'Imri, fils de Bani, l'un des fils de Péreç fils de Juda. ⁵ Des Silonites, Asaya, l'aîné, et ses fils. ⁶ Des fils de Zérah, Yéuel. Plus leurs frères : 690 hommes.

⁷ Parmi les fils de Benjamin : Sallu fils de Meshullam,

---

a) Sur les sources auxquelles renvoie le Chroniste, voir l'Introduction. Malgré une parenté indubitable entre Ne **11** et ce chapitre, il y a entre eux de telles divergences (surtout pour les Benjaminites) que les auteurs hésitent à admettre leur interdépendance; ils penchent pour une source commune. Mais elle serait postexilique et l'on voit mal sa place dans un livre des Rois. Ce serait peut-être une œuvre postexilique dans laquelle étaient reconstitués, par les traditions familiales, les derniers temps de la monarchie; le Chroniste souligne en effet que la période visée est proche de l'exil.

b) Ce vocabulaire est celui des documents sacerdotaux. Le Chroniste décrit ici le peuplement de Jérusalem (v. 3) et du pays (v. 2) de la manière dont eut lieu après l'exil la reconstitution d'Israël, par petits groupes prenant pied en tel ou tel lieu.

c) Cf. p. 52, note *d*.

d) Cette présence de Manassites (cf. **12** 20-21) est ignorée des documents anciens et même des livres d'Esdras et de Néhémie. Peut-être est-elle due à l'arrivée au ivᵉ siècle av. J. C. de quelques Israélites du Nord se refusant au schisme samaritain; ce fait a pu inciter le Chroniste à citer un précédent. Cette mention est importante pour le Chroniste, qui tient à décrire la ville sainte comme la ville des fidèles de toutes les tribus. Ceci explique aussi l'importance donnée ici aux Benjaminites; le Chroniste nommera beaucoup moins de Judéens que ne le fait la liste de Néhémie.

fils de Hodavya, fils de Hassenua; [8] Yibneya fils de
Yeroham; Éla fils de Uzzi, fils de Mikri; Meshullam fils
de Shephatya, fils de Réuel, fils de Yibniyya. [9] Ils avaient
956 frères groupés selon leur parenté. Tous ces hommes
étaient chefs chacun de leur famille.

[10] Parmi les prêtres[a] : Yedaya, Yehoyarib, Yakîn,
[11] Azarya fils de Hilqiyya, fils de Meshullam, fils de Sadoq,
fils de Merayot, fils d'Ahitub, prince de la maison de
Dieu. [12] Adaya, fils de Yeroham, fils de Pashehur, fils de
Malkiyya, Maasaï fils de Adiel, fils de Yahzéra, fils de
Meshullam, fils de Meshillémit, fils d'Immer. [13] Ils avaient
des frères, chefs de famille, 1.760 preux valeureux[b] qui
vaquaient au service du Temple de Dieu.

[14] Parmi les lévites : Shemaya fils de Hashshub, fils
d'Azriqam, fils de Hashabya des fils de Merari, [15] Baqba-
qar, Héresh, Galal. Mattanya, fils de Mika, fils de Zikri,
fils d'Asaph, [16] Obadya, fils de Shemaya, fils de Galal,
fils de Yedutûn, Bérékya, fils d'Asa, fils d'Elqana, qui
demeurait dans les enclos des Netophites.

[17] Les portiers[c] : Shallum, Aqqub, Talmôn, Ahimân
et leurs frères. Shallum, le chef, [18] se tient encore maintenant à la porte royale, à l'orient[d]. C'étaient eux les portiers des camps des Lévites : [19] Shallum, fils de Qoré, 26 2
fils d'Ébyasaph, fils de Coré, et ses frères les Coréites, de
la même famille, vaquaient au service liturgique; ils gar-
daient les seuils de la Tente, et leurs pères, responsables
du camp de Yahvé, en avaient gardé l'accès. [20] Pinhas,

a) La liste des prêtres et des lévites est assez proche de celle de Ne **11**
qui ne distingue pas encore les lévites des portiers.

b) Le texte garde l'idée du camp du Désert, cf. v. 27.

c) La liste des portiers est beaucoup plus développée que celle de
Néhémie. Le Chroniste tient à marquer le lien entre le camp israélite décrit
par les documents sacerdotaux et Jérusalem la ville sainte.

d) Cf. Ez **46** 1-3.

fils d'Éléazar, en avait été autrefois le chef responsable
(que Yahvé soit avec lui !). ²¹ Zacharie, fils de Meshé-
lémya, était portier à l'entrée de la Tente de Réunion.
²² Les portiers des seuils appartenaient tous à l'élite; il
y en avait deux cent douze. Ils étaient groupés dans leurs
enclos. Ce sont eux qu'établirent David et Samuel le
voyant, à cause de leur fidélité. ²³ Ils avaient avec leurs
fils la responsabilité des portes du Temple de Yahvé, de
la maison de la Tente*ᵃ*. ²⁴ Aux quatre points cardinaux se
tenaient des portiers, à l'Est, à l'Ouest, au Nord et au Sud.
²⁵ Leurs frères, qui habitaient leurs enclos, venaient se
joindre à eux de temps en temps pour une semaine; ²⁶ car
les quatre chefs des portiers, eux, y demeuraient en permanence. C'étaient les lévites qui se trouvaient responsables
des chambres et des réserves de la maison de Dieu. ²⁷ Ils
passaient la nuit aux alentours de la maison de Dieu car
ils en avaient la garde et devaient l'ouvrir chaque matin.

²⁸ Certains d'entre eux avaient la charge des objets du
culte; ils les comptaient quand ils les rentraient et les
sortaient. ²⁹ Certains autres*ᵇ* étaient responsables du mobilier, de tout le mobilier sacré, de la fleur de farine, du vin,
de l'huile, de l'encens et des parfums, ³⁰ tandis que ceux

---

a) La rédaction de ce ch. (qui prépare l'organisation davidique du
ch. **26**) tient au fait que la Demeure n'est pas à Jérusalem, mais à Gabaôn
(**21** 29). Le Chroniste se représente les lévites comme habitant des enclos
(p. 35, note *e*), — début de sédentarisation, — mais venant remplir leur
office à la Demeure (déjà appelée Temple), près de laquelle certains d'entre
eux résident. David n'aura qu'à les établir près du Temple dans la ville
sainte.

b) Le Chroniste attribue maintenant d'autres fonctions aux lévites portiers. Il en parle en ce ch. pour rappeler que selon la théologie des documents sacerdotaux, qui est la sienne, ces usages rituels qui vont faire partie
du culte de la communauté sont antérieurs à David. L'ancêtre du Messie
ne fera que pourvoir à leur organisation dans la ville sainte. Mais il ne
confie à Mattitya que l'oblation cuite à la plaque, celle des nomades, non
celle des sédentaires (cf. Lv **2** 4-7). Le Temple n'est pas encore construit,
ni Yahvé ni ses serviteurs ne sont encore des sédentaires.

qui préparaient le mélange aromatique destiné aux parfums étaient des prêtres.

³¹ L'un des lévites, Mattitya, — c'était le premier-né de Shallum le Coréite, — fut, à cause de sa fidélité, chargé de la confection des offrandes cuites à la plaque. ³² Parmi leurs frères, quelques Qehatites étaient chargés des pains à disposer en rangées, chaque sabbat.

³³ Voici les chantres*a*, chefs de familles lévitiques. Ils avaient été détachés dans les pièces du Temple, car il leur incombait d'officier jour et nuit.

³⁴ Tels étaient les chefs des familles lévitiques groupés = 8 28
selon leur parenté. Ces chefs habitaient Jérusalem*b*.

IX. Saül, prédécesseur de David

Origines de Saül.
³⁵ A Gabaôn habitaient = 8 29-38
Abi-Gabaôn et Yeïel*c* dont la femme s'appelait Maaka.
³⁶ Il eut pour premier-né Abdôn; puis Çur, Qish, Baal, Ner, Nadab, ³⁷ Gedor, Ahyo, Zekarya et Miqlot. ³⁸ Miqlot engendra Shiméam. Eux aussi, près de leurs frères, habitaient Jérusalem avec leurs frères.

---

a) Le Chroniste admet — et c'est historiquement exact — que le culte chanté est antérieur à David. Mais il se représente déjà à Gabaôn un culte organisé comme il l'est de son temps à Jérusalem et comportant des prières perpétuelles.

b) On a vu que les lévites n'habitaient pas encore Jérusalem. Mais le Chroniste reprend ici textuellement le passage qui fait suite à la liste des Benjaminites de Jérusalem (8 28-38). Il reprend la généalogie de Saül d'origine gabaonite et il ne lui déplaît pas d'évoquer en contrepartie l'établissement des lévites dans la ville sainte, surtout ces lévites fidèles comme les portiers établis par Samuel (v. 22) et Mattitya (v. 31), auxquels il va opposer l'infidélité de Saül (10 13).

c) Yeïel ou Yéuel n'est pas dans la liste du ch. 8 (v. 29) : faute de copiste ou scrupule dû à la proximité d'un Yéuel judéen en 9 6.

³⁹ Ner engendra Qish, Qish engendra Saül, Saül engendra Jonathan, Malki-Shua, Abinadab, Eshbaal. ⁴⁰ Fils de Jonathan : Merib-Baal. Merib-Baal engendra Mika. ⁴¹ Fils de Mika : Pitôn, Mélek, Tarèa. ⁴² Ahaz engendra Yara, Yara engendra Alémèt, Azmavèt et Zimri; Zimri engendra Moça. ⁴³ Moça engendra Binéa.

Rephaya son fils, Éléasa son fils, Açel son fils. Açel eut six fils dont voici les noms : Azriqam, son premier-né, Yishmaël, Shéarya, Obadya, Hanân; tels sont les fils de Açel.

‖ 1 S **31** 1-13

Mort de Saülᵃ.

10. ¹ Les Philistins livrèrent bataille à Israël. Les Israélites s'enfuirent devant eux et tombèrent, frappés à mort, sur le mont Gelboé. ² Les Philistins serrèrent de près Saül et ses fils et ils tuèrent Jonathan, Abinadab et Malki-Shua, les fils de Saül. ³ Le poids du combat se porta sur Saül. Les tireurs d'arc le surprirent et il fut blessé par les tireurs. ⁴ Alors Saül dit à son écuyer : « Tire ton épée et transperce-moi, de peur que ces incirconcis ne viennent et ne se jouent de moi. » Mais son écuyer ne voulut pas, car il était rempli d'effroi. Alors Saül prit son épée et se jeta sur elle. ⁵ Voyant que Saül était mort, l'écuyer se jeta lui aussi sur son épée et mourut avec lui. ⁶ Ainsi moururent ensemble Saül, ses trois fils et toute sa maison. ⁷ Quand tous les Israélites qui étaient dans la vallée ᵇ virent que les hommes d'Israël

---

9 41. *A la fin, quelques Mss grecs tardifs ajoutent : « et Achaz ».*

---

a) A titre d'introduction à la royauté de David, le Chroniste reproduit le texte de 1 S avec des variantes infimes. On signalera les plus importantes.

b) Le Chroniste évite de parler des « Israélites qui étaient de l'autre côté de la vallée et du Jourdain », cette précision géographique gênant le lecteur qui a peine à imaginer les Philistins près de ces régions.

étaient en déroute et que Saül et ses fils avaient péri, ils abandonnèrent leurs villes et prirent la fuite. Les Philistins vinrent s'y établir.

⁸ Le lendemain, les Philistins, venus pour détrousser les morts*ᵃ*, trouvèrent Saül et ses fils gisant sur le mont Gelboé. ⁹ Ils le dépouillèrent, enlevèrent sa tête et ses armes qu'ils firent porter à la ronde dans le pays philistin, pour annoncer la bonne nouvelle à leurs idoles et à leur peuple. ¹⁰ Ils déposèrent ses armes dans la maison de leur dieu; quant à son crâne, ils le clouèrent dans le temple de Dagôn.

¹¹ Lorsque tous les habitants de Galaad*ᵇ* eurent appris tout ce que les Philistins avaient fait à Saül, ¹² tous les braves se mirent en route. Ils enlevèrent les corps de Saül et de ses fils, les apportèrent à Yabesh, ensevelirent leurs ossements sous le tamaris de Yabesh et jeûnèrent pendant sept jours.

¹³ Saül mourut pour s'être montré infidèle envers Yahvé : il n'avait pas observé la parole de Yahvé et de plus avait interrogé et consulté une nécromancienne. ¹⁴ Il n'avait pas consulté Yahvé, qui le fit mourir et transféra la royauté à David, fils de Jessé*ᶜ*.

---

10 11. « *tous les habitants de Galaad* » kol yoˢᵉbê gilʻâd *d'après Syr cf.* 1 S **31** 11 ; « *tout Yabesh de Galaad* » H.

---

a) Peut-être s'agit-il en réalité de la coutume connue chez les Assyriens de disperser après la victoire les cadavres des ennemis.

b) Le Chroniste semble avoir supprimé le nom de la ville de Yabesh en Galaad comme inutile ou troublante pour son lecteur. Il n'écrit pas une Histoire nationale détaillée et précise. De plus il a voulu tenir compte de Dt **21** 22 s, qui interdit de laisser les cadavres suspendus pendant la nuit, et a rectifié sa source en conséquence.

c) Il a au contraire des préoccupations théologiques. Il supprime l'incinération, coutume païenne à son époque, et ajoute une conclusion tirée de 1 S **28** où il donne le sens religieux de l'échec de Saül.

II

DAVID, FONDATEUR DU CULTE DU TEMPLE

I. LA ROYAUTÉ DE DAVID

‖ 2 S 5 1-3

Sacre de David[a].

11. [1] Alors tous les Israélites se rassemblèrent autour de David, à Hébron, et dirent : « Vois ! Nous sommes de tes os et de ta chair. [2] Autrefois, déjà, même quand Saül régnait sur nous, c'était toi qui dirigeais tous les mouvements des troupes d'Israël[b], et Yahvé ton Dieu t'a dit : ' C'est toi qui paîtras mon peuple Israël et c'est toi qui seras chef de mon peuple Israël '. » [3] Tous les anciens d'Israël vinrent donc auprès du roi à Hébron. David conclut un pacte avec eux à Hébron, en présence de Yahvé, et ils oignirent David comme roi d'Israël selon la parole de Yahvé transmise par Samuel[c].

‖ 2 S 5 6-10

Prise de Jérusalem.

[4] David, avec tout Israël, marcha sur Jérusalem (c'est-à-dire Jébus); les habitants

---

11 2. « *ton Dieu* » *omis par* G[B].

---

a) Ce récit de Samuel que le Chroniste reproduit se rapporte au ralliement des tribus du Nord qui eut lieu plusieurs années après la mort de Saül. Le Chroniste ne veut retenir de David que la figure du héros qui a uni les tribus autour de Yahvé.

b) Litt. « partir (pour la guerre) et revenir (après la victoire) ».

c) Addition de l'auteur qui rappelle 1 S **16**. Les bons rois sont ceux qui admettent que Dieu parle par d'autres hommes, les prophètes, et agissent en conséquence.

du pays étaient les Jébuséens. ⁵ Les habitants de Jébus
dirent à David : « Tu n'entreras pas ici. » Mais David
s'empara de la forteresse de Sion; c'est la Cité de David.
⁶ Et David dit : « Quiconque frappera le premier un Jébuséen deviendra chef et capitaine. » Joab, fils de Çeruya,
monta le premier et devint chef*a*. ⁷ David s'établit dans
la forteresse, aussi l'a-t-on appelée Cité de David. ⁸ Puis
il restaura le pourtour de la ville, aussi bien le Millo*b*
que le pourtour, et c'est Joab qui restaura le reste de la
ville. ⁹ David allait grandissant et Yahvé Sabaot était
avec lui.

Les preux de David*c*. ¹⁰ Voici les chefs des preux
de David, ceux qui devin-
rent puissants avec lui sous
son règne et qui, avec tout Israël, l'avaient fait roi selon
la parole de Yahvé sur Israël. ¹¹ Voici la liste des preux   ‖ 2 S **23** 8-39
de David :

Yashobéam, fils de Hakmoni, le chef des Trente; c'est
lui qui brandit sa lance sur trois cents victimes à la fois.

¹² Après lui Éléazar fils de Dodo, l'Ahohite. C'était
l'un des trois preux. ¹³ Il était avec David à Pas-Dammim

---

8. *Var. G* : « *(David) rebâtit autour de la ville. Il lutta et prit la ville* ».
11. *Au lieu de* « *Yashobéam* » *certains Mss grecs ont* « *Ishbaal* ».

---

a) Voir en comparant avec 2 S comment le Chroniste simplifie le récit.
b) Il n'est pas sûr qu'au temps du Chroniste on comprenait bien ce
qu'était le *Millo* et les fortifications du temps de David. L'auteur comprend
le texte de Samuel comme réservant à David la construction des remparts;
se référant peut-être à une autre source, il attribue à Joab la construction
des maisons, œuvre mineure. Néhémie reprendra l'ouvrage (Ne **2** 17 s).
c) Avant de décrire le grand acte qui va faire de Jérusalem la cité sainte,
le transfert de l'arche de la présence de Yahvé, le Chroniste donne un
tableau de la puissance de David (**11** et **12**). Il y a les grands qui l'entourent
(le Chroniste les évoque en reproduisant la liste de 2 S **23**, qu'il modifie
sur quelques points); mais il y a aussi des représentants des tribus non
judéennes et des guerriers de toutes les tribus (**12**).

quand les Philistins s'y rassemblèrent pour le combat[a].
Il y avait là un champ entièrement planté d'orge ; l'armée
prit la fuite devant les Philistins, [14] mais ils se postèrent
au milieu du champ, le préservèrent et battirent les Philistins. Yahvé opéra là une grande victoire.

[15] Trois d'entre les Trente descendirent vers David, au
rocher proche de la grotte d'Adullam, tandis qu'une
compagnie de Philistins campait dans le val des Rephaïm.
[16] David était alors dans le repaire tandis qu'il y avait
encore un gouverneur philistin à Bethléem. [17] David
exprima ce désir : « Qui me fera boire l'eau du puits
qui est à la porte de Bethléem ? » [18] Les trois, s'ouvrant
un passage au travers du camp philistin, tirèrent de l'eau
du puits qui est à la porte de Bethléem ; ils l'emportèrent
et l'offrirent à David, mais il ne voulut pas en boire et il
la répandit en libation à Yahvé. [19] Il dit : « Dieu me garde
de faire cela ! Boirais-je le sang de ces hommes au prix de
leur vie ? Car c'est en risquant leur vie qu'ils l'ont appor-
tée ! » Il ne voulut donc pas boire. Voilà ce qu'ont fait
ces trois preux.

[20] Abishaï, frère de Joab, fut, lui, le chef des Trois.
C'est lui qui brandit sa lance sur trois cents victimes et se
fit un nom parmi les Trois. [21] Il fut plus illustre que les
Trente et devint leur capitaine, mais il ne fut pas compté
parmi les Trois.

[22] Benaya, fils de Yehoyada, un brave prodigue en

---

14. *G a les verbes au singulier.*
20. « *Trois* » ; *Var. Syr et Mss grecs :* « *Trente* ». — « *se (fit)* » *lô Vers.* ;
« *ne (fit) pas* » *lo' H.*
21. « *Trente* » *Syr* ; « *Trois* » *H.* — *Après* « *Trente* » *on omet avec Syr*
« *dans les deux* » (*glose signalant que la même chose est dite de Benaya, v. 25*).

---

a) Pour des raisons peu claires le Chroniste (ou un copiste) a omis la
valeur de deux vv. Ce qui suit se rapporte dans le livre de Samuel non
à Éléazar, mais à un certain Shamma.

exploits, originaire de Qabçéel. C'est lui qui abattit les
deux héros de Moab, et c'est lui qui descendit et tua le
lion dans la citerne, un jour de neige. [23] C'est lui aussi qui
tua l'Égyptien, le colosse de cinq coudées[a] qui avait en
main une lance semblable à une ensouple de tisserand; il
descendit contre lui avec un bâton, arracha la lance de la
main de l'Égyptien et tua celui-ci avec sa propre lance.
[24] Voilà ce qu'accomplit Benaya fils de Yehoyada et il se
fit un nom parmi les Trente preux. [25] Il fut plus illustre
que les Trente, mais ne fut pas compté parmi les Trois;
David le mit à la tête de sa garde personnelle.

[26] Preux valeureux : Asahel, frère de Joab, Elhanân fils
de Dodo, de Bethléem, [27] Shammot le Harorite, Hèleç le
Pelonite[b], [28] Ira fils d'Iqqesh, de Teqoa, Abiézer d'Anatot, [29] Sibbekaï de Husha, Ilaï d'Ahoh, [30] Maheraï de
Netopha, Héled fils de Baana, de Netopha, [31] Itaï fils de
Ribaï, de Gibéa des fils de Benjamin, Benaya de Piréatôn,
[32] Huraï[c], des Torrents de Gaash, Abiel[d] de Bet-ha-Araba,
[33] Azmavèt de Bahurim, Élyahba de Shaalbôn, [34] Bené-
Hashem de Gizôn, Yonatân fils de Shagé, de Harar,
[35] Ahiam fils de Sakar, de Harar, Éliphélèt fils d'Ur,
[36] Hépher, de Mekéra, Ahiyya[e] le Pelonite, [37] Heçro de

---

24. « *Trente* » *conj. cf.* 2 *S* **23** 13 *et* 22; « *Trois* » H.
27. « *Harorite* »; *Var. G :* « *Adite* », *cf.* 2 *S* **23** 25.
35. « *Éliphélèt* » G *et* 2 *S* **23** 34; « *Éliphal* » H.
35-37. *Cf. le texte de Samuel.*

a) Cette précision n'est pas dans S.
b) « Pelonite » est une mauvaise lecture du texte de S qui porte « Pal-
tite ».
c) Mauvaise lecture du « Hiddaï » de S.
d) Abi-Albôn dans S. Ce qui suggère comme véritable nom Abibaal,
nom assez répandu vers l'époque de David, mais suspect aux yeux des
fervents yahvistes que sont les rédacteurs de S et des Ch.
e) Le Chroniste a transformé le « Éliam fils d'Ahitophel » en « Ahiyya »,
car Ahitophel fut traître à David (2 S **15** 31) et il ne voulait pas évoquer
ici ce souvenir.

Karmel, Naaraï fils d'Ézbaï, [38] Yoël frère de Natân, Mibhar
fils de Hagri, [39] Çéleq l'Ammonite, Nahraï de Béérot,
écuyer de Joab fils de Çeruya, [40] Ira de Yattir, Gareb de
Yattir, [41] Urie[a] le Hittite, Zabad fils d'Ahlaï, [42] Adina fils
de Shiza le Rubénite, chef des Rubénites et responsable
des Trente, [43] Hanân fils de Maaka, Yoshaphat le Mitnite,
[44] Uzziya d'Ashtarot, Shama et Yéuel fils de Hotam
d'Aroër, [45] Yediael fils de Shimri et Yoha son frère le
Tiçite, [46] Éliel le Mahavite, Yeribaï et Yoshavya, fils
d'Elnaam, Yitma le Moabite, [47] Éliel, Obed et Yaasiel,
de Çoba.

Les premiers ralliés à David.

12. [1][b] Voici ceux qui re-
joignirent David à Çiqlag
alors qu'il était encore retenu
loin de Saül fils de Qish;
c'étaient des preux, des combattants à la guerre, [2] qui
pouvaient tirer à l'arc de la main droite et de la gauche,
en utilisant pierres et flèches.

Des frères de Saül le Benjaminite : [3] Ahiézer le chef, et
Yoash, fils de Hashshemaa de Gibéa[c], Yeziel et Pélèt, fils
d'Azmavèt[d], Beraka et Yéhu d'Anatot[e], [4] Yishmaya de

---

47. « *de Çoba* » *conj.*; « *celui de Çobaya* » H.

---

a) Ici s'arrête la liste de S. Son auteur se devait de terminer par Urie,
sur lequel il reviendra longuement à cause de sa femme Bethsabée, mère
de Salomon. Le reste de la liste au contraire intéressait le Chroniste à cause
d'Adina le Rubénite, voire le chef des Rubénites; il amorce ainsi les listes
du ch. **12** sur les représentants des tribus non judéennes. Le Chroniste
a l'esprit large et entend faire de l'œuvre de David l'œuvre de tous; il voit
en David le rassembleur d'Israël. Il ne semble pas avoir composé de lui-
même cette fin de liste qui n'a rien de systématique et paraît comporter
des fautes de lecture (« Mahavite » ?, « Çôba » devenu « le Meçobayite »).
b) On ignore la source de ce passage relatif aux Benjaminites.
c) La capitale de Saül, à 5 km. au nord de Jérusalem.
d) Est-ce le même qui est cité en **8** 36; **11** 33 ?
e) Où naquit Jérémie, cf. Jr **1** 1; cf. Jos **21** 18.

Gabaôn^a, un preux parmi les Trente et à la tête des Trente;
4 ⁵ Yirmeya, Yahaziel, Yohanân et Yozabad de Gedérot^b,
5 ⁶ Éléuzaï, Yerimot, Béalya, Shemaryahu, Shephatyahu
6 de Hariph, ⁷ Elqana, Yishiyyahu, Azaréel, Yoézer, Yasho-
7 béam, Coréites, ⁸ Yoéla, Zebadya, fils de Yeroham de
Gedor^c.
8 ⁹ Des Gadites firent sécession pour rejoindre David
dans son refuge du désert^d. C'étaient des preux valeureux, des hommes de guerre prêts à combattre, sachant
manier le bouclier et la lance. Ils faisaient figure de lions^e;
par l'agilité, ils ressemblaient aux gazelles sur les mon-
9 tagnes. ¹⁰ Ézer était le chef, Obadya le second, Éliab le
10 troisième, ¹¹ Mashmanna le quatrième, Yirmeya le cin-
11 12 quième, ¹² Attaï le sixième, Éliel le septième, ¹³ Yohanân
13 le huitième, Elzabad le neuvième, ¹⁴ Yirmeyahu le dixième,
14 Makbannaï le onzième^f. ¹⁵ Tels étaient les fils de Gad,
chefs de corps, l'un commandant à cent s'il était petit,

a) Il y eut en effet conflit entre Saül et les Gabaonites, cf. 2 S **21** 1-6.
Mais Yishmaya n'est pas cité dans la liste actuelle des Trente.

b) Site mal précisé, sans doute dans un hameau près de l'actuel El-Gib
(Gabaôn).

c) Hariph (**2** 51), Coré (**2** 43) et Gédor (Jos **15** 58) semblent bien être
des noms du Sud et non benjaminites. Le Chroniste n'a donc pas forgé
de toutes pièces cette liste mystérieuse; il l'a utilisée ici à cause des noms
de la première partie.

d) Le désert de Juda où David avait dû se réfugier après avoir quitté
la cour de Saül. Il n'alla qu'ensuite à Çiqlag; les recrues gadites ont donc
précédé la venue d'Ahiézer et de ses soldats, mentionnés au paragraphe
précédent.

e) On retrouve dans ce portrait le style propre au Chroniste, mais il
s'inspire à sa manière de Dt **33** 20.

f) Cette liste n'est pas rédigée comme la précédente. On peut se rendre
compte par les tablettes de Ras-Shamra et les papyrus d'Éléphantine de
la variété avec laquelle on rédigeait ces listes. Nous ne savons ce qui
était exactement écrit sur le présent document et ce qui suggérait au
Chroniste de l'utiliser à cette place et de cette manière. D'après **5** 17,
il ne paraît pas avoir disposé de listes gadites antérieures au VIIIe siècle
av. J. C.

¹⁵ à mille s'il était grand*ᵃ*. ¹⁶ Ce sont eux qui passèrent le Jourdain, au premier mois*ᵇ*, tandis qu'il coule partout à pleins bords, et qui mirent en fuite les riverains tant à l'orient qu'à l'occident.

¹⁶

¹⁷

¹⁷ Quelques Benjaminites et Judéens s'en vinrent aussi trouver David en son refuge. ¹⁸ David s'avança au-devant d'eux, prit la parole et leur dit : « Si c'est en amis que vous venez à moi pour me prêter main-forte, je suis disposé à m'unir à vous, mais si c'est pour me tromper au profit de mes ennemis alors que mes mains n'ont fait aucun tort, que le Dieu de nos pères le voie et fasse justice ! »

¹⁸

¹⁹*ᶜ* L'Esprit revêtit alors Amasaï, chef des Trente :

« Va, David ! La paix soit avec toi, fils de Jessé,
paix à toi, paix à qui t'aide,
car ton aide, c'est ton Dieu. »

David les accueillit et les mit parmi les chefs de troupe.

¹⁹

²⁰ Quelques Manassites se rendirent à David alors qu'il venait lutter avec les Philistins contre Saül*ᵈ*. Mais ils ne leur prêtèrent pas main-forte car, s'étant consultés, les princes*ᵉ* des Philistins renvoyèrent David en disant : « Il irait se rendre à son seigneur Saül au prix de nos têtes ! »

1 S 29

²⁰

²¹ Il partait donc pour Çiqlag quand quelques Manassites se rendirent à lui : Adnah, Yozabad, Yediaël, Mikaël,

---

a) Les armées israélites furent en effet réparties en milliers et en centaines. Autre traduction : « L'un tenait tête à cent s'il était petit; mille s'il était grand. »

b) Au printemps, lors de la fonte des neiges du Liban.

c) Le Chroniste a rédigé ce paragraphe en s'appuyant non sur une liste mais sur un petit morceau épique attribué à Abishaï (cf. **11** 20). Il est intéressant de voir notre auteur attribuer l'esprit prophétique à ce guerrier, frère de Joab.

d) Ce trait n'a rien d'historiquement invraisemblable, car c'est par la région manassite de Gelboé que les Philistins allaient attaquer Saül.

e) Les magistrats philistins s'appelaient *sèrèn,* que beaucoup rapprochent du « tyran » grec.

Yozabad, Élihu, Çilletaï*a*, chefs des milliers de Manassé.

21 ²² Ce fut un renfort pour David et sa troupe, car ils étaient tous des preux valeureux et devinrent officiers dans l'armée.

22 ²³ Journellement, en effet, David recevait des renforts, si bien que son camp devint un camp gigantesque*b*.

23
	²⁴ Voici les chiffres du
Les guerriers	recensement des guerriers
qui le firent roi*c*.	équipés pour la guerre qui
	rejoignirent David à Hébron

pour lui transférer la royauté de Saül selon l'ordre de Yahvé :

24 ²⁵ Fils de Juda portant le bouclier et la lance : 6.800 guerriers équipés pour la guerre;

25 ²⁶ des fils de Siméon, 7.100 preux valeureux à la guerre;

26 27 ²⁷ des fils de Lévi, 4.600, ²⁸ ainsi que Yehoyada*d*, com-
28 mandant les Aaronides avec 3.700 de ces derniers, ²⁹ Sadoq, jeune preux valeureux, et vingt-deux capitaines de sa famille;

29 ³⁰ des fils de Benjamin, 3.000 frères de Saül, la majorité

---

a) Autre liste trouvée par le Chroniste. Peut-être portait-elle comme en-tête : « (Pour les) fils de Manassé », mais il y a peu de probabilité qu'elle ait porté une date. C'est en vue de l'offensive philistine susdite que le Chroniste l'a insérée ici.

b) Litt. « camps de dieux », expression du superlatif en hébreu.

c) Le Chroniste donne maintenant un recensement des guerriers suivant le schéma du livre des Nombres (**1-3**; **26**), dont il rompt la monotonie par des expressions qui lui sont propres. Le livre de Samuel ne connaît de semblable recensement qu'à la fin du règne de David (2 S **24**). Il est donc probable que nous avons là une composition propre au Chroniste. Elle lui était nécessaire pour son grand tableau (cf. p. 71, note *c*).

d) Le Chroniste semble identifier le Benaya fils de Yehoyada de **11** 22 avec le prêtre du même nom qui joue un rôle important lors du transfert de l'arche (**15** 24; **16** 5). Il ne voulait pas mentionner Ébyatar, qui fut rejeté par Salomon au profit de Sadoq, et ce dernier joue un rôle insignifiant dans les débuts de David, d'où la formule adoptée par le Chroniste au v. 28.

d'entre eux demeurant jusqu'alors au service de la maison de Saül;

30   [31] des fils d'Éphraïm, 20.800 preux valeureux, hommes illustres de leur famille;

31   [32] de la demi-tribu de Manassé, 18.000 hommes nominativement désignés pour aller proclamer David roi;

32   [33] des fils d'Issachar, fins connaisseurs[a] des moments où Israël devait agir et de la manière de le faire, 200 chefs et tous leurs frères à leurs ordres;

33   [34] de Zabulon, 50.000 hommes aptes au service militaire, en ordre de combat, avec toutes sortes d'armes, et prêts à prêter main-forte d'un cœur résolu;

34   [35] de Nephtali, 1.000 capitaines et avec eux 37.000 hommes munis du bouclier et de la lance;

35   [36] des Danites, 28.600 hommes en ordre de combat;

36   [37] d'Asher, 40.000 hommes partant en guerre en ordre de combat;

37   [38] de Transjordanie, 120.000 hommes de Ruben, de Gad, de la demi-tribu de Manassé, avec toute sorte d'armes de guerre.

38   [39] Tous ces hommes de guerre, venus en renfort en bon ordre, se rendirent à Hébron de plein cœur pour proclamer David roi sur tout Israël; tous les autres Israélites étaient d'ailleurs unanimes pour conférer la royauté à

39 David. [40] Trois jours durant, ils demeurèrent là à manger et à boire avec David[b].

40   Leurs frères avaient tout apprêté pour eux; [41] de plus, des environs et jusque d'Issachar, Zabulon et Nephtali, on

---

a) Nous rencontrons ici le vocabulaire des livres de Sagesse, mais le Chroniste lui donne une valeur religieuse; ce n'est plus la perspicacité humaine, mais le sens des choses de Dieu, le sens spirituel dirions-nous.

b) Le Chroniste songe aux grands repas qui accompagnaient les solennités nationales et religieuses (Dt **12** 18; cf. Est **1** 5 s) mais il ne semble pas y voir un repas sacré.

leur faisait parvenir des vivres, par ânes, chameaux, mulets et bœufs : farine, figues et gâteaux de raisin, vin et huile, gros et petit bétail en masse, car c'était liesse en Israël.

L'arche ramenée de Qiryat-Yéarim.

13. ¹ David tint conseil avec les capitaines de milliers et de centaines et avec tous les commandants. ² Il dit à toute l'assemblée d'Israël : « Si cela vous convient et si Yahvé notre Dieu en décide ainsi, nous enverrons des messagers à nos autres frères de toutes les terres d'Israël, ainsi qu'aux prêtres et aux lévites dans leurs villes et champs attenants, afin qu'ils s'unissent à nous. ³ Nous ramènerons alors auprès de nous l'arche de notre Dieu; nous ne nous en sommes pas souciés en effet au temps de Saül[a]. »

⁴ Toute l'assemblée décida d'agir ainsi, car c'était chose juste aux yeux de tout le peuple. ⁵ David rassembla tout Israël, depuis le Shihor d'Égypte jusqu'à l'Entrée de Hamat[b], pour ramener de Qiryat-Yéarim l'arche de Dieu. ⁶ Puis David et tout Israël allèrent à Baala, vers Qiryat-Yéarim[c] en Juda, afin de faire monter de là l'arche de Dieu qui porte le nom de Yahvé siégeant sur les chérubins. ⁷ C'est à la maison d'Abinadab qu'on chargea l'arche de Dieu sur un chariot neuf. Uzza et Ahyo conduisaient le chariot[d]. ⁸ David et tout Israël dansaient devant

‖ 2 S 6 2-11

---

13 2. « *décide* »; *Var. G* « *agrée* ».

a) Cette introduction est propre au Chroniste qui mentionnera encore à propos d'Ézéchias (2 Ch **30**) et de Josias (2 Ch **34** 33; **35** 18) semblables invites faites aux gens du Nord. Il y exprime deux idées auxquelles il tient : l'unité des fidèles autour du sanctuaire de Jérusalem, la nécessité de s'adresser au Dieu de ce sanctuaire où se trouve l'arche.

b) Nous avons ici l'une des expressions classiques pour désigner les limites idéales de la Terre Sainte.

c) « Qiryat-Yéarim » est une addition du Chroniste au texte de S.

d) Le Chroniste allège le récit.

Dieu de toutes leurs forces en chantant au son des cithares, des harpes, des tambourins, des cymbales et des trompettes[a]. ⁹ Comme on arrivait à l'aire du Javelot[b], Uzza étendit la main pour retenir l'arche, car les bœufs la faisaient verser. ¹⁰ Alors la colère de Dieu s'enflamma contre Uzza et il le frappa pour avoir porté la main sur l'arche; Uzza mourut là, devant Dieu. ¹¹ David fut fâché de ce que Yahvé eût foncé sur Uzza et il donna à ce lieu le nom de Péreç-Uzza, qu'il a gardé jusqu'à maintenant.

¹² Ce jour-là, David eut peur de Dieu et dit : « Comment ferais-je entrer chez moi l'arche de Dieu ? » ¹³ Et David ne mena pas l'arche chez lui, dans la Cité de David, mais il la fit conduire vers la maison d'Obed-Édom de Gat. ¹⁴ L'arche de Dieu resta trois mois chez Obed-Édom, dans sa maison; Yahvé bénit la maison d'Obed-Édom et tout ce qui lui appartenait.

‖ 2 S 5 11-16

David à Jérusalem, son palais et ses enfants[c].

14. ¹ Hiram, roi de Tyr, envoya une ambassade à David, avec du bois de cèdre, des maçons et des charpentiers, pour lui construire une

---

14. « *dans sa maison* » et « *la maison d'* » omis par G.

---

a) Le Chroniste remplace les sistres païens (Crète, Égypte, Canaan), par les trompettes, qu'admet Nb **10** 1-10.

b) Autre nom dans 2 S **6** 6; mais beaucoup préfèrent la leçon des Chroniques.

c) Le Chroniste interrompt ici le récit de Samuel sur le transfert de l'arche pour reprendre un passage antérieur de ce livre qu'il juge important pour la construction du Temple et des autres édifices davidiques (vv. 1-2). Il a copié tout le passage, car la victoire sur les Philistins expliquait que David pût se consacrer à des œuvres pacifiques. Aussi le Chroniste a-t-il tout retenu, même la liste des enfants de David (qu'il avait déjà donnée en **3** 5-8), même le « encore » du v. 3 qui n'avait de sens que dans le livre de Samuel qui en **3** 2-5, 13-16, parlait des premières femmes de David. Il a eu soin toutefois de compléter la liste de Samuel par celle du ch. **3** en mentionnant Nogah (v. 6).

maison. ² Alors David sut que Yahvé l'avait confirmé comme roi d'Israël et que son règne était hautement exalté à cause d'Israël son peuple.

³ A Jérusalem, David prit encore des femmes et il engendra encore des fils et des filles. ⁴ Voici les noms des enfants qui lui naquirent à Jérusalem : Shammua, Shobab, Natân, Salomon, ⁵ Yibhar, Élishua, Elpalèt, ⁶ Nogah, Népheg, Yaphia, ⁷ Élishama, Baalyada, Éliphélèt. = **3** 5-8

⁸ Lorsque les Philistins eurent appris qu'on avait oint David comme roi de tout Israël, ils montèrent tous pour s'emparer de lui. A cette nouvelle, David partit au-devant d'eux. ⁹ Les Philistins arrivèrent et se déployèrent dans le val des Rephaïm. ¹⁰ Alors David consulta Dieu : « Dois-je attaquer les Philistins ? demanda-t-il, et les livreras-tu entre mes mains ? » Yahvé lui répondit : « Attaque ! et je les livrerai entre tes mains. » ¹¹ Ils montèrent à Baal-Peraçim, et là David les battit. Et David dit : « Par ma main Dieu a ouvert une brèche dans mes ennemis comme une brèche faite par les eaux. » C'est pourquoi on appela cet endroit Baal-Peraçim. ¹² Ils avaient abandonné sur place leurs dieux : « Qu'ils brûlent au feu ! » dit David[a]. ‖ 2 S **5** 17-25

Victoires sur les Philistins.

¹³ Les Philistins recommencèrent à se déployer dans le val. ¹⁴ David consulta de nouveau Dieu et Dieu lui répondit : « Ne les attaque pas. Va derrière eux, à quelque distance, tourne-les, et aborde-les vis-à-vis des micocouliers. ¹⁵ Et quand tu entendras un bruit de pas à la cime des

---

14 11. *« Ils montèrent »*; *Var. G : « Il monta ».*

---

a) Ce dernier trait est propre au Chroniste. Il a retouché le texte de sa source d'après Dt **7** 5, 25; **12** 3.

micocouliers, alors tu engageras le combat : c'est que Dieu sort devant toi pour battre l'armée philistine. » [16] David fit comme Dieu lui avait ordonné : ce fut la défaite du camp philistin depuis Gabaôn jusqu'à Gézer.

[17] La renommée de David s'étendit dans toutes les régions et Yahvé le fit redouter de toutes les nations[a].

II. L'ARCHE DANS LA CITÉ DE DAVID

Préparatifs du transport[b]. **15.** [1] Il se bâtit des édifices dans la Cité de David, il prépara un lieu pour l'arche de Dieu, il dressa pour elle une tente, [2] puis il dit : « L'arche de Dieu ne peut pas être transportée, sinon par les lévites[c]; car Yahvé les a choisis pour porter l'arche de Yahvé et en assurer à jamais le service. »

[3] Alors David rassembla tout Israël à Jérusalem pour faire monter l'arche de Yahvé au lieu qu'il lui avait préparé. [4] Il réunit les fils d'Aaron et les fils de Lévi : [5] pour les fils de Qehat, Uriel l'officier et ses cent vingt frères, [6] pour les fils de Merari, Asaya l'officier et ses deux cent vingt frères, [7] pour les fils de Gershom, Yoël l'officier et ses cent trente frères, [8] pour les fils d'Éliçaphân, She-

---

16. « *ce fut la défaite* » *litt.* « *et il frappa* » G Vulg ; « *et ils frappèrent* » H.

---

a) Cette conclusion est également propre au Chroniste (cf. 2 Ch **17** 10).
b) Ce paragraphe a été rédigé par le Chroniste pour définir le rôle des prêtres et des lévites dans une pareille cérémonie, question dont le rédacteur de S ne s'était pas préoccupé. Les documents sacerdotaux lui ont donné le cadre dont il s'est inspiré.
c) Sur ce privilège des lévites, cf. Nb **1** 50; **3** 5 s; **4**; **7** 9; Dt **10** 8; **31** 25.

maya l'officier et ses deux cents frères, ⁹ pour les fils
d'Hébrôn, Éliel l'officier et ses quatre-vingts frères,
¹⁰ pour les fils d'Uzziel, Amminadab l'officier et ses cent
douze frères ᵃ.

¹¹ David convoqua les prêtres Sadoq et Ébyatar, les
lévites Uriel, Asaya, Yoël, Shemaya, Éliel et Amminadab, ¹² il leur dit : « Vous êtes les chefs des familles lévitiques; sanctifiez-vous ᵇ, vous et vos frères, et faites monter
l'arche de Yahvé, le Dieu d'Israël, au lieu que je lui ai
préparé. ¹³ Parce que vous n'étiez pas là la première fois,
Yahvé avait foncé sur nous ᶜ : nous ne nous étions pas
adressés à lui suivant la règle. » ¹⁴ Prêtres et lévites se
sanctifièrent pour faire monter l'arche de Yahvé, le Dieu
d'Israël, ¹⁵ et les lévites transportèrent l'arche de Dieu,
les barres sur leurs épaules ᵈ, comme l'avait prescrit Moïse,
selon la parole de Yahvé.

¹⁶ David dit alors aux officiers des lévites de placer
leurs frères les chantres, avec tous les instruments d'accompagnement, cithares, lyres et cymbales; on les entendait
retentir d'une musique qui remplissait de liesse. ¹⁷ Les
lévites placèrent Hémân fils de Yoël, Asaph l'un de ses
frères, fils de Berekyahu, Étân fils de Qushayahu, l'un
des Merarites leurs frères. ¹⁸ Ils avaient pour seconds

---

15 12. « *au lieu que* » *Vulg Targ ; omis par H.*
  15. « *sur leurs épaules* » *omis par G.*

---

a) Ce groupement en six classes qui met sur le même pied Qehat,
Merari, Gershom, Éliçaphân (Nb **3** 30, etc.), Hébrôn (**6** 18; cf. Nb **26**
58, etc.) et Uzziel (**6** 18; cf. Nb **3** 20) ne correspond pas au schéma habituel
du Chroniste et vient sans doute d'un document antérieur.
  b) Ceci signifiait sans doute l'accomplissement d'ablutions purificatrices, la consommation des mets sacrés (cf. Lv **22** 2), et l'abstention des
relations sexuelles (1 S **21** 6).
  c) C'est ainsi que l'auteur interprète la mort d'Uzza (**13** 10 s). Cf. 2 S
6 8.
  d) Nb **7** 9.

leurs frères : Zekaryahu fils de Yaaziel, Shemiramot,
Yehiel, Unni, Éliab, Benaya, Maaséyahu, Mattityahu,
Éliphléhu, Miqnéyahu, Obed-Édom, Yeïel, les portiers;
[19] Hémân, Asaph et Étân, les chantres, jouaient avec
éclat de la cymbale de bronze. [20] Zekarya, Yaaziel,
Shemiramot, Yehiel, Unni, Éliab, Maaséyahu, Benaya
jouaient de la lyre à nœuds[a]. [21] Mattityahu, Éliphléhu,
Miqnéyahu, Obed-Édom, Yeïel et Azazyahu, donnant
le rythme, jouaient de la cithare à l'octave. [22] Kenanyahu,
officier des lévites, initié aux sentences divines[b], les divul-
guait, car il s'y entendait. [23] Bérékya et Elqana faisaient
fonction de portiers près de l'arche. [24] Les prêtres She-
banyahu, Yoshaphat, Nétanéel, Amasaï, Zekaryahu,
Benayahu et Éliézer sonnaient de la trompette devant
l'arche de Dieu. Obed-Édom et Yehiyya étaient portiers
près de l'arche[c].

---

18. « *Zekaryahu fils de Yaaziel* »; *Var G* : « *Zekaryahu, Uzziel* » *cf. v.* 20.
— *Après* « *Yeïel* » *G ajoute* « *Ozias* ».

---

a) Traduction incertaine (d'après l'égyptien et les représentations d'instruments sacrés sur les monuments de l'antiquité). Pour les autres termes
musicaux, voir l'Introduction aux Psaumes.

b) « Initié aux sentences divines », litt. « dans les sentences divines ».

c) Ce paragraphe introduit le Ps du ch. **16** et part d'une idée simple :
comment était assurée la musique de cette cérémonie. Mais sa rédaction
est complexe. Le Chroniste disposait de trois listes : 1) celle des chantres
célèbres Hémân, Asaph et Étân, dans l'ordre adopté en **6** 33-47; 2) une
liste de douze portiers (quatorze dans le grec qui a voulu harmoniser
avec les vv. 20 s en comptant Yaaziel et Azazyahu); 3) une liste de sept
prêtres accompagnée de la mention de Obed-Édom et Yehiyya comme
portiers de l'arche, expression curieuse qui répond à la situation du moment :
il y a deux sanctuaires légitimes, celui de l'Arche et celui de la Demeure
(**16** 37-42). L'auteur a joint ces listes en répartissant entre ces personnages
les fonctions musicales. Obed-Édom étant aux cithares au v. 21, le v. 23
(glose ?) tendait à substituer deux autres noms à ceux du v. 24. Enfin,
pour exercer la fonction oraculaire et prophétique que le Chroniste reconnaissait au chant liturgique (**25** 1), il a eu recours à Kenanya (Kônanya)
qui selon **26** 29 était chargé des « affaires extérieures » du Temple; le transport (*maśśâ*) de l'arche lui revenait donc (**15** 27), mais dans notre para-

La cérémonie du transport[a].

[2 S 6 12-19]

²⁵ David donc, les anciens d'Israël et les capitaines de milliers faisaient en grande liesse monter l'arche de l'alliance de Yahvé depuis la maison d'Obed-Édom. ²⁶ Et tandis que Dieu assistait les lévites qui portaient l'arche de l'alliance de Yahvé, on immola sept taureaux et sept béliers[b]. ²⁷ David, revêtu d'un manteau de byssus, dansait en tournoyant ainsi que tous les lévites porteurs de l'arche, les chantres et Kenanya l'officier chargé du transport. David était aussi couvert de l'éphod de lin[c]. ²⁸ Tout Israël fit monter l'arche de l'alliance de Yahvé en poussant des acclamations, au son du cor, des trompettes et des cymbales, en faisant retentir lyres et cithares. ²⁹ Or, comme l'arche de l'alliance de Yahvé atteignait la Cité de David, la fille de Saül, Mikal, regarda par la fenêtre et vit le roi David danser et exulter; dans son cœur elle le méprisa.

16. ¹ On introduisit l'arche de Dieu et on la déposa au centre de la tente que David avait fait dresser pour elle. On offrit devant Dieu des holocaustes et des sacrifices de communion. ² Lorsque David eut achevé d'offrir ces holocaustes et ces sacrifices de communion, il bénit le peuple au nom de Yahvé. ³ Puis il fit une distribution à tous les

---

27. *Après « transport »* maśśâ' *on omet « les chantres » introduit à cause du sens de* maśśâ' (*sentence divine*) *au v. 22.*

---

graphe qui ne traite point de ce transport matériel le Chroniste a donné au mot le sens qu'il a souvent d' « oracle », « sentence divine » (2 R 9 25); il s'est inspiré de Pr 31 1; Is 13 1...

a) L'auteur retrouve ici le texte de S.

b) Le Chroniste s'écarte ici du texte de S et suggère de voir là un sacrifice remerciant Dieu de ne pas anéantir les lévites porteurs. Sur le danger de la position des lévites, cf. Nb 4 15, 20.

c) Sur l'éphod de lin, cf. Lv 8 7 et la note.

Israélites, hommes et femmes; pour chacun, une couronne
de pain, une masse de dattes et un gâteau de raisins secs[a].

Le service des lévites
devant l'arche[b].

[4] David mit des lévites
en service devant l'arche de
Yahvé pour célébrer, glori-
fier et louer Yahvé, le Dieu
d'Israël, [5] Asaph le premier, Zekarya en second, puis
Uzziel, Shemiramot, Yehiel, Mattitya, Éliab, Benayahu,
Obed-Édom, Yeïel. Ils jouaient de la lyre et de la cithare,
tandis qu'Asaph faisait retentir les cymbales. [6] Les prêtres
Benayahu et Yahaziel ne cessaient pas de jouer de la
trompette devant l'arche de l'alliance de Dieu. [7] Ce jour-là
David, louant le premier Yahvé, confia cette louange[c] à
Asaph et à ses frères :

|| Ps **105** 1-15

[8] Rendez grâce à Yahvé, criez son nom,
   annoncez parmi les peuples ses hauts faits !
[9] chantez-le, jouez pour lui,
   répétez toutes ses merveilles !
[10] Tirez gloire de son nom de sainteté,
   joie pour les cœurs qui cherchent Yahvé !

[11] Recherchez Yahvé et sa force,
   sans relâche poursuivez sa face !

---

16 5. « *Uzziel* » *conj.*; « *Yeïel* » H *cf.* **15** 18.

a) Texte incertain. On peut préférer la correction de Tur-Sinaï : *'yš pr
w'yš šh* (au lieu de *'špr w'yšh*) : « chacun [sa part] de bœuf et chacun [sa
part] de mouton ».

b) L'auteur abandonne ici le texte de S.

c) Ce Psaume est composé par le Chroniste avec des fragments de trois
Psaumes : le Ps **105** sur les promesses faites à Abraham et l'efficace protection divine (ce qui pouvait facilement se transposer sur David), le Ps **96**
sur la gloire de Yahvé et le culte qui lui est dû (convenant bien à cette cérémonie, l'arche étant le trône de Dieu), et 3 vv. du Ps **106**, « confession
nationale » heureusement choisie.

¹² rappelez-vous quelles merveilles il a faites,
   ses miracles et les jugements de sa bouche !
¹³ Lignée d'Israël^{*a*} son serviteur,
   enfants de Jacob, ses élus,
¹⁴ c'est lui Yahvé notre Dieu;
   sur toute la terre ses jugements !

¹⁵ Rappelez à jamais son alliance^{*b*},
   parole promulguée pour mille générations,
¹⁶ pacte conclu avec Abraham,
   serment qu'il fit à Isaac.

¹⁷ Il l'érigea en loi pour Jacob,
   pour Israël en alliance à jamais,
¹⁸ disant : « Je te donne une terre,
   Canaan, votre part d'héritage,
¹⁹ là où l'on a pu vous compter,
   peu nombreux, étrangers au pays^{*c*}. »

²⁰ Ils allaient de nation en nation,
   d'un royaume à un peuple différent;
²¹ il ne laissa personne les opprimer,
   à cause d'eux il châtia des rois :
²² « Ne touchez pas à qui m'est consacré,
   à mes prophètes ne faites pas de mal ! »

---

15. « *Rappelez* »; *Var. G* : « *il se souvient* » *ou* « *nous nous souvenons* ».

---

a) Le Ps a « Abraham » et non « Israël », « son élu » au lieu de « ses élus ».
b) Le Ps portait « Il s'est rappelé pour toujours... »
c) Le Ps arrête l'oracle au v. 18.

‖ Ps 96

²³ Chantez à Yahvé, toute la terre [a] !
  Proclamez jour après jour son salut,
²⁴ racontez aux nations sa gloire,
  à tous les peuples ses merveilles !

²⁵ Très grand Yahvé, et louable hautement,
  redoutable, lui, par-dessus tous les dieux.
²⁶ Néant, tous les dieux des nations.

  C'est Yahvé qui fit les cieux.
²⁷ Devant lui, splendeur et majesté,
  dans son sanctuaire puissance et allégresse [b].

²⁸ Rapportez à Yahvé, familles des peuples,
  rapportez à Yahvé gloire et puissance,
²⁹ rapportez à Yahvé la gloire de son nom.

  Présentez l'oblation, portez-la devant lui,
  adorez Yahvé dans son parvis de sainteté !
³⁰ Frissonnez devant lui, toute la terre !

  Il fixa l'univers, inébranlable.
³¹ Joie au ciel ! exulte la terre !
  Dites chez les païens : « C'est Yahvé qui règne [c] ! »

³² Que gronde la mer et sa plénitude !
  Que jubile la campagne, et tout son fruit !

-----

a) Le Chroniste interrompt ici le Ps **105** qui, parlant de famine et d'exode, ne répondait plus au but cherché.

b) Au lieu d' « allégresse » le Ps a « splendeur ». « Sanctuaire » : litt. « lieu ».

c) Le Chroniste tenait à rappeler la théocratie et la royauté de Dieu même aux temps glorieux de David.

³³ Que tous les arbres des forêts crient de joie !
   à la face de Yahvé, car il vient
   pour juger la terre.

³⁴ Rendez grâce à Yahvé, car il est bon[a], || Ps **106** 1,
   car éternel est son amour !   47-48

³⁵ Dites : Sauve-nous, Dieu de notre salut,
   rassemble-nous, retire-nous du milieu des païens,
   afin de rendre grâce à ton saint nom,
   de nous féliciter en ta louange.

³⁶ Béni soit Yahvé le Dieu d'Israël
   depuis toujours jusqu'à toujours !
   Et que tout le peuple dise Amen[b] !
   Alleluia !

³⁷ David laissa là, devant l'arche de l'alliance de Yahvé,
Asaph et ses frères, pour assurer un service permanent
devant l'arche suivant le rituel quotidien, ³⁸ ainsi qu'Obed-
Édom et ses soixante-huit frères. Obed-Édom, fils de
Yedutûn, et Hosa[c] étaient portiers.

---

38. « *ses* » *Vers.*; « *leurs* » *H.*

a) Le Chroniste n'insiste pas comme le Ps **96** sur le jugement divin et
fait appel à la miséricorde.
b) Cette finale contient une légère modification par rapport au Psaume
et certains y voient une reprise du récit.
c) Yedutûn, connu également par les titres de trois Psaumes (**39, 62, 77**)
semble le même qu'Étân. Ce dernier n'apparaîtra que plus tard dans notre
livre. Le Chroniste voit peut-être dans ce changement de nom le signe
qu'il est désormais chargé de la louange (*ydh*). Il considère ici Yedutûn
comme le père d'Obed-Édom (v. 38) et donc des portiers (v. 42). Des
lévites de l'époque de Néhémie en descendaient (Ne **11** 17; cf. 1 Ch **9** 16).
Sur Hosa, cf. ch. **26**.

³⁹ Quant au prêtre Sadoq et aux prêtres ses frères, il les laissa devant la Demeure de Yahvé, sur le haut lieu de Gabaôn, ⁴⁰ pour offrir en permanence des holocaustes à Yahvé sur l'autel des holocaustes, matin et soir, et faire tout ce qui est écrit dans la Loi de Yahvé prescrite à Israël. ⁴¹ Il y avait avec eux Hémân, Yedutûn, et le restant de l'élite que l'on avait nominativement désignée pour magnifier Dieu, « car éternel est son amour ». ⁴² Ils avaient avec eux Hémân et Yedutûn, chargés de faire retentir les trompettes, les cymbales et les instruments accompagnant les cantiques divins. Les fils de Yedutûn étaient préposés à la porte.

|| 2 S 6 19-20   ⁴³ Tout le peuple s'en alla, chacun chez soi, et David s'en retourna bénir sa maisonnée^a.

|| 2 S 7 1-17

La prophétie de Natân^b.

17. ¹ Quand David habita sa maison, il dit au prophète Natân : « Voici que j'habite une maison de cèdre et l'arche de l'alliance^c de Yahvé est sous les tentures ! » ² Natân répondit à David : « Tout ce qui te tient à cœur, fais-le, car Dieu est avec toi. » ³ Mais, cette même nuit, la parole de Dieu fut adressée à Natân en ces termes : ⁴ « Va dire à David mon serviteur : Ainsi parle Yahvé. Ce n'est pas toi qui me bâtiras une maison pour ma résidence. ⁵ Oui, je n'ai jamais habité de maison depuis le jour

---

42. « *Hémân et Yedutûn* » *omis par* G.

---

a) Après cette phrase empruntée à S le Chroniste omet tout le passage relatif à Mikal qui n'aurait pas eu de sens théologique dans son œuvre. Il veut tout de suite en venir à la prophétie de Natân.

b) L'auteur suit de très près sa source, mais avec quelques modifications très caractéristiques.

c) S ne mentionnait pas ici l'alliance de Yahvé.

où j'ai fait monter Israël jusqu'aujourd'hui, mais j'allais
de tente en tente et d'abri en abri. ⁶ Pendant tout le temps
où j'ai voyagé avec tout Israël, ai-je dit à un seul des
Juges d'Israël que j'avais institués comme pasteurs de
mon peuple : Pourquoi ne me bâtissez-vous pas une
maison de cèdre ? ⁷ Voici maintenant ce que tu diras à
mon serviteur David : Ainsi parle Yahvé Sabaot. C'est
moi qui t'ai pris au pâturage, derrière les brebis, pour être
chef de mon peuple Israël. ⁸ J'ai été avec toi dans toutes
tes entreprises, j'ai supprimé devant toi tous tes ennemis.
Je te donnerai un renom égal à celui des plus grands sur
la terre. ⁹ Je fixerai un lieu à mon peuple Israël, je l'y
planterai et il demeurera en cette place, il ne sera plus bal-
lotté et les méchants ne continueront pas à le ruiner*ᵃ*
comme auparavant, ¹⁰ au temps où j'instituais des Juges
sur mon peuple Israël. Je soumettrai tous ses ennemis.
Je te rendrai grand. Yahvé te fera une maison, ¹¹ et quand
il sera pleinement temps de rejoindre tes pères je maintiendrai après toi ton lignage; ce sera l'un de tes fils *ᵇ* dont
j'affermirai le règne. ¹² C'est lui qui me bâtira une maison
et j'affermirai pour toujours son trône. ¹³ Je serai pour
lui un père et il sera pour moi un fils; je ne lui retirerai pas
ma faveur comme je l'ai retirée à celui qui t'a précédé *ᶜ*.

---

17 5. « *j'allais... en abri* »; *Var. G* : « *j'étais dans une tente et dans un*
abri ».

  10. « *Je te rendrai grand* » 'ăgaddèlkâ *G ;* « *Je te révèle* » 'aggid lâk *H.*

---

a) S ne parlait que d' « opprimer », mais l'Israël du Chroniste a connu
l'expérience de l'exil.

b) S : « le lignage issu de tes entrailles et j'affermirai sa royauté ». La
stabilité de la dynastie de David est liée à la stabilité de la présence de
Yahvé dans le Temple que va construire son fils Salomon. Cette alliance
davidique est fondamentale pour le Chroniste.

c) S insiste davantage sur la réprobation de Saül.

¹⁴ Je le maintiendrai à jamais dans ma maison et dans mon royaume, et son trône sera à jamais affermi. »

¹⁵ Natân communiqua à David toutes ces paroles et toute cette révélation.

‖ 2 S 7 18-29

Prière de David.

¹⁶ Alors le roi David entra, s'assit devant Yahvé et dit :

« Qui suis-je, Yahvé Dieu, et quelle est ma maison, pour que tu m'aies mené jusque-là ? ¹⁷ Mais cela est trop peu à tes yeux, ô Dieu, et tu étends tes promesses à la maison de ton serviteur pour un lointain avenir. Tu me fais voir comme un groupe d'hommes*a*, celui qui l'élève c'est Yahvé Dieu. ¹⁸ Qu'est-ce que David pourrait faire de plus pour toi, vu la gloire que tu as donnée à ton serviteur*b* ? Toi-même, tu as distingué ton serviteur. ¹⁹ Yahvé, à cause de ton serviteur, de ton chien, tu as eu cette magnificence de révéler toutes ces grandeurs. ²⁰ Yahvé, il n'y a personne comme toi et il n'y a pas d'autre Dieu que toi seul, comme l'ont appris nos oreilles. ²¹ Y a-t-il, comme ton peuple Israël, un autre peuple sur la terre qu'un Dieu soit allé racheter pour en faire son peuple, pour t'assurer un grand et redoutable Nom, en chassant des nations devant ton peuple que tu as racheté d'Égypte ? ²² Tu t'es donné à jamais pour peuple

---

17^b. *Var. G :* « *Tu m'as fait voir, comme un aspect d'homme, et tu m'as élevé, ô Yahvé* ».

18. « *à ton serviteur* » *omis par G.*

19. « *de ton chien* » kalb^ekâ *conj.;* « *selon ton cœur* » k^elibb^ekâ *H.*

21. « *un autre* » 'aḫér *G ;* « *un seul* » 'eḥâd *H.*

---

a) Le texte parallèle de S n'offre pas de sens satisfaisant; celui du Chroniste non plus. Peut-être fait-il allusion à la dynastie.

b) Un léger changement dans le texte de S permet à l'auteur de faire une allusion à la gloire de David. Mais son style s'en est alourdi. Même observation pour le v. suivant.

Israël ton peuple et toi, Yahvé, tu es devenu son Dieu. [23] Et maintenant, que subsiste à jamais, Yahvé, la promesse que tu as faite à ton serviteur et à sa maison, et agis comme tu l'as dit. [24] Que cette promesse subsiste et que ton Nom soit exalté à jamais ! Que l'on dise : ' Yahvé Sabaot est le Dieu d'Israël, il est Dieu pour Israël. ' La maison de David ton serviteur sera affermie devant toi, [25] car c'est toi, mon Dieu, qui as fait cette révélation à ton serviteur : lui bâtir une maison[a]. C'est pourquoi ton serviteur se trouve devant toi à te prier. [26] Oui, Yahvé, c'est toi qui es Dieu, et tu as fait cette belle promesse à ton serviteur. [27] Tu as alors consenti à bénir la maison de ton serviteur pour qu'elle demeure toujours en ta présence. Car c'est toi, Yahvé, qui as béni : elle est bénie à jamais[b]. »

Les victoires de David[c].

18. [1] Il advint après cela que David battit les Philistins et les abaissa. Il prit des mains des Philistins Gat et ses dépendances. [2] Puis il battit Moab, les Moabites furent asservis à David et payèrent tribut[d].

[3] David battit Hadadézer[e], roi de Çoba, à Hamat, alors

‖ 2 S 8 1-14

---

23. « *agis comme tu l'as dit* » *omis par* G.
24[a] *omis par* G (*par homéoteleuton avec* « *à jamais* » *du v.* 23 ?).

---

a) Cette maison, c'est la dynastie davidique.
b) Cette prière est surtout une action de grâces, mais elle montre bien le lien désormais établi entre le culte de Yahvé et la bénédiction de la dynastie.
c) Ce ch., où le Chroniste suit S de très près, a pour objet les victoires de David qui sont comme une confirmation de la bénédiction divine.
d) L'auteur omet avec délicatesse certaines actions de David qui auraient paru brutales à ses contemporains.
e) L'écriture araméenne utilisée au temps du Chroniste confondait le *d* et le *r*. Aussi certains Mss hébr., suivis par G, appellent « Hadarézer »

qu'il allait établir son pouvoir sur le fleuve de l'Euphrate.
[4] David lui prit mille chars, sept mille charriers et vingt
mille hommes de pied, et David coupa les jarrets de tous
les attelages, il n'en garda que cent. [5] Les Araméens de
Damas vinrent au secours de Hadadézer, roi de Çoba,
mais David tua aux Araméens vingt-deux mille hommes.
[6] Puis David établit des gouverneurs dans l'Aram de
Damas, les Araméens furent asservis à David et payèrent
tribut. Partout où allait David, Dieu lui donnait la victoire. [7] David prit les rondaches d'or que portait la garde
de Hadadézer et les emporta à Jérusalem. [8] De Tibhat
et de Kûn[a], villes de Hadadézer, David enleva une énorme
quantité de bronze[b] dont Salomon fit la Mer de bronze,
les colonnes et les ustensiles de bronze.

[9] Lorsque Tôou[c], roi de Hamat, apprit que David
avait défait toute l'armée de Hadadézer, roi de Çoba, [10] il
dépêcha son fils Hadoram au roi David pour le saluer et
le féliciter d'avoir fait la guerre à Hadadézer et de l'avoir
vaincu, car Hadadézer était l'adversaire de Tôou. Il
envoya toutes sortes d'objets d'or, d'argent[d] et de bronze;

---

18 6. « *des gouverneurs* » *Vers.* 2 *S* **8** 6; *omis par H.*

10. « *objets d'or et d'argent* »; *G inverse :* « *d'argent et d'or* » (*cf.* 2 *S*
8 10).

---

celui qui de fait s'appelait Hadadézer. De même Damas s'appelle chez
lui « Darméseq », et non « Damméseq » selon une prononciation plus
récente.

a) On a proposé d'identifier Kûn avec le village de Kuna, près de Berei-
tan au sud de Balbeck, qui équivaudrait au Bérotaï de S. Quant à Tibhat,
c'est une mauvaise lecture de Tébah de S.

b) Cette donnée propre au Chroniste montre qu'il songe aux réserves
de bronze que fera David en vue du Temple (**22** 3).

c) *y* et *u* se confondaient facilement dans l'écriture du temps. « Tôou »
est écrit « Toî » dans l'hébreu de S.

d) L'argent s'est dévalué depuis la rédaction de 2 S **8** 10 et passe au
second plan.

¹¹ le roi David les consacra aussi à Yahvé, avec l'argent et l'or qu'il avait prélevés sur toutes les nations, Édom, Moab, Ammonites, Philistins, Amaleq.

¹² Abishaï, fils de Çeruya, battit les Édomites dans la vallée du Sel, au nombre de dix-huit mille*a*. ¹³ Il établit des gouverneurs en Édom et tous les Édomites devinrent sujets de David. Partout où David allait, Dieu lui donna la victoire.

Hauts faits de ses officiers.

¹⁴ David régna sur tout Israël, faisant droit et justice à tout son peuple.   ‖ 2 S **8** 15-18

¹⁵ Joab, fils de Çeruya, commandait l'armée; Yehoshaphat, fils d'Ahilud, était héraut; ¹⁶ Sadoq, fils d'Ahitub, et Ahimélek, fils d'Ébyatar, étaient prêtres; Shavsha était secrétaire; ¹⁷ Benayahu, fils de Yehoyada, commandait les Kérétiens et les Pelétiens. Les fils de David étaient les premiers aux côtés du roi*b*.

19. ¹ Après cela*c*, il advint que Nahash, roi des Ammonites, mourut et que son fils régna à sa place.   ‖ 2 S **10** 1-19

---

16. « *Ahimélek* » 12 *Mss Vulg Syr cf. 2 S* **8** 17; « *Ahimélek* » H.
19 1. *Après* « *son fils* », 4 *Mss G Syr 2 S* **10** 1 *ajoutent* « *Hanûn* ».

---

a) Cette victoire est attribuée à David dans S, à Joab, autre fils de Çeruya, au Ps **60** 2. Certains voient dans cette attribution à Abishaï une mauvaise lecture de S « à son retour »; de fait il est difficile d'attribuer à d'autres que David la nomination de gouverneurs mentionnée au v. 13.

b) Ils étaient prêtres selon S. Mais le Chroniste tait cette donnée incompatible avec les principes des documents sacerdotaux et les principes d'Ézéchiel : les prêtres sont de race lévitique et non judéenne. Ainsi s'amorce la distinction du pouvoir politique et du pouvoir religieux dont le Christ donnera la célèbre définition : « Rendez à César ce qui est à César, à Dieu ce qui est à Dieu » (Mt **22** 15-22).

c) Encore une omission d'un récit de S, celui de la bonté de David envers le fils de Jonathan. Il était cette fois-ci tout à l'honneur de David mais n'intéressait pas plus que le précédent la description de la communauté théocratique.

² David se dit : « J'agirai avec bonté envers Hanûn, fils
de Nahash, parce que son père a agi avec bonté envers
moi. » Et David envoya des messagers lui présenter des
condoléances au sujet de son père. Mais lorsque les serviteurs de David arrivèrent au pays des Ammonites,
auprès de Hanûn, à l'occasion de ces condoléances, ³ les
princes des Ammonites dirent à Hanûn : « T'imagines-tu
que David veuille honorer ton père parce qu'il t'a envoyé
des porteurs de condoléances ? N'est-ce pas plutôt pour
explorer, renverser et espionner[a] le pays que ses serviteurs
sont venus à toi ? » ⁴ Alors Hanûn se saisit des serviteurs
de David, il les rasa et coupa leurs vêtements à mi-hauteur
jusqu'aux fesses, puis les congédia. ⁵ On alla informer
David de ce qui était arrivé à ces hommes : il envoya
quelqu'un à leur rencontre, car ces gens étaient couverts
de honte, et le roi leur fit dire : « Restez à Jéricho jusqu'à
ce que votre barbe ait repoussé, puis vous reviendrez. »

⁶ Les Ammonites virent bien qu'ils s'étaient rendus
odieux à David; Hanûn et les Ammonites envoyèrent
mille talents[b] d'argent pour prendre à leur solde des Araméens de Mésopotamie, des Araméens de Maaka et des
gens de Çoba, chars et charriers. ⁷ Ils prirent à leur solde
le roi de Maaka, ses troupes, et trente-deux mille chars[c];
ils vinrent camper devant Médba[d] tandis que les Ammo-

---

3. « renverser » omis par G.

a) On attendrait que « espionner » précédât « renverser ». L'ordre
actuel vient de ce que le Chroniste, tout en partant du texte de S, a voulu
l'abréger.

b) Ce chiffre n'est pas dans S. Cela ferait 60 tonnes !

c) S ne parle pas de chars mais de trois groupes comprenant en tout
33.000 hommes.

d) Cette localisation, absente de S, est curieuse, car la ville connue
dans la Bible sous ce nom est à l'est de la mer Morte et bien au sud du
théâtre d'opérations que l'on imaginerait. Il est vrai que le Chroniste en
18 12 nous montrait déjà Abishaï combattant au S.-E. de la mer Morte.

nites, après avoir quitté leurs villes et s'être rassemblés, arrivaient pour la bataille. [8] A cette nouvelle, David envoya Joab avec tout le ban et les preux. [9] Les Ammonites sortirent et se rangèrent en bataille à l'entrée de la ville, mais les rois qui étaient venus étaient à part en rase campagne. [10] Voyant qu'il avait un front de combat à la fois devant et derrière lui, Joab fit choix de toute l'élite d'Israël et la mit en ligne face aux Araméens. [11] Il confia à son frère Abishaï le reste de l'armée et le mit en ligne face aux Ammonites. [12] Il dit : « Si les Araméens l'emportent sur moi, tu viendras à mon secours; si les Ammonites l'emportent sur toi, je te secourrai. [13] Aie bon courage et montrons-nous forts pour notre peuple et pour les villes de notre Dieu ! et que Yahvé fasse ce qui lui semblera bon ! » [14] Joab et la troupe qui était avec lui engagèrent le combat contre les Araméens, qui lâchèrent pied devant eux. [15] Quand les Ammonites virent que les Araméens avaient fui, ils lâchèrent pied à leur tour devant Abishaï, le frère de Joab, et rentrèrent dans la ville. Alors Joab retourna à Jérusalem.

[16] Voyant qu'ils avaient été battus devant Israël, les Araméens envoyèrent des messagers et mobilisèrent les Araméens qui sont de l'autre côté du Fleuve; Shophak[a], général de Hadadézer, était à leur tête. [17] Cela fut rapporté à David qui rassembla tout Israël, passa le Jourdain, les atteignit et prit position près d'eux. Puis David se rangea en ordre de combat en face des Araméens[b], qui lui livrèrent bataille. [18] Mais les Araméens lâchèrent pied devant

---

13[a] *omis par* G[B].
15. *Après* « *avaient fui* » G[BA] *ajoute* « *devant Joab* ».

---

a) S : « Shobak ».
b) C'est à ces derniers que S attribue l'initiative.

Israël et David leur tua sept mille[a] attelages et quarante
mille hommes de pied; il fit aussi périr Shophak le général.
[19] Quand les vassaux[b] de Hadadézer se virent battus
devant Israël, ils firent la paix avec David et lui furent
assujettis. Les Araméens ne voulurent plus porter secours
aux Ammonites.

‖ 2 S **11** 1   **20.** [1] Au retour de l'année, au temps où les rois se
mettent en campagne, Joab emmena les troupes et ravagea
le pays des Ammonites. Puis il vint mettre le siège
‖ 2 S **12** 26 devant Rabba, tandis que David restait à Jérusalem[c].
‖ 2 S **12** 30- Joab abattit Rabba et la démantela. [2] David ôta de la tête
31   de Milkom la couronne qui s'y trouvait. Il constata qu'elle
pesait un talent d'or. Elle enchâssait une pierre précieuse.
David la mit sur sa tête. Il emporta le butin de la ville en
énorme quantité. [3] Quant à sa population, il la fit sortir,
la mit à manier la scie, les pics de fer ou les haches. Ainsi
agit-il envers toutes les villes des Ammonites. Puis David
et toute l'armée revinrent à Jérusalem[d].

‖ 2 S **21** 18- [4] Après cela, la guerre se poursuivit avec les Philistins
22   à Gézer[e]. C'est alors que Sibbekaï de Husha tua Sippaï,
un descendant des Rephaïm. Les Philistins furent abaissés.

[5] La bataille reprit encore avec les Philistins. Elhanân,

---

20 2. « *Milkom* » G ; « *leur roi* » malkâm H.
    3. « *haches* » magzérot 1 *Ms* 2 *S* **12** 31; « *scies* » m^egérôt H.

---

a) S : « sept cents ».
b) Litt. « serviteurs ».
c) Dans S ces lignes introduisent le récit de l'affaire de Betsabée et
d'Urie, mais, toujours pour les mêmes raisons, le Chroniste omet ce qui
n'a trait qu'à la biographie de David, et non à l'édification de la communauté théocratique.
d) C'est maintenant tout le récit des révoltes d'Absalom et de Shéba
qu'omet le Chroniste. Ces ch., d'une importance capitale pour l'auteur
de Samuel qui établissait les droits divins de la dynastie de David, étaient
sans objet pour la nouvelle œuvre, qui suppose ce problème résolu.
e) Au lieu du site peu connu de Gob que nomme ici S.

fils de Yaïr, tua Lahmi, frère de Goliath de Gat*ª*; le bois
de sa lance était comme une ensouple de tisserand. ⁶ Il y
eut encore un combat à Gat et il se trouva là un homme
de grande taille qui avait vingt-quatre doigts, six à chaque
extrémité. Il était, lui aussi, descendant du Rephaïte.
⁷ Comme il défiait Israël, Yonatân, fils de Shiméa frère de
David, le tua. ⁸ Ces hommes étaient issus du Rephaïte à Gat
et ils succombèrent sous la main de David et de ses gardes.

III. Vers la construction du Temple *ᵇ*

21. ¹ Satan*ᶜ* se dressa || 2 S **24** 1-8
Le dénombrement.   contre Israël et il incita
David à dénombrer les Israé-
lites. ² David dit à Joab et aux chefs du peuple : « Allez
compter Israël, de Bersabée à Dan, puis revenez m'en
faire connaître le chiffre. » ³ Joab répondit : « Que Yahvé
accroisse son peuple de cent fois autant ! Monseigneur

---

a) Tenant compte du récit qui attribue à David la victoire sur Goliath
(1 S **17**), le Chroniste a interprété le difficile texte de 2 S **21** 19.

b) Ce ch. ouvre une section capitale du livre : l'organisation du culte et
du clergé dans la communauté davidique, celle qui a les promesses messianiques de l'oracle de Natân. Il a déjà été noté que le Chroniste n'hésite
pas à faire précéder la construction du Temple de pierre de l'organisation
du clergé qui assure la vie religieuse de la communauté. Ez **40-48** n'en
était pas encore là.

c) Le texte de S portait : « La colère de Yahvé s'enflamma encore
contre les Israélites et il excita David contre eux. » La nature de cette mystérieuse colère de Yahvé posait bien des problèmes. Les Juifs admirent,
parmi les puissances ou anges dont Dieu se servait pour gouverner le
monde, l'existence d'une puissance hostile à l'homme, l' « Adversaire »,
le Satan. C'est à elle que le livre des Rois impute les désastreuses décisions
d'Achab en 1 R **22** et le livre de Job les malheurs de son héros (voir aussi
Za **3** 1). Satan est donc une puissance spirituelle subordonnée à Dieu et
dont l'action explique les malheurs de l'homme. Le Chroniste, pour montrer qu'il y voit un être hostile et non plus un fonctionnaire divin, supprime
l'article devant son nom.

le roi, ne sont-ils pas tous les serviteurs de Monseigneur ?
Pourquoi Monseigneur fait-il cette enquête ? Pourquoi
Israël deviendrait-il coupable*a* ? » ⁴ Cependant l'ordre du
roi s'imposa à Joab. Joab partit, il parcourut tout Israël,
puis rentra à Jérusalem *b*. ⁵ Joab fournit à David le chiffre
obtenu pour le recensement du peuple; tout Israël comp-
tait onze cent mille hommes tirant l'épée, et Juda quatre
cent soixante dix mille hommes tirant l'épée*c*. ⁶ L'ordre
du roi avait tant répugné à Joab qu'il n'avait recensé ni
Lévi ni Benjamin*d*.

|| 2 S **24** 7-17

**La peste
et le pardon divin.**

⁷ Dieu vit avec déplaisir
cette affaire et il frappa
Israël. ⁸ David dit alors à
Dieu : « C'est un grand péché
que j'ai commis en cette affaire ! Maintenant, veuille par-
donner cette faute à ton serviteur, car j'ai commis une
grande folie. » ⁹ Yahvé dit alors à Gad, le voyant de
David : ¹⁰ « Va dire à David : Ainsi parle Yahvé. Je te
propose trois choses : choisis-en une et je l'exécuterai
pour toi. » ¹¹ Donc Gad se rendit chez David et lui dit :
« Ainsi parle Yahvé. Il te faut accepter ¹² soit trois années

---

21 12. « *désastre* »; *Var. G : « fuite* » *cf.* 2 S **24** 13.

---

a) Cette dernière interrogation est du Chroniste qui fait intervenir la
notion sacerdotale de péché et de culpabilité ('*âšâm*, Lv **5** 15; 2 S **24** 10
ne parlait que de *ḥaṭṭâ't*). Sur ce péché voir les livres de Samuel, p. 248,
note *c* et 1 Ch **27** 23.

b) Le Chroniste supprime toutes les précisions géographiques.

c) Chiffres différents dans S. Le Chroniste a augmenté la proportion
des Israélites par rapport aux Judéens, sans doute pour mieux assurer la
représentation de toutes les tribus (comparer **12** 23 s); il trouve encore
cette proportion inadéquate, d'où la réflexion du v. 6 qui a de plus pour
lui l'avantage de mettre ce recensement dans la ligne de celui de Nb **1** dont
Lévi avait été exclu. Mais voir **27** 24.

d) L'omission de Benjamin a sans doute pour cause le caractère privi-
légié de Gabaôn et de Jérusalem, lieux saints appartenant à cette tribu.

de famine, soit un désastre de trois mois devant tes ennemis, l'épée de tes adversaires dans les reins, soit l'épée
de Yahvé[a] et trois jours de peste dans le pays, l'ange de
Yahvé ravageant tout le territoire d'Israël ! Vois maintenant ce que je dois répondre à celui qui m'envoie. »
[13] David répondit à Gad : « Je suis dans une grande
anxiété... Ah ! que je tombe entre les mains de Yahvé,
car sa miséricorde est immense, mais que je ne tombe pas
entre les mains des hommes ! »

[14] Yahvé envoya donc la peste en Israël et, parmi les
Israélites, soixante-dix mille hommes tombèrent. [15] Puis
Dieu envoya l'ange vers Jérusalem pour l'exterminer;
mais au moment de l'exterminer, Yahvé regarda[b] et se
repentit de ce mal; et il dit à l'ange exterminateur : « Assez !
Retire ta main. »

L'ange de Yahvé se tenait alors près de l'aire d'Ornân[c]
le Jébuséen. [16][d] Levant les yeux, David vit l'ange de Yahvé
qui se tenait entre terre et ciel, l'épée dégainée à la main,
tendue vers Jérusalem. Revêtus de sacs, David et les
anciens tombèrent alors face contre terre, [17] et David dit
à Dieu : « N'est-ce pas moi qui ai ordonné de recenser le
peuple ? N'est-ce pas moi qui ai péché et qui ai commis
le mal ? mais ceux-là, c'est le troupeau, qu'ont-ils fait[e] ?
Yahvé, mon Dieu, que ta main s'appesantisse donc sur

---

a) L'épée de Yahvé (cf. Ez **21**) a été ajoutée par le Chroniste qui prépare ainsi la belle réponse de David au v. 13, et son attitude au v. 30.

b) Le Chroniste souligne plus que 2 S la protection divine sur la ville
sainte.

c) Arauna dans S.

d) Ce v. est propre au Chroniste. Il introduit les « anciens »; mais surtout il suppose une nouvelle représentation des anges, assez proches de
celle du livre de Daniel (**9** 11) et du 2e livre des Maccabées (**10** 29).

e) Le Chroniste souligne la responsabilité personnelle de David (cf. Ez
18). Le rédacteur des livres de S n'aurait pas dissocié le sort du peuple
et celui de la maison de David.

moi et sur ma famille, mais que ton peuple échappe au
fléau ! »

‖ 2 S 8 18-25   ¹⁸ L'ange de Yahvé dit

L'érection de l'autel[a].   alors à Gad : « Que David
                                      monte et élève un autel à
Yahvé sur l'aire d'Ornân le Jébuséen ». ¹⁹ David monta
donc selon la parole que Gad lui avait dite au nom de
Yahvé. ²⁰ Or, en se retournant, Ornân avait vu l'ange et
il se cachait avec ses quatre fils. Ornân était en train de
dépiquer le froment ²¹ lorsque David se rendit auprès de
lui. Ornân regarda, vit David, sortit de l'aire, et se prosterna devant David, la face contre terre. ²² David dit alors
à Ornân : « Cède-moi l'emplacement de cette aire afin
que j'y construise un autel pour Yahvé. Cède-le-moi pour
sa pleine valeur en argent. Ainsi le fléau s'écartera du peuple. » ²³ Ornân dit alors à David : « Prends, et que Monseigneur le roi fasse ce qui lui semble bon ! Vois : je donne
les bœufs pour les holocaustes, le traîneau pour le bois
et le grain pour l'oblation. Je donne le tout. » ²⁴ Mais le
roi David répondit à Ornân : « Non pas ! je veux l'acheter
pour sa pleine valeur en argent; car je ne veux pas prendre
pour Yahvé ce qui t'appartient et offrir ainsi des holocaustes qui ne me coûtent rien. » ²⁵ David donna à Ornân
pour ce lieu le poids de six cents sicles d'or[b].

---

20. « *avait vu l'ange et il se cachait* »; *Var. G :* « *vit le roi venant* » *cf.* 2 S **24**
20.
21. « *Ornân regarda, vit David* » *omis par G.*

---

a) Comme pour le retour de l'exil (Esd **3** 1 s), le Chroniste distingue
l'érection de l'autel de celle du Temple. Cet autel n'est plus l'autel provisoire du livre de S mais un autel définitif (**22** 1). La différence des perspectives explique bien des changements que le Chroniste a dû apporter au
texte de S dont il partait.
b) Cinquante dans S.

²⁶ David construisit là un autel pour Yahvé, et il offrit des holocaustes et des sacrifices de communion. Il invoqua Yahvé; Yahvé lui répondit en faisant tomber du ciel le feu sur l'autel des holocaustes[a] ²⁷ et il ordonna à l'ange de remettre l'épée au fourreau. ²⁸ A cette époque, voyant que Yahvé lui avait répondu sur l'aire d'Ornân le Jébuséen, David y fit un sacrifice. ²⁹ La Demeure que Moïse avait faite dans le désert et l'autel des holocaustes se trouvaient à cette époque sur le haut lieu de Gabaôn, ³⁰ mais David n'avait pu y aller devant Dieu pour s'adresser à lui, tant l'épée de l'ange de Yahvé lui avait fait peur[b].

22. ¹ Puis David dit : « C'est ici la maison de Yahvé Dieu et ce sera l'autel pour les holocaustes d'Israël. »

Préparatifs pour la construction du Temple[c].

² David ordonna de rassembler les étrangers en résidence[d] dans le pays d'Israël, puis il préposa des carriers à la taille des pierres pour la construction de la maison de Dieu. ³ David d'autre part entreposa beaucoup de fer pour les clous des battants de porte et pour les crampons, ainsi que du bronze en quantité impossible à peser, ⁴ et des troncs de cèdre en

---

26. *A la fin,* G^(BA) *ajoute :* « *et consomma l'holocauste* ».

a) Semblable réponse divine en 1 R **18** 38.

b) L'auteur a senti le besoin d'expliquer pourquoi David n'avait pas pris soin d'aller au sanctuaire légitime, et il fait appel à la faiblesse humaine !

c) Les ch. qui viennent n'ont pas de source biblique. Ils expriment les thèmes majeurs du Chroniste, mais semblent en plusieurs cas supposer une source antérieure.

d) On voit d'habitude en eux les Cananéens soumis (cf. Ex **12** 48). Mais le mot employé, *gér,* convient mal aux Cananéens établis depuis longtemps sur le terroir de Palestine. En 2 Ch **30** 25 le mot s'applique aux prosélytes, donc aux fidèles. Ce sont aussi des fidèles venant de l'étranger qui rebâtiront le Temple (Esd **1** 4; cf. **3** 1-4 5), et, selon les prophéties, la Jérusalem messianique devait être rebâtie par des étrangers (Is **60** 10).

nombre incalculable, car Sidoniens et Tyriens avaient
apporté à David des troncs de cèdre en abondance[a].

⁵ Puis David dit : « Mon fils Salomon est jeune et faible ;
et cette maison qu'il doit bâtir pour Yahvé doit être
magnifique, renommée et splendide devant tous les pays.
J'en ferai pour lui les préparatifs. » Aussi David, avant de
mourir, fit-il de grands préparatifs ; ⁶ puis il appela son
fils Salomon et lui prescrivit de bâtir une maison pour
Yahvé, le Dieu d'Israël. ⁷ David dit à Salomon : « Mon
fils, j'ai désiré bâtir une maison pour le nom de Yahvé
mon Dieu. ⁸ Mais la parole de Yahvé me fut adressée :
' Tu as versé beaucoup de sang et livré de grandes batailles,
tu ne bâtiras pas de maison à mon nom car en ma présence
tu as répandu beaucoup de sang[b] à terre. ⁹ Voici qu'un fils
t'est né : c'est lui qui sera un homme de paix[c] et je le met-
trai en paix avec tous ses ennemis alentour. Salomon est en
effet son nom, et c'est en ses jours que je donnerai à Israël
paix et quiétude. ¹⁰ Il bâtira une maison à mon nom, il
sera pour moi un fils et je serai pour lui un père, j'accor-
derai une stabilité éternelle au trône de sa royauté sur
Israël. ' ¹¹ Que Yahvé, ô mon fils, soit maintenant avec
toi, et te fasse achever avec succès la construction de la
maison de Yahvé ton Dieu, comme il l'a dit de toi. ¹² Qu'il
te donne cependant perspicacité et discernement, qu'il te
donne ses ordres sur Israël pour que tu observes la Loi de

---

22 12. *Après* « *observes* » *G ajoute :* « *et mettes en pratique* ».

---

a) L'auteur compose à partir de données contenues en 1 R **5** 31, 32 ;
Ex **26** 4 (pour les crampons), car le Temple qu'il se représente tient à la
fois du Temple décrit dans le livre des Rois et de la Tente décrite dans
l'Exode.

b) Cette horreur du sang répandu est très marquée dans les écrits
« sacerdotaux ». Gn **9** 4 en fait la base de l'alliance noachique qui atteint
tous les peuples. Voir aussi Lv **1** 5.

c) Le nom de Salomon dérive du mot hébreu qui veut dire « paix ».

Yahvé ton Dieu[a] ! [13] Tu ne réussiras que si tu observes
et pratiques les lois et les coutumes que Yahvé a pres-
crites à Moïse pour Israël. Sois fort et tiens bon[b] ! Ne
crains pas, ne tremble pas ! [14] Voici que jusque dans ma
pauvreté j'ai pu mettre de côté pour la maison de Yahvé
cent mille talents[c] d'or, un million de talents d'argent,
tant de bronze et de fer qu'on ne peut les peser. J'ai aussi
entreposé du bois et des pierres et tu en ajouteras d'autres.
[15] Il y aura avec toi maints artisans, carriers, sculpteurs et
charpentiers, toutes sortes d'experts en tous arts. [16] Quant
à l'or, à l'argent, au bronze et au fer, on ne saurait les
compter. Va ! agis, et que Yahvé soit avec toi. »

[17] David prescrivit alors à tous les officiers d'Israël
de prêter main-forte à Salomon, son fils : [18] « Yahvé,
votre Dieu, n'est-il pas avec vous ? Car il vous a donné
partout le repos, puisqu'il a livré entre mes mains les
habitants du pays et que le pays a été soumis à Yahvé
et à son peuple. [19] Donnez maintenant votre cœur et
votre âme à la recherche[d] de Yahvé, votre Dieu. Allez,
bâtissez le sanctuaire de Yahvé votre Dieu, pour amener
à cette maison construite au nom de Yahvé l'arche de
l'alliance de Yahvé et les objets sacrés de Dieu. »

**Classes et fonctions
des lévites.**
23. [1] Devenu vieux et
rassasié de jours, David
donna à son fils Salomon la
royauté sur Israël[e]. [2] Il réu-

---

a) L'auteur réunit dans cette phrase les courants sapientiel (perspicacité et discernement) et deutéronomique (les ordres de Dieu) sur les
sources du bonheur.

b) Même adresse à Josué en Dt **31** 23.

c) 6.000 tonnes !

d) Le mot hébreu *dâraš* signifie un culte extérieur vivifié par les dispositions intérieures et la méditation religieuse.

e) Bref résumé de 1 R **1** 1-2 1. Suivant le schéma d'Ézéchiel, après
s'être occupé du Temple, David organise le clergé.

nit tous les officiers d'Israël, les prêtres et les lévites.

³ On rencensa les lévites de trente ans et plus. En les comptant tête par tête, on trouva 38.000 hommes ª ; ⁴ 24.000 d'entre eux présidaient aux offices ᵇ de la maison de Yahvé, 6.000 étaient scribes et juges, ⁵ 4.000 portiers, et 4.000 louaient Yahvé, avec les instruments que David avait faits à cette intention ᶜ.

⁶ᵈ Puis David répartit les lévites en classes : Gershôn, Qehat et Merari.

⁷ Pour les Gershonites : Ladân et Shiméï. ⁸ᵉ Fils de

---

23 5. « *que David avait faits* » Gᴮ *Vulg* ; « *que j'avais faits* » H (*citation ?*).

---

a) Cf. Nb **4** 3. Ce total est sans commune mesure avec celui de Nb **4** 3 s mais dans sa ligne. Les vv. 6 s au contraire fixent à vingt ans l'âge du service lévitique.

b) Certains voient là la direction des travaux du Temple, en se basant sur Esd **3** 8. Mais notre texte ne traite pas de la construction du Temple, et Esd **3** 8 est sans doute à expliquer par le v. 10 qui se rapporte à la musique sacrée. La « présidence » en question doit être purement musicale et les 24.000 hommes sont sans doute des chantres ; les catégories ici visées sont celles des ch. **25** et **26** : chantres (cf. **25**), portiers (**26** 1 s), scribes et juges (**26** 29), la dernière étant celle des instrumentistes (cf. **15** 19 s).

c) Cf. Am **6** 5.

d) Les vv. 6-32 sont une introduction à l'organisation du clergé. L'auteur s'appuie sur Nb **8**. Les lévites doivent faire leur service en présence d'Aaron. Ce service étant un service militaire (Nb **8** 24), le Chroniste fait commencer le service à 20 ans comme pour les autres tribus (cf. Nb **1**) et non plus à 25 ou à 30 ans. Il donne aux lévites de nouvelles fonctions, que ne prévoyait pas le livre des Nombres. Dieu ayant élu domicile, les lévites n'ont plus à faire les transports (Nb **3-4**), mais à demeurer dans le Temple pour aider le sacerdoce dans les tâches prévues au Lévitique (sans qu'il y soit fait allusion aux lévites) : la purification de toute chose consacrée, c'est-à-dire le lavage des victimes (cf. Ne **12** 45 ; Lv **1** 9, 13, etc.), les pains à disposer en rangées sur la table du sanctuaire (Lv **24** 6), la fleur de farine destinée à l'oblation (Lv **2** 2), les diverses galettes (Lv **2** 4 s). Certes les Aaronides ont des pouvoirs spéciaux (vv. 13 s), mais ce paragraphe ne fait des Aaronides qu'un des éléments du sacerdoce lévitique ; l'auteur ne distingue pas ici prêtres et lévites. Ce nouvel ordre de choses, définitif et stable, vient de David comme l'ancien, itinérant et provisoire, venait de Moïse. En Esd **8** 28 les lévites participent à la sainteté des prêtres, cf. 2 Ch **35** 3.

e) C'est avec **26** 21 s que cette liste a le plus d'affinité. Elle diverge des autres listes de Gershonites (Ex **6** 17 ; Nb **3** 18 ; 1 Ch **6** 2 s, 5 s), en ce que

Ladân : Yehiel, le premier, Zétam, Yoël, trois en tout.
⁹ Fils de Shiméï : Shelomit, Haziel, Harân, trois en tout.
Ce sont les chefs de famille de Ladân. ¹⁰ Fils de Shiméï :
Yahat, Zina, Yéush, Béria; ce furent là les fils de Shiméï,
quatre en tout. ¹¹ Yahat était l'aîné, Ziza le second, puis
Yéush et Béria qui n'eurent pas beaucoup d'enfants et
furent enregistrés en une seule famille.

¹² Fils de Qehat : Amram, Yiçhar, Hébrôn, Uzziel,
quatre en tout. ¹³ Fils d'Amram : Aaron et Moïse. Aaron
fut mis à part pour consacrer les choses très saintes, lui
et ses fils à jamais, faire fumer l'encens devant Yahvé, le
servir et bénir en son nom à jamais[a]. ¹⁴ Moïse fut un
homme de Dieu dont les fils reçurent le nom de la tribu
de Lévi. ¹⁵ Fils de Moïse : Gershom[b] et Éliézer. ¹⁶ Fils
de Gershom : Shebuel, le premier. ¹⁷ Éliézer eut des fils :
Rehabya, le premier. Éliézer n'eut pas d'autres fils, mais
les fils de Rehabya[c] furent extrêmement nombreux.

---

16. « *Shebuel* »; *Var. G : « Shubael »*. *De même en* **24** 20.

Libni disparaît pour faire place à Ladân, lequel n'est autrement connu que
comme désignation d'Éphraïmite (**7** 26), Yéush est plutôt un nom benjaminite, Béria benjaminite ou éphraïmite. De même que nous savons par
2 S **8** 18 que les fils de David exerçaient des fonctions sacerdotales, il est
probable que des Israélites eurent des fonctions cultuelles sous David,
sans doute transitoires. Le Chroniste aurait eu deux listes sous les yeux
(9ᵃ ne peut s'harmoniser avec 9ᵇ et 10), dont il a marqué la valeur cultuelle
en en faisant des Gershonites. Ézéchiel se plaindra, sous la monarchie,
même des étrangers aient pénétré au sanctuaire (**44** 7).

a) Ce sont là les trois fonctions sacerdotales essentielles : la consécration
(rite inconnu, sans doute la manducation) des mets très saints en un lieu
saint (Lv **6** 19; cf. 1 Ch **15** 12 et la note), l'offrande de l'encens (cf. Nb **16**
7 s), et la bénédiction (Nb **6** 22-27).

b) Malgré **5** 27 et **6** 1 (cf. ici v. 7), l'auteur distingue ici Gershom et Gershôn.

c) Sur Rehabya fils d'Éliézer et Shebuel fils de Gershom, cf. **26** 24, 25.
Le Chroniste les rattache à Amram. Pour Shelomit fils de Yiçhar, *id.* 25.
Tous ces noms semblent avoir été fournis au Chroniste par la liste **24** 20-30,
qu'il a conservée fidèlement sans trop savoir quoi en faire.

[18] Fils de Yiçhar : Shelomit le premier. [19] Fils de Hébrôn : Yeriyyahu le premier, Amarya le second, Yahaziel le troisième, Yeqaméam le quatrième. [20] Fils d'Uzziel : Mika le premier, Yishshiyya le second.

[21] Fils de Merari : Mahli et Mushi[a]. Fils de Mahli : Éléazar et Qish. [22] Éléazar mourut sans avoir de fils, mais des filles qu'enlevèrent les fils de Qish leurs frères[b]. [23] Fils de Mushi : Mahli, Éder, Yerémot, trois en tout.

[24] Tels étaient les fils de Lévi par familles, les chefs de maison et ceux qu'on recensait nominativement, tête par tête; quiconque était âgé de vingt ans et plus faisait son office au service de la maison de Yahvé.

[25] David avait dit en effet : « Yahvé, Dieu d'Israël, a donné le repos à son peuple et il demeure pour toujours à Jérusalem. [26] Les lévites n'auront plus à transporter la Demeure et les objets destinés à son service. » [27] Car, selon les dernières paroles de David, les lévites qui furent inscrits étaient âgés de vingt ans et plus[c]. [28] Ils sont chargés de se tenir sous les ordres des fils d'Aaron pour le service du Temple de Yahvé dans les parvis et les salles, pour la purification de chaque chose consacrée; ils font le service du Temple de Dieu. [29] Ils sont aussi chargés du pain à disposer en rangées, de la fleur de farine destinée à l'oblation, des galettes sans levain, de celles qui étaient préparées à la plaque ou sous forme de mixture, et de

---

19. « *Yahaziel* »; *Var. G*[B] « *Uzziel* ».

---

a) Ces deux noms se retrouvent dans les autres listes de Mérarites. Pour les autres, comparer avec **24** 26-30.

b) Semblable tradition pour les Benjaminites, cf. Jg **21** 23. Peut-être ce Qish lévitique a-t-il quelque relation avec le Qish benjaminite.

c) Note qui tend à expliquer les divergences bibliques sur l'âge de service des lévites (en particulier v. 3).

toutes les mesures de capacité et de longueur[a]. [30] Ils ont à s'y tenir chaque matin pour célébrer et pour louer Yahvé, et de même le soir, [31] ainsi que pour toute offrande d'holocaustes à Yahvé lors des sabbats, des néoménies et des solennités, selon le nombre fixé par la règle[b]. Cette charge leur incombe en permanence devant Yahvé[c]. [32] Ils observent, au service du Temple de Yahvé, le rituel de la Tente de Réunion, le rituel du sanctuaire et le rituel des fils d'Aaron, leurs frères.

**Les classes
des prêtres.**

24. [1] Classes des fils d'Aaron : Fils d'Aaron : Nadab, Abihu, Éléazar et Itamar. [2] Nadab et Abihu moururent en présence de leur père sans laisser de fils, et c'est Éléazar et Itamar qui devinrent prêtres. [3] David les répartit en classes, ainsi que Sadoq, l'un des fils d'Éléazar, et Ahimélek, l'un des fils d'Itamar[d], et les enregistra selon leurs services. [4] Les fils d'Éléazar se trouvèrent avoir plus de chefs de preux[e] que les fils d'Itamar; on

‖ Nb **3** 2-4

---

29. « *de capacité et* » *omis par* G[BA].

---

a) Allusion au « sicle du sanctuaire » (v. g. Ex **30** 13) et sans doute à la coudée spéciale de 2 Ch **3** 3 (l'ancienne coudée utilisée pour la construction du Temple). Voir aussi Lv **19** 35-36.

b) Cf. Nb **28-29**, mais ce ch. ne fait pas allusion aux lévites.

c) Autre traduction : « Ils ont la charge de l'holocauste perpétuel devant Yahvé. »

d) La lignée d'Éléazar est bien connue, c'est celle des Sadocites (cf. **6** 35-38). Celle d'Itamar est beaucoup plus incertaine. C'est une famille qui revient avec Esdras de l'exil (Esd **8** 2), et notre texte la rattache au second prêtre de David, Ébyatar, par Ahimélek. Mais le livre de Samuel ne connaît rien de cette ascendance : Ahimélek est non le fils mais le père d'Ébyatar (1 S **22** 20; cf. 2 S **8** 17 et la note textuelle). Nous retrouvons ici la grande idée du Chroniste de faire autour de la royauté davidique l'union de toutes les familles concurrentes. Ézéchiel ne reconnaissait que les Sadocites, mais le Chroniste ouvre des perspectives plus larges.

e) Encore cette assimilation du service sacerdotal au service militaire du temps de l'Exode.

forma seize classes avec les chefs de famille des fils d'Éléazar et huit avec les chefs de famille des fils d'Itamar. ⁵ On
les répartit au sort, les uns comme les autres; il y eut des
officiers consacrés, des officiers de Dieu, parmi les fils
d'Éléazar comme parmi les fils d'Itamar. ⁶ L'un des lévites,
le scribe Shemaya, fils de Netanéel, les inscrivit en présence du roi, des officiers, du prêtre Sadoq, d'Ahimélek
fils d'Ébyatar, des chefs de familles sacerdotales et lévitiques; on tirait une fois au sort pour chaque famille des
fils d'Éléazar, toutes les deux fois pour les fils d'Itamar.

⁷ Yehoyarib*ᵃ* fut le premier sur qui tomba le sort,
Yedaya le second, ⁸ Harim le troisième, Séorim le quatrième, ⁹ Malkiyya le cinquième, Miyyamîn le sixième,
¹⁰ Haqqoç le septième, Abiyya*ᵇ* le huitième, ¹¹ Yéshua le
neuvième, Shekanyahu le dixième, ¹² Élyashib le onzième,
Yaqim le douzième, ¹³ Huppa le treizième, Ishbaal le
quatorzième, ¹⁴ Bilga le quinzième, Immèr le seizième,
¹⁵ Hézir le dix-septième, Happiçèç le dix-huitième,
¹⁶ Petahya le dix-neuvième, Yehèzqel le vingtième,
¹⁷ Yakîn le vingt et unième, Gamul le vingt-deuxième,
¹⁸ Delayahu le vingt-troisième, Maazyahu le vingt-quatrième*ᶜ*.

¹⁹ Tels sont ceux qui furent enregistrés selon leur service, en entrant dans le Temple de Yahvé, conformément

---

24 6. *Texte incertain. G lit ainsi la fin du v.* : « *fois par fois pour Éléazar, fois
par fois pour Itamar* ».
13. « *Ishbaal* » *G* ; « *Ishbeab* » *H.*

a) C'est la classe à laquelle appartenaient les Maccabées qui est mise
ici en tête. En 9 10 Yehoyarib n'est encore que second.
b) C'est à cette classe qu'appartiendra Zacharie, père de Jean-Baptiste.
c) Le livre de Néhémie (**12**) contient deux listes de familles sacerdotales
qui ne contiennent que 22 (ou 21) noms. Plusieurs de ceux-ci ont changé.
La classification du Chroniste paraît postérieure et c'est celle qui subsis-
tait au temps de Notre Seigneur et de Josèphe (*Ant. jud.*, VII, 14, 7; cf. Lc
1 8).

à leur règle, règle transmise par Aaron, leur père, comme le lui avait prescrit Yahvé, Dieu d'Israël.

²⁰ Quant aux autres fils de Lévi*ᵃ* :

Pour les fils de Amram : Shubaël*ᵇ*. Pour les fils de Shubaël, Yehdeyahu. ²¹ Pour Rehabyahu, pour les fils de Rehabyahu, l'aîné, Ishshiyya. ²² Pour les Yiçharites, Shelomot; pour les fils de Shelomot, Yahat. ²³ Fils de Hébrôn : Yeriyya le premier, Amaryahu le second, Yahaziel le troisième, Yeqaméam le quatrième. ²⁴ Fils de Uzriel : Mika; pour les fils de Mika, Shamir; ²⁵ frère de Mika, Yishshiyya; pour les fils de Yishshiyya, Zekaryahu. ²⁶ Fils de Merari : Mahli et Mushi. Fils de Yaaziyyahu*ᶜ*, son fils; ²⁷ fils de Merari : pour Yaaziyyahu son fils : Shoham, Zakkur et Ibri; ²⁸ pour Mahli, Éléazar qui n'eut pas de fils; ²⁹ pour Qish : fils de Qish, Yerahméel. ³⁰ Fils de Mushi : Mahli, Éder, Yerimot.

Tels furent les fils de Lévi, répartis par familles. ³¹ Comme les fils d'Aaron, leurs frères, ils tirèrent au sort en présence du roi David, de Sadoq, d'Ahimélek, et des chefs de familles sacerdotales et lévitiques, les premières familles comme les plus petites.

25. **Les chantres.** ¹ Pour le service, David et les chefs mirent à part les fils d'Asaph, de Hémân et de Yedutûn*ᵈ*, les prophètes*ᵉ* qui s'accompa-

---

21. *Var. G : « Pour Rehabya le chef, Ishshiya ».*

23. *« Fils de Hébrôn : Yeriyya le premier » d'après Mss hébr. et grecs, Vulg ; « Benaï, Yeriyyahu » H.*

---

a) Sur cette liste, voir p. 107, note *c*.

b) Écrit ailleurs Shebuel. Mais l'auteur semble avoir voulu éviter de mentionner Gershôn. Yahat est rattaché à Yiçhar.

c) Cette mention trouble le texte et fait figure d'addition.

d) Sur Asaph, Hémân et Yedutûn, cf. **16** 37-43.

e) Le Chroniste reconnaît au chant sacré une valeur prophétique, c'est-

gnaient de lyres, de cithares et de cymbales, et l'on recensa les hommes affectés à ce service[a].

² Pour les fils d'Asaph : Zakkur, Yoseph, Netanya, Asarééla; les fils d'Asaph dépendaient de leur père qui prophétisait sous la direction du roi.

³ Pour Yedutûn : fils de Yedutûn : Gedalyahu, Çeri, Yeshayahu, Hashabyahu, Mattityahu; ils étaient six sous la direction de leur père Yedutûn qui prophétisait au son des lyres en l'honneur et à la louange de Yahvé.

⁴ Pour Hémân : fils de Hémân : Buqqiyahu, Mattan-yahu, Uzziel, Shebuel, Yerimot, Hananya, Hanani, Éliata, Giddalti, Româmti-Ézer, Yoshbeqasha, Malloti, Hotir, Mahaziot. ⁵ Tous ceux-là étaient fils de Hémân, le voyant du roi; aux paroles de Dieu, ils sonnaient de la trompe[b]. Dieu donna à Hémân quatorze fils et trois filles; ⁶ ils chantaient tous sous la direction de leur père dans le Temple de Yahvé, au son des cymbales, des cithares et des lyres, au service du Temple de Dieu, sous les ordres du roi.

---

25 3. *Après « Yeshayahu » G ajoute « Shiméï » ce qui donne le total de six.*

à-dire d'oracle de Dieu, et une école moderne d'exégèse voit dans ces chantres le vestige d'une ancienne institution de la monarchie : à l'occasion du culte un prophète donnait au Temple la réponse divine.

a) A côté des vingt-quatre classes de prêtres, le Chroniste compte vingt-quatre classes de chantres rattachées aux trois grands noms d'Asaph, Hémân et Yedutûn. Seuls sont assez bien attestés par ailleurs Zakkur fils d'Asaph (Ne **12** 35 et 1 Ch **9** 15, où le nom est vocalisé Zikri), Mattityahu (**15** 18, 21; **16** 5 sans préciser le nom du père), Mattanya qui est un Asa-phite en Ne **11** 17, cf. 1 Ch **9** 15. Ce classement a quelque chose d'artificiel, ne serait-ce que parce que les noms des neuf derniers fils d'Hémân viennent d'une tablette ou d'un document qui, au lieu de constituer une liste, était en réalité un fragment de Psaume. En voici la traduction : « Fais-moi grâce, Yahvé, fais-moi grâce ! Tu es mon Dieu ! J'ai grandi, je me suis élevé, toi mon secours que j'ai recherché ! Donne des visions nombreuses ! » Cette prière évoque donc les visions prophétiques; cf. v. 1.

b) Sens incertain. Élisée prophétisait au son des lyres, 2 R **3** 15.

Asaph, Yedutûn, Hémân, [7] ceux qui avaient appris à chanter pour Yahvé, furent recensés avec leurs frères; ils étaient en tout deux cent quatre-vingt-huit à s'y entendre. [8] Ils tirèrent au sort l'ordre à observer, le petit comme le grand, le maître comme l'élève. [9] Le premier sur qui tomba le sort fut l'Asaphite Yoseph. Le second fut Gedalyahu; avec ses fils et ses frères ils étaient douze. [10] Le troisième fut Zakkur; avec ses fils et ses frères ils étaient douze. [11] Le quatrième fut Yiçri; avec ses fils et ses frères ils étaient douze. [12] Le cinquième fut Netanyahu; avec ses fils et ses frères ils étaient douze. [13] Le sixième fut Buqqiyyahu; avec ses fils et ses frères ils étaient douze. [14] Le septième fut Yesarééla; avec ses fils et ses frères ils étaient douze. [15] Le huitième fut Yeshayahu; avec ses fils et ses frères ils étaient douze. [16] Le neuvième fut Mattanyahu; avec ses fils et ses frères ils étaient douze. [17] Le dixième fut Shiméï; avec ses fils et ses frères ils étaient douze. [18] Le onzième fut Azaréel; avec ses fils et ses frères ils étaient douze. [19] Le douzième fut Hashabyahu; avec ses fils et ses frères ils étaient douze. [20] Le treizième fut Shubaël; avec ses fils et ses frères ils étaient douze. [21] Le quatorzième fut Mattityahu; avec ses fils et ses frères ils étaient douze. [22] Le quinzième fut Yeremot; avec ses fils et ses frères ils étaient douze. [23] Le seizième fut Hananyahu; avec ses fils et ses frères ils étaient douze. [24] Le dix-septième fut Yoshbeqasha; avec ses fils et ses frères ils étaient douze. [25] Le dix-huitième fut Hanani; avec ses fils et ses frères ils étaient douze. [26] Le dix-neuvième fut Malloti; avec ses fils et ses frères ils étaient douze. [27] Le vingtième fut Élyata; avec ses fils et ses frères ils étaient douze. [28] Le vingt et unième fut Hotir; avec ses fils et ses frères ils étaient douze. [29] Le vingt-deuxième fut Giddalti; avec ses fils et ses frères ils étaient douze. [30] Le vingt-troisième

fut Mahaziot; avec ses fils et ses frères ils étaient douze.
[31] Le vingt-quatrième fut Româmti-Ézer; avec ses fils et
ses frères ils étaient douze[a].

26. [1] Quant aux classes

Les portiers[b].   de portiers :

Pour les Coréites : Me-
shélémyahu, fils de Qoré, l'un des fils d'Ébyasaph. [2] Meshélémyahu eut des fils : Zekaryahu le premier, Yediael le
second, Zebadyahu le troisième, Yatniel le quatrième,
[3] Élam le cinquième, Yehohanân le sixième, Élyhoénaï
le septième.

[4] Obed-Édom eut des fils : Shemaya l'aîné, Yehozabad
le second, Yoah le troisième, Sakar le quatrième, Netanéel
le cinquième, [5] Ammiel le sixième, Issachar le septième,
Péulletaï le huitième; Dieu en effet l'avait béni[c]. [6] A son
fils Shemaya naquirent des fils qui eurent autorité sur
leurs familles, car ce furent des preux[d] valeureux. [7] Fils
de Shemaya : Otni, Rephaël, Obed, Elzabad, et ses frères
les vaillants Élihu et Semakyahu. [8] Tous ceux-là étaient
fils d'Obed-Édom. Eux, leurs fils et leurs frères eurent
dans leur service une haute valeur. Pour Obed-Édom,
soixante-deux.

---

26 1. « *Ébyasaph* » *G*ᴮ *cf.* **9** 19; « *Asaph* » H.

---

a) Comparer ce morceau avec Nb **7**, de facture identique.
b) Sur les portiers, cf. **9** 17-27. **16** 37-43 les assimile aux chantres. Au
temps d'Esdras (Esd **2** 42) et de Néhémie (Ne **11** 19), ils en étaient encore
distingués. Notre texte semble aussi les distinguer, mais il veut décrire
un temps révolu, car en **6** 18-32 Hémân est considéré comme un fils de
Coré et en 2 Ch **20** 19 comme dans les titres des Ps **42**, **44** s les fils de
Coré sont considérés comme des chantres.
c) A cause de ses nombreux descendants. Obed-Édom est très probablement le même que le Philistin de 2 S **6** 10 s et le chantre de **15** 21; à cause
de ses fonctions le Chroniste y voit un lévite.
d) Cf. **24** 4 et la note.

⁹ Meshélémyahu eut des fils et des frères : dix-huit hommes vaillants *a*.

¹⁰ Hosa, l'un des fils de Merari, eut des fils. Shimri était le premier, car, sans qu'il fût l'aîné, son père l'avait mis en tête *b*. ¹¹ Hilqiyya était le second, Tebalyahu le troisième, Zekaryahu le quatrième. Treize en tout, fils et frères *c* de Hosa.

¹² Ceux-ci eurent leurs classes de portiers. Les chefs de ces héros avaient des charges correspondantes à celles de leurs frères au service du Temple de Yahvé. ¹³ Pour chaque porte *d*, chaque famille, la petite comme la grande, on tira au sort. ¹⁴ Pour l'Est, le sort tomba sur Shélèmyahu, dont le fils Zekaryahu donnait des conseils avisés. On tira les sorts et le Nord échut à ce dernier. ¹⁵ Obed-Édom eut le Sud et ses fils les magasins *e*. ¹⁶ Shuppim *f* et Hosa eurent l'Ouest avec la porte du Tronc abattu *g* sur la chaussée supérieure *h*. Règles correspondant aux charges :

16. *Au lieu de « Shuppim » G a « en second ».*

a) Cette notice fait suite au v. 3 et prépare le v. 14. Les développements sur Obed-Édom et Hosa paraissent avoir été intercalés.

b) Cf. Gn **48** 13-20, un cas semblable.

c) Au sens vague d'une commune parenté, comme souvent dans les Chroniques, cf. v. 12.

d) Cf. **9** 24.

e) Traduction incertaine, cf. Ne **12** 25. A moins qu'il n'y ait relation avec les « seuils » d'Is **6** 4.

f) On est surpris de l'insertion de ce nom. Il est fort possible que Hosa soit une autre graphie pour Hushim. Nous aurions ici comme portiers les Benjaminites Hushim et Shuppim, dont les noms avaient donné quelques difficultés au Chroniste en **7** 12. Dans la note introductive des vv. 10 s il a rattaché Hosa à Merari et n'a gardé Shuppim que sous la forme discrète des frères d'Hosa.

g) Le nom de cette porte se rattache probablement au rite royal auquel fait allusion Is **7** 13. Comme en Égypte, il est probable que lors de l'accession d'un nouveau roi on abattait et on redressait un pilier en forme d'arbre symbolisant la dynastie et sa pérennité.

h) Cf. Is **7** 3, mais le rapprochement est peut-être le fait du Chroniste.

¹⁷ six par jour à l'Est, quatre par jour au Nord, quatre par jour au Sud, deux par deux aux magasins ; ¹⁸ pour le Parbar*ᵃ* à l'Ouest : quatre pour la chaussée, deux pour le Parbar. ¹⁹ Telles étaient les classes de portiers chez les Coréites et les Mérarites.

Autres fonctions lévitiques.

²⁰ Les lévites, leurs frères, étaient chargés des préposés aux trésors du Temple de Dieu et préposés aux saintes réserves *ᵇ* :

²¹ Les fils de Ladân, fils de Gershôn par Ladân, avaient les Yehiélites pour chefs des familles de Ladân le Gershonite. ²² Les Yehiélites, Zétam et Yoël*ᶜ* son frère, furent chargés des trésors de la maison de Yahvé.

|| Nb **3** 27   ²³ Quant aux Amramites, Yiçharites, Hébronites et Ozziélites :

²⁴ Shebuel, fils de Gershom, fils de Moïse, était chef responsable des trésors. ²⁵ Ses frères par Éliézer : Rehab-yahu son fils, Yeshayahu son fils, Yoram son fils, Zikri son fils, Shelomit son fils. ²⁶ Ce Shelomit et ses frères furent chargés de toutes les saintes réserves consacrées

---

17. « *six par jour* » layôm *conj.* ; « *six lévites* » halᵉwîm *H*.
20. « *leurs frères* » 'ăḥêhèm *G* ; « *Ahiyya* » *H*.
25. « *Shelomit* » *Qer* ; « *Shelomot* » *H Ket*.

C'est sans doute dans sa pensée le chemin qui, par la « Porte supérieure » (2 Ch **23** 20), mène au palais royal, dit « supérieur » (Ne **3** 25).

a) On a cherché à ce mot une étymologie orientale. Écrit *Parwâr(îm)* en 2 R **23** 11, il est probable qu'il s'agit d'un édifice analogue au *Per wer* des temples égyptiens dont la destination est encore mal déterminée.

b) Sans doute les offrandes consacrées non encore consommées.

c) Zétam et Yoël sont ici fils de Yehiel, fils de Ladân (comparer avec **23** 8). Avec Shebuel (v. 23, cf. p. 107, note *c*) et Shelomit, ils forment la commission des quatre chargés de veiller aux réserves ou trésors publics, commission analogue à celle qui existait au temps de Néhémie (Ne **13** 13) et d'Esdras (Esd **8** 33).

par le roi David *a* et par les chefs de famille, à titre d'officiers
de milliers, de centaines et de corps [27] (ils les avaient consacrées sur le butin de guerre pour donner plus d'éclat à la
maison de Yahvé), [28] ainsi que de tout ce qu'avaient
consacré Samuel le voyant, Saül, fils de Qish, Abner, fils
de Ner, et Joab, fils de Çeruya. Tout ce que l'on consacrait
fut à la charge de Shelomit et de ses frères *b*.

[29] Pour les Yiçharites : Kenanyahu *c* et ses fils, préposés
aux fonctions extérieures en Israël, à titre de scribes et de
juges.

[30] Pour les Hébronites : Hashabyahu *d* et ses frères,
1.700 guerriers chargés de surveiller Israël, à l'ouest du
Jourdain, pour toutes les affaires de Yahvé et le service
du roi. [31] Pour les Hébronites : Yeriyya le chef. En l'an 40
du règne de David *e*, on fit des recherches sur les parentés
des familles hébronites, et l'on trouva parmi eux des
preux valeureux à Yazer *f*, en Galaad. [32] Le roi David
nomma 2.700 guerriers, frères de Yeriyya, et chefs de
famille, comme inspecteurs des Rubénites, des Gadites,

---

a) Cf. **18** 11.

b) Nous avons le modèle d'une semblable consécration en Nb **31** 48-54.

c) Cf. **15** 22 et la note. Cette fonction est connue au temps de Néhémie
(Ne **11** 16). Selon la terminologie d'Ézéchiel, dont l'influence est si marquée sur ces écrits, l' « extérieur », c'est ce qui est hors du sanctuaire
(cf. Ez **40** 17, 31 ; **44** 1) ; les fonctions extérieures sont donc les fonctions
cultuelles qui se font hors du sanctuaire, comme le transport de l'arche.
Mais le Chroniste songe peut-être aux juridictions lévitiques établies dans
le pays (cf. 2 Ch **19** 4 s) et qui existaient encore du temps de Josèphe
(*Ant. jud.*, IV, 8, 14, cf. *Bell. jud.*, II, 20, 5). On s'expliquerait bien ainsi
qu'il traite de la juridiction lévitique dans le paragraphe suivant.

d) Cf. **27** 17.

e) Le Chroniste entend suggérer une date de la toute dernière fin du
règne.

f) Yazer, selon **6** 81, devait appartenir à Merari, non aux Hébronites
qui sont des Qehatites. Cette notice tendrait à faire croire que selon une
source du Chroniste Yeriyya était de Yazer. Il est curieux que la Transjordanie ait pu compter plus d'inspecteurs lévitiques que la Palestine propre
ment dite.

et de la demi-tribu de Manassé, en toute affaire divine
et royale.

27. ¹ Les enfants d'Is-
Organisation militaire raël, d'après leur nombre.
et civile[a]. Les chefs de famille, les
officiers de milliers et de cen-
taines, leurs scribes, faisaient le service dans le peuple.
En toute affaire royale les classes intervenaient. Il y en
avait une en activité pour un mois tous les mois de l'année.
Chaque classe était de 24.000 hommes.

² L'intendant de la première classe, affecté au premier
mois, était Yashobéam[b], fils de Zabdiel. Il était intendant
d'une classe de 24.000 hommes. ³ C'était l'un des fils de
Péréç, le chef de tous les officiers du corps affecté au
premier mois.

⁴ L'intendant de la classe du second mois était Dodaï[c]
l'Ahohite; il était l'intendant d'une classe de 24.000
hommes.

---

27 1. « *le service dans le peuple. En toute affaire royale les classes intervenaient.
Il y en avait une en activité* » *d'après* G ; « *le service du roi. Pour toute affaire des
classes, celle qui était en activité...* » H.

2. « *Yashobéam* »; *quelques Mss grecs :* « *Ishbaal* ».

4. *Après* « *l'Ahohite* » *on omet* « *et sa classe et Miqlot le commandant* »
absent de G[B].

---

a) Le Chroniste vient d'insister sur les lévites en tant que serviteurs à
la fois de Dieu et du roi. Mais il sait que selon la théologie d'Ézéchiel
et des documents sacerdotaux (v. g. Nb **27** 12 s), il existe à côté des fonctions religieuses des fonctions profanes qui ne relèvent point des lévites.
Il étend à ces fonctions (intendants, intendants des tribus, intendants des
réserves du roi, etc., conseillers) le système des classes; il schématise sous
cet angle les données qu'il trouvait en 2 S **23**; cf. 1 Ch **11**. Il ne fait d'ailleurs qu'appliquer le principe des douze préfectures ou intendances de
Salomon (1 R **4** 7-19).

b) 1 Ch **11** 11 : Yashobéam fils de Hakmoni; mais voir 2 S **23** 8.

c) **11** 12 : Éléazar fils de Dodo.

⁵ L'officier du troisième corps affecté au troisième mois était Benayahu, fils de Yehoyada, le prêtre en chef[a]. Il était l'intendant d'une classe de 24.000 hommes. ⁶ C'est ce Benayahu qui fut le héros des Trente, et eut l'intendance des Trente et de sa classe. Il eut pour fils Ammizabad.

⁷ Le quatrième, affecté au quatrième mois, fut Asahel[b], frère de Joab; son fils Zebadya lui succéda. Il était l'intendant d'une classe de 24.000 hommes.

⁸ Le cinquième, affecté au cinquième mois, fut l'officier Shamehut l'Ezrahite. Il était l'intendant d'une classe de 24.000 hommes. ⁹ Le sixième, affecté au sixième mois, fut Ira, fils d'Iqqesh, de Teqoa; il était l'intendant d'une classe de 24.000 hommes. ¹⁰ Le septième, affecté au septième mois, fut Héleç le Pelonite, l'un des fils d'Éphraïm; il était l'intendant d'une classe de 24.000 hommes. ¹¹ Le huitième, affecté au huitième mois, fut Sibbekaï, de Husha, un Zarehite; il était l'intendant d'une classe de 24.000 hommes. ¹² Le neuvième, affecté au neuvième mois, fut Abiézer d'Anatot, un Benjaminite; il était l'intendant d'une classe de 24.000 hommes. ¹³ Le dixième, affecté au dixième mois, fut Maheraï de Netopha, un Zarehite; il était l'intendant d'une classe de 24.000 hommes. ¹⁴ Le onzième, affecté au onzième mois, fut Benaya, de Piréatôn, un fils d'Éphraïm; il était l'intendant d'une classe de 24.000 hommes. ¹⁵ Le douzième, affecté au douzième mois, fut Heldaï, de Netopha, d'Otniel; il était l'intendant d'une classe de 24.000 hommes.

¹⁶ Intendants des tribus d'Israël[c] : Éliézer, fils de Zikri,

---

a) Cf. **12** 27 et la note.
b) Asahel avait été tué avant la prise de Jérusalem (2 S **2** 17-23).
c) A côté de la répartition salomonienne par préfectures, le Chroniste garde l'ancienne répartition par tribus (cf. Nb **1**). Cette liste distingue les

commandait les Rubénites, Shephatyahu fils de Maaka les Siméonites, [17] Hashabya fils de Qemuel les Lévites, Sadoq les Aaronides, [18] Élihu, l'un des frères de David, les Judéens, Omri fils de Mikaël les Issacharites, [19] Yishmayahu fils d'Obadyahu les Zabulonites, Yerimot fils d'Azriel les Nephtalites, [20] Hoshéa fils d'Azazyahu les Éphraïmites, Yoël fils de Pedayahu la demi-tribu de Manassé, [21] Yiddo fils de Zekaryahu la demi-tribu de Manassé en Galaad, Yahaziel fils d'Abner les Benjaminites, [22] Azaréel fils de Yeroham les Danites. Tels furent les officiers des tribus d'Israël.

[23] David ne fit pas le dénombrement de ceux qui avaient vingt ans et au-dessous, parce que Dieu avait dit qu'il multiplierait les Israélites comme les étoiles des cieux. [24] Joab, fils de Çeruya, commença à faire le compte, mais ne l'acheva pas. C'est pourquoi la Colère éclata contre Israël, et le chiffre n'atteignit pas celui qu'on trouve dans les Annales du roi David[a].

[25] Intendant des réserves du roi[b] : Azmavèt, fils d'Adiel. Intendant des réserves dans les villes, bourgs et forte-

---

prêtres (Aaronides) et les lévites, elle compte pour une unité chaque demi-tribu de Manassé et pour garder le chiffre douze ne retient pas Gad et Asher. Dans l'ensemble les noms ressemblent à ceux que l'on trouve dans les listes d'Esdras et de Néhémie.

a) Ces deux notices se réfèrent au début du ch. **21** et semblent destinées à expliquer deux difficultés : en quoi consistait le péché de David (**21** 3); pourquoi les chiffres de 1 Ch **21** sont inférieurs à ceux de 2 S **24** 9 (1.100.000 Israélites au lieu de 1.300.000, et 470.000 Judéens au lieu de 500.000). On voit moins bien pourquoi cette double justification a pris place au ch. **27**. Serait-ce qu'ici se terminait une source suivie par le Chroniste ? Ou encore précédait-elle la grande réunion du ch. **28** dont elle s'est trouvée séparée par l'insertion des vv suivants ?

b) Cette intéressante liste ne concorde pas avec les données précédentes, **26** 20 s. Elle est construite sur le modèle de 2 S **8** 16 s; **20** 23-26; 1 R **4** 2 s. Elle pourrait être fort ancienne car les noms ne sont pas du modèle post-exilien, elle fait de David plutôt un gros propriétaire qu'un roi; et elle paraît insérée dans un ensemble propre au Chroniste, faisant doublet avec **26** 20 s. Voir 2 Ch **26** 10 et la note.

resses de la province : Yehonatân, fils de Uzziyahu[a].
[26] Intendant des ouvriers agricoles employés à la culture
du sol : Ezri, fils de Kelub[b]. [27] Intendant des vignobles :
Shiméï, de Rama[c]. Intendant de ceux qui, dans les vignobles, étaient affectés aux réserves de vin : Zabdi, de She-
pham[d]. [28] Intendant des oliviers et des sycomores dans le
Bas-Pays : Baal-Hanân, de Géder. Intendant des réserves
d'huile : Yoash. [29] Intendant du gros bétail pâturant en
Sarôn[e] : Shitraï, de Sarôn. Intendant du gros bétail dans
les vallées : Shaphat, fils de Adlaï. [30] Intendant des chameaux : Obil, l'Ismaélite. Intendant des ânesses : Yehdeyahu, de Méranot. [31] Intendant du petit bétail : Yaziz,
le Hagrite[f]. Tous ceux-là furent les intendants des biens
appartenant au roi David.

[32] Yehonatân, oncle de David, conseiller, homme avisé,
et scribe, s'occupait des enfants du roi avec Yehiel, fils
d'Hakmoni. [33] Ahitophel[g] était conseiller du roi. Hushaï
l'Arkite était ami du roi[h]. [34] Yehoyada, fils de Benayahu,
et Ébyatar[i] succédèrent à Ahitophel. Joab était le général
des armées du roi.

---

a) Azmavèt (cf. **11** 33) n'était donc intendant que pour Jérusalem. Ce
nom n'est pas yahviste; il se lisait Azmôt et signifiait « le dieu Môt est
fort ». Uzziyahu au contraire est proprement yahviste : « Yahvé est ma
force ».

b) Sans doute un Calébite, cf. **4** 11.

c) Il existait plusieurs villes de ce nom.

d) Au nord-est, cf. Nb **34** 10-11.

e) C'est la plaine côtière.

f) Cf. **5** 10 et 19. Hagrites et Ismaélites ne sont pas sédentarisés; il
est normal de confier à deux de leurs membres les chameaux et le petit
bétail.

g) Cf. 2 S **15** 31 s.

h) Cf. 2 S **16** 17. Le titre d'Ami du roi est un titre de la cour égyptienne.

i) Sans doute le prêtre de ce nom qui accompagna David aux mauvaises
heures (1 S **22** 20 s); mais le Chroniste, à la suite d'Ézéchiel **44**, voit dans
la lignée de son adversaire Sadoq (cf. 1 R **1** 7 s) la seule garantie du véritable culte, et ne mentionne pas son caractère sacerdotal.

Instructions de David concernant le Temple[a]. **28.** [1] David réunit à Jérusalem tous les officiers d'Israël, officiers des tribus et officiers des classes au service du roi, officiers de milliers et de centaines, officiers intendants des biens et des troupeaux du roi et de ses fils, ainsi que les eunuques et les preux, tous les preux valeureux. [2] Le roi David se leva et, debout, déclara :

« Écoutez-moi, mes frères et mon peuple. J'ai désiré, moi, édifier une demeure stable pour l'arche de l'alliance de Yahvé, pour le piédestal[b] de notre Dieu. J'ai fait les préparatifs de construction [3] mais Dieu m'a dit : 'Ne bâtis pas de maison à mon nom, car tu as été un homme de guerre et tu as versé le sang[c].'

[4] « De toute la maison de mon père, c'est moi que Yahvé, le Dieu d'Israël, a choisi pour être à jamais roi sur Israël. C'est en effet Juda qu'il a choisi pour guide, c'est ma famille qu'il a choisie dans la maison de Juda, et parmi les fils de mon père, c'est en moi qu'il s'est complu à donner un roi à tout Israël. [5] De tous mes fils — car Yahvé m'en a donné beaucoup — c'est mon fils Salomon qu'il a choisi pour siéger sur le trône de la royauté de Yahvé sur Israël : [6] 'C'est ton fils Salomon, m'a-t-il dit, qui bâtira ma maison et mes parvis, car c'est lui que j'ai choisi pour fils et je serai pour lui un père[d]. [7] Je lui ai préparé une royauté éternelle s'il pratique avec courage, comme aujourd'hui, mes commandements et mes lois.'

---

a) Ce ch. semble reprendre le récit au point où il en était en **23** 2, mais le v. 1 tient compte du dénombrement total décrit aux ch. précédents.
b) Cf. Ps **132** 7.
c) Cf. **22** 8.
d) Cf. **17** 12 s; **22** 10 s.

⁸ « Et maintenant devant tout Israël, qui nous voit, devant l'assemblée de Yahvé, devant notre Dieu qui nous entend, gardez, scrutez les commandements de Yahvé votre Dieu, afin de posséder*ᵃ* ce bon pays et de le transmettre après vous pour toujours en héritage à vos fils.

⁹ « Toi, Salomon mon fils, connais le Dieu de ton père, sers-le d'un cœur sans partage, d'une âme bien disposée, car Yahvé sonde tous les cœurs et pénètre tous les desseins qu'ils forgent. Si tu le recherches, il se fera trouver de toi, si tu le délaisses, il te rejettera pour toujours. ¹⁰ Considère maintenant que Yahvé t'a choisi pour lui bâtir une maison pour sanctuaire. Sois ferme et agis*ᵇ* ! »

¹¹ David donna à son fils Salomon le modèle du vestibule*ᶜ*, des bâtiments*ᵈ*, des magasins, des chambres hautes, des pièces de fond à l'intérieur, de la salle du propitiatoire; ¹² il lui donna aussi la description*ᵉ* de tout ce qu'il concevait*ᶠ* concernant les parvis du Temple de Yahvé, les pièces du pourtour*ᵍ*, les trésors du Temple de Dieu et les saintes réserves*ʰ*, ¹³ les classes de prêtres et de lévites, toutes les charges du service du Temple de Yahvé,

---

a) Sur cette possession du pays, cf. Dt **4** 5 ; **9** 4, etc.

b) Il est important de noter que le Chroniste a fait précéder par cette exhortation morale, dans le style des discours du Deutéronome, la description purement cultuelle qui va suivre. Les prophètes avaient souvent dit que le culte ne plaisait pas à Dieu s'il n'était accompagné des dispositions intérieures nécessaires.

c) Moïse avait reçu de Dieu même le modèle de la Tente (Ex **25** 9). David, fondateur des nouvelles institutions, est donc au-dessus de Moïse; dans sa médiation son action a quelque chose de plus divin. Mais au v. 18 tout est ramené à Dieu.

d) Les « bâtiments » désignent sans doute la grande salle et la salle du propitiatoire (Ex **25** 17 s), le Saint des Saints.

e) Litt. « modèle ».

f) Autre traduction : « recevait par l'Esprit ». David était considéré comme inspiré (2 S **23** 2).

g) Cf. Ez **42**.

h) Cf. **26** 20.

tout le mobilier au service du Temple de Yahvé, ¹⁴ l'or
en lingots, l'or destiné à chacun des objets de tel ou tel
service, l'argent en lingots destiné à tous les objets
d'argent, pour chacun des objets de tel ou tel service,
¹⁵ les lingots destinés aux chandeliers d'or et à leurs
lampes, l'or en lingots destiné à chaque chandelier*ᵃ* et à
ses lampes, les lingots destinés aux chandeliers d'argent*ᵇ*,
pour le chandelier et ses lampes suivant l'usage de chaque
chandelier, ¹⁶ l'or en lingots destiné aux tables des rangées
de pain, pour chacune des tables, l'argent destiné aux tables
d'argent*ᶜ*, ¹⁷ les fourchettes*ᵈ*, les coupes d'aspersion, les
aiguières en or pur, les lingots d'or pour les coupes, pour
chacune des coupes, les lingots d'argent pour les coupes,
pour chacune des coupes, ¹⁸ les lingots d'or épuré destinés
à l'autel des parfums. Il lui donna le modèle du char*ᵉ*
divin, des chérubins d'or aux ailes déployées couvrant
l'arche de l'alliance de Yahvé, ¹⁹ l'ensemble selon ce que
Yahvé avait écrit de sa main pour faire comprendre tout
le travail dont il donnait le modèle.

²⁰ David dit alors à son fils Salomon : « Sois ferme et
courageux, agis sans crainte ni tremblement, car Yahvé

---

28 19. *Var. G : « David donna à Salomon l'ensemble... »* — « *pour faire comprendre* » *litt.* « *pour donner le sens* » *conj. en lisant* 'aley *au lieu de* 'âlay.

---

a) Le Chroniste souligne qu'il y en avait plusieurs (1 R **7** 49), tandis
que la Tente n'en connaissait qu'un (Ex **25** 31-40).

b) Inconnus par ailleurs.

c) Il y en aurait eu dix selon 2 Ch **4** 8. Il n'y en avait qu'une à la Tente
(Ex **25** 23 s) et au Temple de Salomon (1 R **7** 48).

d) Cf. Nb **4** 14; Ex **27** 3.

e) Certains rois avaient placé dans le Temple des « chars du soleil »
idolâtriques (2 R **23** 11), alors que l'arche d'alliance représentait un trône
et non un char sur lequel Dieu siégeait. Mais Ézéchiel, pour évoquer
l'ubiquité divine, avait décrit une sorte de char de Dieu (**1** et **10**) et c'est
à lui que pense le Chroniste.

Dieu, mon Dieu, est avec toi. Il ne te laissera pas sans force et sans soutien avant que tu n'aies achevé tout le travail à effectuer pour la maison de Yahvé. [21] Voici les classes des prêtres et des lévites pour tout le service de la maison de Dieu, chaque volontaire habile en n'importe quel office te secondera dans toute cette œuvre; les officiers et tout le peuple sont à tes ordres[a]. »

Les offrandes.   **29.** [1] Le roi David dit alors à toute l'assemblée : « Salomon mon fils, le seul qu'ait choisi Dieu, est jeune et faible alors que l'œuvre est grande, car ce palais[b] n'est pas destiné à un homme mais à Yahvé Dieu. [2] De toutes mes forces, j'ai préparé la maison de mon Dieu : or sur or, argent sur argent, bronze sur bronze, fer sur fer, bois sur bois, cornaline, pierreries serties, pierres teintes ou bariolées, toutes sortes de pierres précieuses, et quantité d'albâtre. [3] Plus encore, ce que je possède personnellement en or et en argent, je le donne à la maison de mon Dieu par amour pour la maison de mon Dieu en plus de ce que j'ai préparé pour le Temple saint : [4] 3.000 talents[c] d'or, en or d'Ophir, 7.000 talents d'argent épuré pour en plaquer les parois des salles. [5] Quel que soit l'or, quel que soit l'argent ou le joyau de main d'orfèvre, qui d'entre vous aujourd'hui s'engage à le consacrer à Yahvé ? »

[6] Les officiers[d] chefs de famille, les officiers des tribus d'Israël, les officiers de milliers et de centaines et les officiers chargés des travaux royaux s'engagèrent [7] à donner

---

a) Noter la différence suggérée par le Chroniste entre les lévites et le peuple.

b) Litt. « forteresse », « château ».

c) Un talent pèse 60 kg. Sur Ophir, cf. 1 R **9** 28.

d) Cette offrande volontaire des chefs évoque celle des chefs de tribus en Nb **7**. Mais ce n'est plus que l'accessoire de l'offrande royale.

pour le service de la maison de Dieu 5.000 talents d'or,
10.000 dariques[a], 10.000 talents d'argent, 18.000 talents
de bronze, 100.000 talents de fer. [8] Y ajoutant ce qui se
trouva comme pierres, ils remirent tout cela au trésor de
la maison de Yahvé à la disposition de Yehiel le Gershonite. [9] Le peuple se réjouit de ce qu'ils avaient fait, car
c'était d'un cœur sans partage qu'ils s'étaient ainsi enga-
gés envers Yahvé; le roi David lui-même en conçut une
grande joie.

[10] Il bénit[b] alors Yahvé sous les yeux de toute l'assemblée. David dit : « Béni sois-tu, Yahvé, Dieu d'Israël
notre père, depuis toujours et à jamais ! [11] A toi, Yahvé,
la grandeur, la force, la splendeur, la durée et la gloire,
car tout ce qui est au ciel et sur la terre est à toi. A toi,
Yahvé, la royauté : tu es souverainement élevé au-dessus
de tout. [12] La richesse et la gloire te précèdent, tu es maître
de tout, dans ta main sont la force et la puissance; à ta
main d'élever et d'affermir qui que ce soit. [13] A cette
heure, ô notre Dieu, nous te célébrons, nous louons ton
éclatant renom; [14] car qui suis-je et qu'est-ce que mon
peuple pour avoir les moyens suffisants pour nous engager ainsi ? Car tout vient de toi et c'est de ta main même
que nous t'avons donné. [15] Car nous ne sommes devant
toi que des étrangers et des hôtes comme tous nos pères;
nos jours sur terre passent comme l'ombre et il n'est
point d'espoir. [16] Yahvé, notre Dieu, tout ce que nous
avons amoncelé pour la construction d'une maison à ton
saint nom provient de ta main, et tout est à toi. [17] Je sais,
ô mon Dieu, que tu sondes les cœurs et que tu te plais à

---

a) Monnaie perse frappée. Au temps de David semblable monnaie
n'existait pas encore.
b) Cette bénédiction, qui est le dernier acte de la cérémonie, est une
véritable action de grâces dans le style des belles liturgies juives.

la droiture, c'est d'un cœur droit que j'ai engagé tout cela, et, à cette heure, j'ai vu avec joie ton peuple, ici présent, s'engager envers toi[a]. [18] Yahvé, Dieu d'Abraham, d'Isaac et d'Israël nos pères, garde à jamais cela, formes-en les dispositions de cœur de ton peuple, et fixe en toi leurs cœurs. [19] A mon fils Salomon donne un cœur intègre pour qu'il garde tes commandements, tes témoignages et tes lois, qu'il les mette tous en pratique et bâtisse ce palais que je t'ai préparé. »

[20] Puis David dit à toute l'assemblée : « Bénissez donc Yahvé votre Dieu ! » Et toute l'assemblée bénit Yahvé, Dieu de ses pères, et s'agenouilla pour se prosterner devant Dieu et devant le roi.

[21] Puis les Israélites, le lendemain de ce jour, offri-rent des sacrifices et des holocaustes à Yahvé : mille

Avènement de Salomon ; fin de David.

taureaux, mille béliers, mille agneaux avec les libations conjointes, ainsi que de multiples sacrifices pour tout Israël. [22] Ils mangèrent et burent[b] en ce jour devant Yahvé, dans une grande liesse. Puis, ayant fait de Salomon, fils de David, un second roi[c], ils l'oignirent au nom de Yahvé pour chef[d] et de Sadoq pour prêtre. [23] Salo-

---

29 22. « *second* » *omis par* G[B].

---

a) Cette prière insiste sur l'engagement personnel et les dispositions personnelles nécessaires pour entrer dans l'alliance davidique. Ézéchiel (**18**) avait profondément marqué l'importance de ce caractère de la nouvelle alliance par rapport à celle de Moïse.

b) Le repas sacré suit les holocaustes, de même que celui des anciens en Ex **24** 11 faisait suite aux holocaustes de la première alliance (v. 5). Mais le Chroniste conçoit les sacrifices comme les conçoivent les documents sacerdotaux (comparer le v. 21 et les sacrifices de Nb **28** et **29**).

c) Salomon fut en effet roi avant la mort de son père (1 R **1** 39).

d) La royauté de David et de Salomon ne supprime pas la théocratie. Dieu reste le chef de son peuple.

mon s'assit sur le trône de Yahvé pour régner à la place de David son père. Il prospéra et tout Israël lui obéit. ²⁴ Tous les officiers, tous les preux et même tous les fils du roi David se soumirent au roi Salomon. ²⁵ Sous les yeux de tout Israël, Yahvé porta à son faîte la grandeur de Salomon et lui donna un règne d'une splendeur que n'avait jamais connue aucun de ceux qui avaient antérieurement régné sur Israël.

|| ɪ R **2** ɪɪ   ²⁶ David, fils de Jessé, avait régné sur tout Israël. ²⁷ Sa royauté sur Israël avait duré quarante ans; à Hébron il avait régné sept ans et à Jérusalem il avait régné trente-trois ans. ²⁸ Il mourut dans une heureuse vieillesse, rassasié de jours, de richesses et d'honneur. Puis Salomon son fils régna à sa place. ²⁹ L'histoire du roi David, du début à la fin, n'est-ce pas écrit dans l'histoire de Samuel le voyant, l'histoire de Natân le prophète, l'histoire de Gad le voyant[a], ³⁰ avec son règne entier, ses prouesses, et les heurs et malheurs[b] qu'il dut traverser ainsi qu'Israël et tous les royaumes des pays[c].

---

a) Sur ces sources, voir l'Introduction.
b) Litt. « les temps ».
c) Remarquer cette note d'universalisme. Les « pays » ou « royaumes des pays » représentent pour le Chroniste tout ce qui n'est pas soumis à Yahvé.

III

SALOMON ET LA CONSTRUCTION DU TEMPLE[a]

1. **Salomon reçoit la Sagesse**[b].

[1] Salomon, fils de David, s'affermit sur le trône. Yahvé son Dieu était avec lui et porta au faîte sa grandeur. [2] Salomon parla alors à tout Israël, aux officiers de milliers et de centaines, aux juges et à tous les princes de tout Israël, chefs de famille. [3] Puis, avec toute l'assemblée, Salomon se rendit au haut lieu de Gabaôn où se trouvait en effet la Tente de Réunion de Dieu[c], faite dans le désert par Moïse, serviteur de Dieu; [4] mais David avait fait monter l'arche de Dieu de Qiryat-Yéarim jusqu'à l'endroit qu'il avait préparé pour elle : il lui avait en effet dressé une tente à Jérusalem. [5] L'autel de bronze[d] qu'avait fait Beçaléel, fils de Uri, fils de Hur[e], était là devant la Demeure

‖ 1 R **3** 4-15

---

a) David a posé les bases de cette communauté cultuelle au sein de laquelle Yahvé vit sur terre. Mais ses successeurs doivent la réaliser et la réformer. Un rôle hors de pair est dévolu au fils de David, Salomon, qui bâtit le Temple.

b) Le Chroniste ne traite pas des conflits de cour qui ont réglé la succession royale (cf. 1 R **1-2**) et ne retient que le point de vue religieux; c'est la sagesse reçue à Gabaôn qui est à l'origine de la gloire salomonienne.

c) Cf. 1 Ch **16** 39; **21** 29. Dans tout ce paragraphe l'auteur s'écarte considérablement du livre des Rois. Il tient à rattacher le culte du Temple aux institutions mosaïques de l'Exode.

d) Cf. Ex **27** 1-2.

e) Cf. Ex **31** 2; 1 Ch **2** 20.

de Yahvé où venaient s'adresser Salomon et l'assemblée.
⁶ C'est là que Salomon, en présence de Dieu, monta à
l'autel de bronze qui était attenant à la Tente de Réunion
et il y offrit mille holocaustes *a*.

⁷ La nuit même, Dieu se montra à Salomon et lui dit :
« Demande ce que je dois te donner. » ⁸ Salomon répondit
à Dieu : « Tu as témoigné une grande bienveillance à
David mon père et tu m'as établi roi à sa place. ⁹ Yahvé
Dieu, la promesse que tu as faite à mon père David
s'accomplit maintenant puisque tu m'as établi roi sur un
peuple aussi nombreux que la poussière de la terre.
¹⁰ Donne-moi donc à présent sagesse et savoir pour agir
en chef à la tête de ce peuple *b*, car qui pourrait gouverner
un peuple aussi grand que le tien ? »

¹¹ Dieu dit à Salomon : « Puisque tel est ton désir,
puisque tu n'as demandé ni richesse, ni trésors, ni gloire,
ni la vie de tes ennemis, puisque tu n'as pas même demandé
de longs jours, mais sagesse et savoir pour gouverner
mon peuple dont je t'ai établi roi, ¹² la sagesse et le savoir
te sont donnés. Je te donne aussi richesse, trésors et gloire
comme n'en eut aucun des rois qui t'ont précédé et comme
n'en auront point ceux qui viendront après toi *c*. »

---

a) L'auteur du livre des Rois, appartenant à l'école deutéronomiste,
trouvait un peu étranges ces sacrifices hors du lieu saint de Jérusalem
(1 R **3** 1-3); cf. Dt **12**. Mais Ézéchiel, après sa grande vision du Char divin
en Babylonie (Ez **1**), avait montré que la présence de Dieu n'était pas atta-
chée à un lieu et le Chroniste admet que seule cette présence compte. Dans
le N.T., le Christ explique à la Samaritaine que cette présence n'est pas
liée à un lieu, mais à l'Esprit et à la Vérité dont le corps du Christ est le
Temple (Jn **4** 24; cf. **14** 6; **15** 26; **16** 13 s; **2** 21).

b) Litt. « Pour que j'entre et je sorte à la tête de ce peuple »; cf. Nb **27**
21. La sagesse était en effet primitivement l'art de bien gouverner.

c) Le Chroniste abrège le discours de Dieu et supprime la promesse
de longue vie jointe à l'exigence de fidélité; Salomon n'avait pas été fidèle
et le Chroniste voit surtout dans l'alliance davidique une alliance indépendante de la faiblesse humaine, celle qu'annonçait Osée (**2** 21 s; **3** 5). Le
Christ rappelle la richesse de Salomon (Mt **6** 33).

¹³ Salomon quitta le haut lieu de Gabaôn pour Jérusalem, loin de la Tente de Réunion; il régna sur Israël.
¹⁴ Il rassembla des chars et des chevaux; il eut 1.400 chars
et 12.000 chevaux, et il les cantonna dans les villes des
chars et près du roi à Jérusalem. ¹⁵ Salomon fit que l'argent
et l'or[a] étaient aussi communs à Jérusalem que les cailloux,
et les cèdres aussi nombreux que les sycomores du Bas-
Pays. ¹⁶ Les chevaux de Salomon étaient exportés de
Muçur[b] et de Qevé; les courtiers du roi en prenaient
livraison à Qevé à prix d'argent. ¹⁷ Ils s'en allaient exporter
de Muçur des chars à six cents sicles l'unité et des chevaux
à cent cinquante sicles; il en était de même pour tous les
rois des Hittites et les rois d'Aram qui les importaient
par leur entremise.

‖ 1 R **10** 26-29 = 2 Ch **9** 25

**Derniers préparatifs.
Huram de Tyr[c].**

¹⁸ Salomon ordonna de
bâtir une maison au nom
de Yahvé et une autre pour
y régner lui-même. **2.** ¹ Il
enrôla 70.000 hommes pour le transport, 80.000 pour
extraire les pierres de la montagne et 3.600 contremaîtres[d].
² Puis Salomon envoya ce message à Huram, roi de
Tyr : « Agis comme tu l'as fait envers mon père David

= **2** 17
‖ 1 R **5** 29-30

‖ 1 R **5** 15-20

---

1 16. « *Muçur* » (*Cilicie*) *conj.*; « *Miçrayim* » (*Égypte*) H.
2 1. « *enrôla* »; *Var. G : « rassembla* ».

---

a) L'or n'est pas mentionné dans R. Au temps de Salomon l'argent
avait plus de valeur qu'il n'en eut plus tard. Le Chroniste a cherché et
retenu ce passage de R pour donner à Salomon les richesses nécessaires
à son entreprise. Ces richesses sont une conséquence de sa sagesse. Voir
aussi plus loin **9** 25.

b) Le texte a « Miçrayim » et il est probable qu'au temps du Chroniste
on voyait là l'Égypte. Mais cf. 1 R **10** 28.

c) Le Chroniste part des données du livre des Rois (1 R **5** 29-30) mais
il y ajoute ses propres développements, qui tiennent à sa théologie.

d) Ce v. se retrouve presque identique à la fin du ch.

en lui envoyant des cèdres pour se bâtir une maison où
4 il résiderait[a]. ³ Or voici que je bâtis une maison au nom
de Yahvé mon Dieu pour reconnaître sa sainteté, brûler
devant lui de l'encens parfumé, avoir en permanence des
pains rangés, offrir des holocaustes le matin, le soir, aux
sabbats, aux néoménies et aux solennités[b] de Yahvé notre
5 Dieu; et cela pour toujours en Israël. ⁴ La maison que je
bâtis sera grande, car notre Dieu est plus grand que tous
6 les dieux. ⁵ Qui aurait les moyens suffisants pour lui bâtir
une maison quand les cieux et les cieux des cieux ne le
peuvent contenir ? Et moi pourquoi donc lui bâtirai-je
une maison, sinon pour que les fumées montent devant
7 lui[c] ? ⁶ Envoie-moi maintenant un homme habile à travailler l'or, l'argent, le bronze, le fer, l'écarlate, le cramoisi et la pourpre violette[d], et connaissant l'art de la
gravure; il travaillera avec les artisans qui sont près de
moi dans Juda et à Jérusalem, eux que mon père David
8 a mis à ma disposition. ⁷ Envoie-moi du Liban des troncs
de cèdre, de pin et d'algummim[e], car je sais que tes serviteurs savent abattre les arbres du Liban. Mes serviteurs
9 travailleront avec les tiens. ⁸ Ils me prépareront du bois
en quantité, car la maison que je veux bâtir sera d'une
10 grandeur étonnante. ⁹ Je livre pour les bûcherons qui

---

3. « *offrir* » G ; *omis par* H.

a) Cf. 1 Ch **14** 1.
b) Ces expressions décrivent le culte rendu au Tabernacle dans les documents sacerdotaux : sanctifier Dieu (Nb **20** 12), faire fumer de l'encens
(Nb **17** 5), les pains rangés (Lv **24** 6), les holocaustes quotidiens et ceux
des fêtes (Nb **28**-29).
c) L'auteur tient à souligner cette idée que le Temple n'est que le « piédestal » de Dieu dont la Demeure est dans les cieux (cf. **6** 21).
d) Ces matières sont mentionnées dans la description de la Tente
(v. g. Ex **28** 5) plutôt que dans celle du Temple de Salomon (1 R **6** 7).
e) Cf. 1 R **10** 11 (écrit *'almuggîm*).

abattront les arbres 20.000 muids^a de froment, 20.000
muids d'orge, 20.000 mesures de vin et 20.000 mesures
d'huile, — ceci pour l'entretien de tes serviteurs. »

11   ¹⁰ Huram, roi de Tyr, répondit par une lettre qu'il
envoya à Salomon : « C'est parce qu'il aime son peuple
12 que Yahvé t'en a fait le roi. » ¹¹ Puis il s'écria : « Béni soit
Yahvé le Dieu d'Israël ! Il a fait les cieux et la terre, il
a donné au roi David un fils sage, sensé et intelligent,
qui va bâtir une maison pour Yahvé et une autre pour
13 y régner lui-même. ¹² J'envoie aussitôt un fin artiste,
14 Huram-Abi, ¹³ fils d'une Danite^b, et de père tyrien. Il
sait travailler l'or, l'argent, le bronze, le fer, la pierre, le   ‖ I R **7** 14
bois, l'écarlate, la pourpre violette, le byssus, le cramoisi,
graver n'importe quoi et tout inventer^c. C'est lui qu'on
fera travailler avec tes artisans et ceux de Monseigneur
15 David, ton père. ¹⁴ Que soient alors envoyés à ses serviteurs le froment, l'orge, l'huile et le vin dont a parlé
Monseigneur.

16   ¹⁵ « Quant à nous, nous abattrons au Liban tout le bois   ‖ I R **5** 22-26
dont tu auras besoin, nous l'amènerons à Joppé en radeaux^d
par mer, et c'est toi qui le feras monter à Jérusalem. »

17   ¹⁶ Salomon fit le compte

Les travaux.   de tous les étrangers en ré-
                        sidence^e en terre d'Israël,
d'après le recensement qu'en avait fait David son père,
18 et on en trouva 153.600. ¹⁷ Il en affecta 70.000 aux trans-   ‒ **2** 1

---

9. « *entretien* » ma'ǎkolèt *Vers.*; « *des coups* » makkôt *H.*

---

a) Sur le « muid », voir *Rois,* p. 41, note *a*. La « mesure » vaut un
peu plus de 22 litres.
b) De Nephtali dans le livre des Rois.
c) Le Chroniste songe au Bésaléel d'Ex **31** 2 s.
d) C'est ainsi que nous voyons convoyés les transports de bois sur les
reliefs assyriens.
e) Cf. I Ch **22** 2 et la note.

ports, 80.000 aux carrières de la montagne, 3.600 à la direction du travail de ces gens.

|| 1 R 6   **3.** ¹ Salomon commença alors la construction de la maison de Yahvé. C'était à Jérusalem, sur le mont Moriyya*ᵃ*, là où son père David avait eu une vision. C'était le lieu préparé par David, l'aire d'Ornân le Jébuséen *ᵇ*. ² Salomon commença les constructions au second mois de la quatrième année de son règne, le second jour. ³ Voici que l'édifice de la maison de Dieu, fondé par Salomon, eut une longueur de soixante coudées, — coudée d'ancienne mesure *ᶜ*, — et une largeur de vingt. ⁴ Le vestibule *ᵈ* qui se trouvait par devant avait une longueur de vingt coudées couvrant la largeur de la maison et une hauteur de cent vingt coudées. Salomon en revêtit d'or pur l'intérieur. ⁵ Quant à la grande salle, il la plaqua en bois de pin *ᵉ* qu'il recouvrit d'un bel or et y dressa des palmes et des guirlandes. ⁶ Il sertit alors la salle de pierres précieuses, éclatantes; l'or était de l'or de Parvayim *ᶠ*, ⁷ il en recouvrit la salle, les poutres, les seuils, les parois et les portes, et grava ensuite des chérubins sur les parois.

⁸ Puis il bâtit la salle du Saint des Saints *ᵍ* dont la lon-

---

3 2. « *le second jour* » *omis par* G (*peut-être dittographie en* H).

---

a) Josèphe nous apprend (*Ant. jud.*, I, xiii, 1, 2) que l'on voyait dans ce lieu celui où Abraham avait sacrifié Isaac. Voir Gn **22** 2 et la note.

b) Cf. 1 Ch **21** 15 s.

c) Cf. Ez **40** 5 sur les deux espèces de coudées.

d) Le *Ulam*, cf. 1 R **6** 3. Les dimensions étranges que lui donne le Chroniste, 10 m. de long sur 10 de large et 60 de haut, portent à croire qu'il songe aux pylônes qui donnent accès aux temples égyptiens en en accroissant extraordinairement la hauteur.

e) Ou de genévrier.

f) Site inconnu, sans doute en Arabie nord-est (El Farwaïm de l'historien arabe Hamdani).

g) Le Chroniste remplace le terme « Debir » (cf. v. 16) du livre des Rois par « Saint des saints ». Le premier évoquait la parole de Yahvé s'exprimant

gueur de vingt coudées couvrait la largeur de la grande
salle, et dont la largeur était de vingt coudées. Il la plaqua
pour six cents talents d'un bel or; ⁹ les clous d'or pesaient
cinquante sicles. Il plaqua d'or les chambres hautes*ᵃ*.
¹⁰ Dans la salle du Saint des Saints il fit deux chérubins,
ouvrage en métal forgé qu'il plaqua d'or. ¹¹ Les ailes des
chérubins avaient vingt coudées de long, chacune d'elles
ayant cinq coudées et touchant l'une à la paroi de la salle,
l'autre à celle de l'autre chérubin. ¹² L'une des ailes de
cinq coudées d'un chérubin touchait à la paroi de la salle;
la seconde, de cinq coudées, touchait à l'aile de l'autre
chérubin. ¹³ Déployées, les ailes de ces chérubins mesu-
raient vingt coudées. Eux-mêmes se tenaient debout, face
à la Salle.

¹⁴ Il fit le Voile *ᵇ* de pourpre violette, d'écarlate, de cramoisi et de byssus; il y dressa des chérubins.

¹⁵ Devant la salle, il fit deux colonnes *ᶜ* longues de   ‖ ₁ R **7** 15-22
trente-cinq coudées que surmontait un chapiteau de cinq
coudées *ᵈ*. ¹⁶ Dans le Debir, il tressa des guirlandes qu'il
disposa au haut des colonnes et fit cent grenades qu'il mit
dans les guirlandes. ¹⁷ Il dressa les colonnes devant le

---

12. *Omis par* G*ᴮ*.
16. « *Dans le Debir* » *omis par Syr.*

---

sur l'Arche d'Alliance (Nb **7** 89). Le nouveau terme évoque le caractère
sacro-saint du sacerdoce et du grand prêtre qui seul pénètre une fois l'an
dans cette salle (Lv **16** 17).

a) Cf. 2 R **23** 12. Le livre des Rois n'en parle pas ici.

b) C'est le voile de la Tente de l'Exode (Ex **26** 31). A sa place il y avait
dans le Temple de Salomon une porte avec deux vantaux (1 R **6** 31).

c) Cf. 1 R **7** 15. Le Chroniste semble avoir doublé leur hauteur, peut-
être pour les adapter à la hauteur qu'il donne au Vestibule.

d) L'auteur ne retient que quelques brefs versets de la longue description du Temple donnée dans le livre des Rois, cette description étant
devenue peu intelligible pour ses contemporains.

Hékal, l'une à droite et l'autre à gauche, et il appela Yakìn celle de droite, Boaz celle de gauche.

4. [1] Il fit un autel de bronze[a], long de vingt coudées, large de vingt et haut de dix. [2] Puis il coula la Mer en métal fondu, de dix coudées de bord à bord, à pourtour circulaire, de cinq coudées de hauteur; un fil de trente coudées en mesurait le tour. [3] Il y avait sous le pourtour des animaux ressemblant à des bœufs[b], l'encerclant tout autour. Incurvées sur dix coudées du pourtour de la Mer, deux rangées de bœufs avaient été coulées avec la masse. [4] La Mer reposait sur douze bœufs, trois regardaient vers le nord, trois regardaient l'ouest, trois regardaient le sud, trois regardaient l'est : la Mer s'élevait au-dessus d'eux et tous leurs arrière-trains étaient tournés vers l'intérieur. [5] Son épaisseur était d'un palme et son bord avait la même forme que le bord d'une coupe, comme une fleur. Elle pouvait contenir trois mille mesures[c].

‖ I R 7 23-26

‖ I R 7 38-39

[6] Il fit dix bassins et en plaça cinq à droite et cinq à gauche pour y laver la victime de l'holocauste que l'on y purifiait[d], mais c'est dans la Mer que les prêtres se lavaient[e].

---

a) A l'imitation de celui de Gabaôn selon le Chroniste. Les dimensions de cet autel sont considérables; comparer avec I R 8 64. L'auteur s'intéresse au mobilier du Temple qui, ramené de Babylone par Sheshbaççar (Esd 1 8), avait pris place dans le second Temple. Le Chroniste suit de très près sa source.

b) Le livre des Rois parlait de coloquintes. Le terme était rare et difficile, le Chroniste y voit des bœufs, mais il parle seulement de « ressemblance » pour éviter que l'on songe aux idoles du royaume du Nord. Il se représente ces figures disposées sur deux rangées autour de cette demi-sphère qu'est la Mer. Elles sont appliquées verticalement sur 10 coudées (deux fois la hauteur de 5 coudées). C'est une tentative du Chroniste pour expliquer un texte difficile (cf. I R 7 24 et la note textuelle).

c) Près de 70.000 litres. Là encore le Chroniste a augmenté les chiffres du livre des Rois qui ne donne que 2.000 mesures à la Mer.

d) Le lavage de la victime vaut purification rituelle.

e) C'est la fonction donnée à la Mer et aux bassins à l'époque du Chroniste, mais il est possible qu'à l'origine la Mer ait tenu à Jérusalem le rôle des lacs sacrés égyptiens, symbole de l'océan primordial.

⁷ Il fit les dix chandeliers d'or du modèle prescrit et les   ‖ 1 R **7** 49
mit dans le Hékal, cinq à droite et cinq à gauche. ⁸ Il fit
dix tables *a* qu'il installa dans le Hékal, cinq à droite et   ‖ 1 R **7** 50
cinq à gauche. Il fit cent coupes d'aspersion en or.

⁹ Il fit le parvis des prêtres *b*, la grande cour et ses portes   1 R **7** 12
qu'il revêtit de bronze. ¹⁰ Quant à la Mer *c*, il l'avait placée
à distance du côté droit, au sud-est.

¹¹ Huram fit les vases à cendres, les pelles, les bols à   1 R **7** 39-51
aspersion. Il acheva tout l'ouvrage dont l'avait chargé
le roi Salomon pour le Temple de Dieu :

¹² deux colonnes; les tores des chapiteaux qui étaient
au sommet des colonnes; les deux treillis pour couvrir
les deux tores des chapiteaux qui étaient au sommet des
colonnes; ¹³ les quatre cents grenades pour les deux
treillis : les grenades pour chaque treillis étaient en deux
rangées;

¹⁴ les dix bases et les dix bassins sur les bases;

¹⁵ la Mer unique et les douze bœufs sous la Mer;

¹⁶ les vases à cendres, les pelles, les fourchettes, et tous
leurs accessoires que fit en bronze poli Huram-Abi pour
le roi Salomon, pour le Temple de Yahvé. ¹⁷ C'est dans
le district du Jourdain que le roi les coula en pleine terre,
entre Sukkot et Çeréda *d*. ¹⁸ Salomon fit tous ces objets

---

4 13. *A la fin on omet « pour couvrir les deux tores... etc. » (doublet de 12*b*).*
14. *« dix » (bis)* 'èšèr 1 R **7** 50; *« il fit »* 'âśâh H.

---

a) Cf. 1 Ch, p. 124, note *c*.
b) Le Temple de Salomon comportait une cour intérieure et une cour
extérieure, mais c'est à partir d'Ézéchiel que l'on entendit réserver la
première aux prêtres (Ez **42** 13).
c) Le Chroniste avait dû modifier ou transposer quelques-unes des précédentes données en fonction du Temple de son temps, il reprend maintenant le texte du livre des Rois qui lui offre un résumé commode.
d) Le nom des villes paraît mieux conservé en 1 R **7** 46.

en grand nombre, car on ne calculait pas le poids du bronze.

¹⁹ Salomon fit tous les objets destinés au Temple de Dieu : l'autel d'or et les tables sur lesquelles étaient les pains d'oblation*a*; ²⁰ les chandeliers et leurs lampes qui devaient, selon la règle, briller devant le Debir, en or fin; ²¹ les fleurons, les lampes et les mouchettes, en or (et c'était de l'or pur*b*); ²² les couteaux, les coupes d'aspersion, les coupes et les encensoirs, en or fin; l'entrée du Temple, les portes intérieures (pour le Saint des Saints*c*) et les portes du Temple (pour le Hékal), en or.

5. ¹ Alors fut achevé tout le travail que fit Salomon pour le Temple de Yahvé; et Salomon apporta ce que son père David avait consacré, l'argent, l'or et tous les vases, qu'il mit dans le trésor du Temple de Dieu.

|| 1 R **8** 1-9

Transfert de l'arche*d*.   ² Alors Salomon convoqua à Jérusalem les anciens d'Israël, tous les chefs des tribus et les princes des familles israélites, pour faire monter de la Cité de David, qui est Sion, l'arche de l'alliance de Yahvé. ³ Tous les hommes d'Israël se rassemblèrent auprès du roi, au septième mois*e*, pendant la fête. ⁴ Tous les anciens d'Israël vinrent, et ce furent les lévites*f* qui portèrent l'arche. ⁵ Ils portèrent l'arche et la Tente

---

a) Litt. « pains de la Face », c'est-à-dire de la présence de Dieu.

b) Sens incertain. En hébr. *miklôt zâhâb*.

c) Le « Saint des saints », appelé Debir dans le livre des Rois.

d) L'auteur n'a eu ici qu'à suivre le livre des Rois dont le texte correspondait à son plan.

e) Le livre des Rois donnait le nom ancien de ce mois, nom qui avait cessé d'être en usage après l'exil.

f) Le livre des Rois parlait ici des prêtres, mais le Chroniste tient compte de Nb **1** 50 s (cf. 1 Ch **15** 2).

de Réunion avec tous les objets sacrés qui y étaient; ce sont les prêtres lévites[a] qui les transportèrent[b].

⁶ Puis le roi Salomon et toute la communauté d'Israël, réunie près de lui devant l'arche, sacrifièrent moutons et bœufs en quantité innombrable et incalculable. ⁷ Les prêtres apportèrent l'arche de l'alliance de Yahvé à sa place, au Debir du Temple, c'est-à-dire au Saint des Saints, sous les ailes des chérubins. ⁸ Les chérubins étendaient leurs ailes au-dessus de l'emplacement de l'arche et abritaient l'arche et ses barres. ⁹ Celles-ci étaient assez longues pour qu'on vît leur extrémité depuis le Saint, devant le Debir, mais pas en dehors de là; elles y sont restées jusqu'à ce jour. ¹⁰ Il n'y avait rien dans l'arche, sauf les deux tables que Moïse y déposa à l'Horeb, où Yahvé avait conclu une alliance avec les Israélites à leur sortie d'Égypte.

¹¹ᵃ Or, quand les prêtres sortirent du sanctuaire, ¹³ᵇ le sanctuaire fut rempli par une nuée, le Temple de Yahvé.

Dieu prend possession de son Temple[c].

‖ I R **8** 10-13

¹¹ᵇ En effet tous les prêtres qui se trouvaient là s'étaient sanctifiés sans garder l'ordre des classes[d]. ¹² Les chantres lévites au complet : Asaph, Hémân et Yedutûn avec leurs

---

5 5. « *les prêtres lévites* »; *Var. G* : « *les prêtres et les lévites* ».
9. « *le Saint* » haqqodèš *G*, I R **8** 8; « *l'arche* » hâ'ârôn *H*.
13ᵇ. « *le Temple de Yahvé* »; *Var. G* : « *de la gloire de Yahvé* ».

---

a) Cette expression deutéronomique permet au Chroniste d'unir les deux traditions. Voir aussi **23** 18 et **30** 27.

b) Cette dernière phrase semble bien être absente du texte original du livre des Rois et être une addition du Chroniste, inspiré par Nb **1**-4.

c) Ce paragraphe est un développement du Chroniste sur l'événement raconté dans le livre des Rois, qu'il suit d'ailleurs, en intercalant son propre apport. Comme il l'avait fait en décrivant la cérémonie du transport de l'arche, le Chroniste met en relief la partie psalmique et musicale du culte. Il y a là de plus une légère critique du sacerdoce sadocite comme en **30** 3.

d) Cf. I Ch **24**.

fils et leurs frères s'étaient revêtus de byssus et jouaient
de la cymbale, de la lyre et de la cithare en se tenant à
l'orient de l'autel. Cent vingt prêtres les accompagnaient
en sonnant des trompettes. [13a] Chacun de ceux qui jouaient
de la trompette ou qui chantaient, louaient et célébraient
Yahvé d'une seule voix. Élevant la voix au son des trompettes, des cymbales et des instruments d'accompagnement, ils louaient Yahvé « car il est bon, car éternel est
son amour ».

[14] Les prêtres ne purent pas continuer leur fonction,
à cause de la nuée : la gloire de Yahvé avait rempli le
Temple de Dieu ! 6.   [1] Alors Salomon dit :

« Yahvé a décidé d'habiter la nuée obscure.
  [2] Moi, je t'ai construit une demeure sublime,
  une demeure où tu résides à jamais. »

|| 1 R 8 14-21

**Discours de Salomon
au peuple.**

[3] Puis le roi se retourna
et bénit toute l'assemblée
d'Israël. Toute l'assemblée
d'Israël se tenait debout; [4] il dit :

« Béni soit Yahvé, Dieu d'Israël, qui a accompli de sa
main ce qu'il avait promis de sa bouche à mon père David
en ces termes : [5] ' Depuis le jour où j'ai fait sortir mon
peuple du pays d'Égypte, je n'ai pas choisi de ville, dans
toutes les tribus d'Israël, pour qu'on y bâtît une maison
où réside mon Nom, ni choisi d'homme pour qu'il fût chef
de mon peuple Israël. [6] Mais je choisis Jérusalem pour qu'y
réside mon Nom et je choisis David pour qu'il commande
à mon peuple Israël. '

[7] « Mon père David eut dans l'esprit de bâtir une maison
pour le Nom de Yahvé, Dieu d'Israël, [8] mais Yahvé lui

———————————
6 6a *omis par* G.

dit : ' Tu as eu dans l'esprit de bâtir une maison pour mon Nom, et tu as bien fait. [9] Seulement, ce n'est pas toi qui bâtiras cette maison, c'est ton fils, issu de tes reins, qui bâtira la maison pour mon Nom. ' [10] Yahvé a réalisé la parole qu'il avait dite : j'ai succédé à mon père David et je me suis assis sur le trône d'Israël comme avait dit Yahvé, j'ai construit la maison pour le Nom de Yahvé, Dieu d'Israël, [11] et j'y ai placé l'arche où est l'alliance que Yahvé a conclue avec les enfants d'Israël. »

Prière personnelle de Salomon.

[12] Puis il se tint devant l'autel de Yahvé, en présence de toute l'assemblée d'Israël et il étendit les mains. [13] Or Salomon avait fait un socle de bronze qu'il avait mis au milieu de la cour; il avait cinq coudées de long, cinq de large et trois de haut. Salomon y monta, s'y tint et s'y agenouilla en présence de toute l'assemblée d'Israël[a]. Il étendit les mains vers le ciel [14] et dit :

|| 1 R 8 22-29

« Yahvé, Dieu d'Israël ! Il n'y a aucun Dieu pareil à toi dans les cieux ni sur la terre, toi qui es fidèle à l'alliance et gardes la bienveillance à l'égard de tes serviteurs, quand ils marchent de tout leur cœur devant toi. [15] Tu as tenu à ton serviteur David, mon père, la promesse que tu lui avais faite, et ce que tu avais dit de ta bouche, tu l'as accompli aujourd'hui de ta main. [16] Et maintenant, Yahvé, Dieu d'Israël, tiens à ton serviteur David, mon père, la promesse que tu lui as faite, quand tu as dit : ' Tu ne seras jamais dépourvu d'un descendant qui soit devant moi,

---

a) Cette phrase est une insertion du Chroniste, insertion qui l'oblige même à se répéter. Il semble que de son temps on ne pouvait concevoir que le roi prie comme un prêtre devant l'autel. Ézéchiel a retiré au roi ses fonctions sacrées et le Chroniste se représente le roi devant l'assemblée. Il est à genoux sur une sorte de podium comme on en retrouve sur certaines stèles orientales; mais là le roi se tient debout.

assis sur le trône d'Israël, à condition que tes fils veillent
à leur conduite et suivent ma loi[a] comme tu as fait toi-
même. ' [17] Maintenant donc, Yahvé, Dieu d'Israël, que
se vérifie la parole que tu as dite à ton serviteur David !
[18] Mais Dieu habiterait-il vraiment avec les hommes sur
la terre ? Voici que les cieux et les cieux des cieux ne le
peuvent contenir, moins encore cette maison que j'ai
construite ! [19] Sois attentif à la prière et à la supplication
de ton serviteur, Yahvé, mon Dieu, entends l'appel et la
prière que ton serviteur fait devant toi ! [20] Que tes yeux
soient ouverts jour et nuit sur cette maison, sur ce lieu
où tu as dit mettre ton Nom. Écoute la prière que ton
serviteur fera en ce lieu.

‖ 1 R **8** 30-51

**Prière
pour le peuple**[b].

[21] « Écoute les supplica-
tions de ton serviteur et
de ton peuple Israël, lorsqu'ils prieront en ce lieu.
Toi, écoute du lieu où tu résides, du ciel, écoute et pardonne.

[22] « Si un homme pèche contre son prochain, et que
celui-ci prononce sur lui un serment imprécatoire et le
fasse jurer devant ton autel dans ce Temple, [23] toi, écoute
du ciel et agis ; juge entre tes serviteurs : rends au méchant
son dû en faisant retomber sa conduite sur sa tête, et justifie l'innocent en lui rendant selon sa justice.

---

22. « *prononce* » nâsâ' *G ;* « *s'engage* » (*par un prêt*) nâsâ' *H.*

---

a) Le livre des Rois disait seulement « devant moi ». Le Chroniste précise ainsi comment on se tient en la présence de Yahvé.
b) Le Chroniste a conservé cette belle prière déjà incluse dans le livre
des Rois. Elle est introduite par le rappel de l'ancienne coutume sémitique
de déférer par serment à Dieu dans son sanctuaire les causes difficiles
(Ex **22** 8), mais elle prend immédiatement une autre envolée et invoque
le Dieu qui réside au ciel tout en ayant choisi ce lieu pour y exaucer les
prières.

²⁴ « Si ton peuple Israël est battu devant l'ennemi parce qu'il aura péché contre toi, s'il se convertit, loue ton Nom, prie et supplie devant toi dans ce Temple, ²⁵ toi, écoute du ciel, pardonne le péché de ton peuple Israël, et ramène-le dans le pays que tu lui as donné comme à ses pères.

²⁶ « Quand le ciel sera fermé et qu'il n'y aura pas de pluie parce qu'ils auront péché contre toi, s'ils prient en ce lieu, louent ton Nom, se repentent de leur péché, parce que tu les auras humiliés, ²⁷ toi, écoute du ciel, pardonne le péché de tes serviteurs et de ton peuple Israël, — tu leur indiqueras la bonne voie qu'ils doivent suivre, — et arrose de pluie ta terre, que tu as donnée en héritage à ton peuple.

²⁸ « Quand le pays subira la famine, la peste, la rouille ou la nielle, quand surviendront les sauterelles ou les criquets, quand l'ennemi de ce peuple assiégera l'une de ses portes, quand il y aura n'importe quel fléau ou quelle épidémie, ²⁹ quelle que soit la prière ou la supplication, qu'elle soit d'un homme quelconque ou de tout Israël ton peuple, si l'on éprouve peine ou douleur et si l'on tend les mains vers ce Temple, ³⁰ toi, écoute du ciel où tu résides, pardonne et rends à chaque homme selon sa conduite, puisque tu connais son cœur, — tu es le seul à connaître le cœur des hommes, — ³¹ en sorte qu'ils te craindront et suivront tes voies tous les jours qu'ils vivront sur la terre que tu as donnée à nos pères.

³² « Même l'étranger[a] qui n'est pas d'Israël ton peuple, s'il vient d'un pays lointain à cause de la grandeur de ton Nom, de ta main forte et de ton bras étendu, s'il vient et prie dans ce Temple, ³³ toi, écoute du ciel où tu résides, exauce toutes les demandes de l'étranger afin que tous

---

a) L'étranger de race et non le réfugié.

les peuples de la terre reconnaissent ton Nom et te craignent comme le fait Israël ton peuple, et qu'ils sachent que ton Nom est attaché à ce Temple que j'ai bâti.

[34] « Si ton peuple part en guerre contre ses ennemis par le chemin où tu l'auras envoyé, s'il te prie, tourné vers la ville que tu as choisie et vers le Temple que j'ai construit pour ton Nom, [35] écoute du ciel sa prière et sa supplication et fais-lui justice.

[36] « Quand ils pécheront contre toi, — car il n'y a aucun homme qui ne pèche, — quand tu seras irrité contre eux, quand tu les livreras à l'ennemi et que leurs conquérants les emmèneront captifs dans un pays lointain ou proche, [37] s'ils rentrent en eux-mêmes, dans le pays où ils auront été déportés, s'ils se repentent et te supplient dans le pays de leur captivité en disant : 'Nous avons péché, nous avons mal agi, nous nous sommes pervertis', [38] s'ils reviennent à toi de tout leur cœur et de toute leur âme dans le pays de leur captivité où ils ont été déportés et s'ils prient tournés vers le pays que tu as donné à leurs pères, vers la ville que tu as choisie et le Temple que j'ai bâti pour ton Nom, [39] écoute du ciel où tu résides, écoute leur prière et leur supplication, fais-leur justice et pardonne à ton peuple les péchés commis envers toi.

|| 1 R **8** 52

**Conclusion
de la prière.**

[40][a] « Maintenant, ô mon Dieu, que tes yeux soient ouverts et tes oreilles attentives aux prières faites en ce lieu ! [41] Et maintenant

|| Ps **132** 8-11

Dresse-toi, Yahvé Dieu,
fixe-toi, toi et l'arche de ta force !

---

a) Le Chroniste abrège ici considérablement, omet ce qui se rapporte à l'exil et ajoute un fragment du Ps **132** qui évoque à la fois le sacerdoce et la monarchie davidique.

Que tes prêtres, Yahvé Dieu, se revêtent de salut
et que tes fidèles jubilent dans le bonheur !
[42] Yahvé Dieu, n'écarte pas la face de ton oint,
souviens-toi des grâces faites à David ton serviteur ! »

7. [1] Quand Salomon eut
La dédicace. fini de prier, le feu descendit
du ciel[a], consuma l'holo-
causte et les sacrifices, et la gloire de Yahvé remplit le
Temple. [2] Les prêtres ne purent entrer dans la maison de   = **5** 14
Yahvé, car la gloire de Yahvé remplissait la maison de
Yahvé. [3] Tous les enfants d'Israël, voyant le feu descendre et la gloire de Yahvé reposer sur le Temple, se
prosternèrent face contre terre sur le pavé; ils adorèrent
et célébrèrent Yahvé « car il est bon, car éternel est son
amour ». [4] Le roi et tout le peuple sacrifièrent devant
Yahvé. [5] Le roi Salomon immola en sacrifice 22.000 bœufs   ‖ 1 R **8** 62-63
et 120.000 moutons, et le roi et tout le peuple dédièrent
le Temple de Dieu. [6][b] Les prêtres se tenaient à leur poste
et les lévites célébraient Yahvé avec les instruments
qu'avait faits le roi David pour accompagner les cantiques
de Yahvé « car éternel est son amour ». C'étaient eux qui
exécutaient les louanges composées par David. A leurs
côtés, les prêtres sonnaient de la trompette et tout Israël
se tenait debout.

[7] Salomon consacra le milieu de la cour qui était devant   ‖ 1 R **8** 64-66

---

a) Cf. 1 Ch **21** 26 et la note. Le Chroniste remplace par trois versets
repris de **5** 13-14 la bénédiction que Salomon donne au peuple dans le
livre des Rois. A son époque, cette bénédiction était réservée aux prêtres
(Nb **6** 22 s; cf. 1 Ch **23** 13). Sur la gloire de Yahvé, voir Ex **24** 16.

b) Ce v. est propre au Chroniste. Il rattache à David l'exécution par les
lévites du chant des Psaumes et semble considérer comme accessoires les
antiques sonneries de trompettes des prêtres, d'origine mosaïque (Nb **10**
1-10). C'est encore un indice que le culte davidique qu'il envisage pour
l'ère messianique doit être un culte où dominent les dispositions pro-
fondes du cœur humain, qu'exprime le chant sacré (cf. Os **14** 3[b]).

le Temple de Yahvé, car c'est là qu'il offrit les holocaustes et les graisses des sacrifices de communion. L'autel de bronze qu'avait fait Salomon ne pouvait en effet contenir l'holocauste, l'oblation et les graisses. [8] En ce temps-là, Salomon célébra la fête pendant sept jours et tous les Israélites avec lui, rassemblés en très grand nombre depuis l'Entrée de Hamat[a] jusqu'au Torrent d'Égypte. [9] Le huitième jour[b] eut lieu une réunion solennelle, car on avait célébré la dédicace de l'autel pendant sept jours et célébré la fête pendant sept jours. [10] Le vingt-troisième[c] jour du septième mois Salomon renvoya le peuple chacun chez soi, joyeux et le cœur content du bien que Yahvé avait fait à David, à Salomon et à Israël son peuple.

|| I R **9** 1-9

Avertissement divin[d].

[11] Salomon acheva le Temple de Yahvé et le palais royal et il mena à bien tout ce qu'il désirait faire dans la maison de Yahvé et la sienne. [12] Yahvé apparut alors de nuit à Salomon et lui dit[e] : « J'ai entendu ta prière et je me suis choisi ce lieu pour qu'il soit la maison des sacrifices. [13] Quand je fermerai le ciel et que la pluie fera défaut, quand j'ordonnerai à la saute-

---

7 10. « *Salomon renvoya* » *conj.*; « *il renvoya* » H.

a) Cf. Nb **13** 21.

b) Le Chroniste place au huitième jour de la fête, qu'ignorait le livre des Rois, mais que connaissent les documents sacerdotaux du Pentateuque (Lv **23** 36; Nb **29** 35-38), une réunion solennelle (une 'aṣeret), comme en Ne **8** 18, en action de grâces pour les festivités qui viennent de se dérouler.

c) Cette chronologie suppose que la fête des Tentes (du 15 au 22 du mois) de cette année-là s'est ajoutée à celle de la Dédicace (du 8 au 14).

d) C'est aussi une réponse divine à la grande prière du roi.

e) Les vv. 12ᵇ-16 sont propres au Chroniste et reprennent certains éléments de la prière, en insistant sur la pénitence.

relle de dévorer le pays, quand j'enverrai la peste sur mon peuple, [14] si mon peuple sur qui est invoqué mon Nom s'humilie, prie, recherche ma présence et se repent de sa mauvaise conduite, moi, du ciel, j'écouterai, je pardonnerai ses péchés et je restaurerai son pays. [15] Désormais mes yeux sont ouverts, et mes oreilles attentives à la prière faite en ce lieu. [16] J'ai désormais choisi et consacré cette maison afin que mon Nom y soit à jamais; mes yeux et mon cœur y seront toujours. [17][a] Pour toi, si tu marches devant moi comme a fait ton père David, si tu agis selon tout ce que je te commande et si tu observes mes lois et mes ordonnances, [18] je maintiendrai ton trône royal comme je m'y suis engagé envers ton père David quand j'ai dit : ' Il ne te manquera jamais un descendant qui règne en Israël. ' [19] Mais si vous m'abandonnez, si vous délaissez les lois et les commandements que je vous ai proposés, si vous allez servir d'autres dieux et leur rendez hommage, [20] j'arracherai les Israélites à mon pays que je leur avais donné; ce Temple que j'ai consacré à mon Nom, je le rejetterai de ma présence et j'en ferai la fable et la risée de tous les peuples. [21] Ce Temple qui aura été sublime, tous ceux qui le longeront s'écrieront dans la stupeur : ' Pourquoi Yahvé a-t-il fait cela à ce pays et à ce Temple ? ' [22] Et l'on répondra : ' Parce qu'ils ont abandonné Yahvé, le Dieu de leurs pères, qui les avait fait sortir du pays d'Égypte, qu'ils se sont attachés à d'autres dieux et qu'ils leur ont rendu hommage et culte, voilà pourquoi il leur a envoyé tous ces maux '. »

---

20. « *j'arracherai les Israélites* »; *Var. Vers.* : « *je vous arracherai* ».

---

a) A la fin de cet oracle, qui reprend des idées déjà exprimées, le Chroniste allège très discrètement le texte du livre des Rois.

|| 1 R 9 10-25

Conclusion : Achèvement des constructions[a].

8. [1] Au bout des vingt années pendant lesquelles Salomon construisit le Temple de Yahvé et son propre palais, [2] il restaura les villes que lui avait données Huram[b] et y établit les enfants d'Israël. [3] Puis il alla à Hamat de Çoba[c], dont il se rendit maître ; [4] il restaura Tadmor dans le désert[d] et toutes les villes de garnison qu'il avait édifiées dans le pays de Hamat. [5] Il restaura Bet-Horôn-le-Haut et Bet-Horôn-le-Bas, villes fortifiées, munies de murs, de portes et de barres, [6] ainsi que Baalat, toutes les villes de garnison qu'avait Salomon, toutes les villes de chars et les villes de chevaux, et ce qu'il plut à Salomon de construire à Jérusalem, au Liban et dans tous les pays qui lui étaient soumis.

[7] Tout ce qui restait des Hittites, des Amorites, des Perizzites, des Hivvites et des Jébuséens, qui n'étaient pas des Israélites [8] et dont les descendants étaient restés après eux dans le pays sans être exterminés par les Israélites, Salomon les leva comme hommes de corvée ; ils le

a) Le Chroniste se devait de garder ces textes du livre des Rois, qui montrent la réalisation des bénédictions divines accordées au Temple. Mais il supprime maintenant nombre de détails historiques ou anecdotiques pour ne conserver qu'un tableau grandiose et hyperbolique de l'activité du roi.

b) Dans le livre des Rois c'est Salomon qui a dû les donner à Hiram.

c) Cette campagne n'est pas mentionnée dans les Rois. Les livres des Rois et de Samuel distinguent Hamat et Çoba. En 1 Ch **18** 3 le Chroniste a rapproché ces deux pays à l'occasion d'une campagne de David. De même que les inscriptions triomphales des Pharaons leur attribuaient souvent les victoires de leurs prédécesseurs, il se peut que pour rehausser son tableau le Chroniste ait ici attribué à Salomon la victoire de David dont il est question en 2 S **8** 9 ; **10** 8 (cf. 1 Ch **18** 3 s ; **19** 16).

d) Voici un nouvel indice sur le caractère littéraire de ce morceau. Au v. 18 le livre des Rois parlait de la restauration de Tamar, sans doute petite ville près de la mer Morte ; le Chroniste y a vu la grande cité de Tadmor qui n'est autre que Palmyre, dans le désert de Syrie.

sont encore. ⁹ Mais Salomon ne fit point des Israélites des esclaves travaillant pour lui, car ils servaient comme soldats : ils étaient les officiers de ses écuyers, les officiers de sa charrerie et de sa cavalerie. ¹⁰ Voici les officiers des préfets dont disposait le roi Salomon : deux cent cinquante qui commandaient au peuple.

¹¹ Salomon fit monter de la Cité de David la fille de Pharaon jusqu'à la maison qu'il lui avait construite. Il disait en effet : « Une femme ne saurait demeurer à cause de moi dans le palais de David, roi d'Israël; ce sont des lieux sacrés où vint l'arche de Yahvé ᵃ. »

¹² Salomon offrit alors des holocaustes à Yahvé sur l'autel de Yahvé qu'il avait bâti devant le Vestibule ᵇ. ¹³ Selon l'ordre quotidien des holocaustes, conformément à la règle mosaïque sur les sabbats, les néoménies et les trois solennités annuelles : la fête des Azymes, la fête des Semaines et la fête des Tentes ᶜ, ¹⁴ il maintint le règlement de David son père, ainsi que les classes des prêtres dans leur service, les ordonnances relatives aux lévites qui louaient et officiaient près des prêtres selon le rituel quotidien, les classes respectives des portiers à chaque porte, car telles avaient été les prescriptions de David, homme de Dieu. ¹⁵ Sur aucun point, même au sujet des réserves, ils ne s'écartèrent des prescriptions royales relatives aux

---

8 9. *Après « Israélites » on omet un relatif inintelligible en* H.

---

a) Cette explication n'est pas dans le livre des Rois. La crainte des abus qui s'étaient commis dans les sanctuaires sous la monarchie amena l'époque postexilique à être assez stricte sur la présence des femmes dans le Temple, et au Iᵉʳ siècle elles ne pouvaient pénétrer dans le parvis intérieur dit « parvis d'Israël ».

b) Dans cette finale le Chroniste transforme profondément le v. 25 du livre des Rois. Pour lui le culte dans le Temple qui vient d'être construit assure l'exécution du rituel prévu au Pentateuque, donc mosaïque (Lv **23**; Nb **28**-**29**), et du règlement davidique exposé en 1 Ch **23**-**26**.

c) Sur ces fêtes, voir Ex **23** 14-17; **34** 18-23; Dt **16** 1-16; Lv **23**.

prêtres et aux lévites. [16] Et toute l'œuvre de Salomon qui n'avait été que préparée jusqu'au jour de la fondation du Temple de Yahvé, fut parfaite[a] lorsqu'il eut achevé le Temple de Yahvé.

|| I R **9** 26-28

Gloire de Salomon.

[17] Alors Salomon gagna Écyôn-Géber[b] et Élat, au bord de la mer, au pays d'Édom. [18] Huram lui envoya des navires montés par ses serviteurs ainsi que des marins expérimentés. Avec les serviteurs de Salomon ils allèrent à Ophir et en rapportèrent quatre cent cinquante[c] talents d'or qu'ils remirent au roi Salomon.

|| I R **10** 1-13

9. [1] La reine de Saba apprit la renommée de Salomon et vint à Jérusalem l'éprouver par des énigmes. Elle arriva avec de très grandes richesses, des chameaux chargés d'aromates, quantité d'or et de pierres précieuses. Quand elle se fut rendue auprès de Salomon, elle s'entretint avec lui de tout ce qu'elle avait médité. [2] Salomon l'éclaira sur toutes ses questions et aucune ne fut pour lui un mystère qu'il ne pût élucider. [3] Lorsque la reine de Saba vit la sagesse de Salomon, le palais qu'il s'était construit, [4] le menu de sa table, le placement de ses officiers, le service de ses gens et leur livrée, ses échansons et leur livrée, les holocaustes qu'il offrait au Temple de Yahvé, le cœur lui

---

16. « *jusqu'au jour* »; *Var. Vers.* : « *à partir du jour* ».
9 4. « *les holocaustes qu'il offrait* » ʿolôt ăšèr yaʿălèh *d'après Vers.* I R **10** 15; « *sa chambre haute où il montait* » ʿăliyyâtô ăšèr yaʿălèh *H.*

---

a) Noter cette perfection de l'œuvre de l'héritier davidique par rapport à ce qui précède. Saint Matthieu opposera de même loi ancienne et loi nouvelle.
b) Le livre des Rois ne connaît pas ce déplacement personnel de Salomon ni ce transport de vaisseaux de Méditerranée en mer Rouge. Mais les grands conquérants comme Cyrus et Alexandre se déplaçaient, et Néchao joignit le Nil à la mer Rouge par un canal que Darius et les Ptolémées réutilisèrent.
c) Le chiffre de 420 du livre des Rois a encore été majoré.

manqua [5] et elle dit au roi : « Ce que j'ai entendu dire
dans mon pays sur toi et sur ta sagesse était donc vrai ! [6] Je
n'ai pas voulu croire ce qu'on disait avant de venir et de
voir de mes yeux, mais vraiment on ne m'avait pas appris
la moitié de l'étendue de ta sagesse : tu surpasses la renommée dont j'avais eu l'écho. [7] Bienheureuses tes femmes,
bienheureux tes serviteurs que voici, qui se tiennent conti-
nuellement devant toi et qui entendent ta sagesse ! [8] Béni
soit Yahvé, ton Dieu, qui t'a montré sa faveur en te pla-
çant sur son trône[a] comme roi au nom[b] de Yahvé ton
Dieu; c'est parce que ton Dieu aime Israël et veut le
maintenir à jamais qu'il t'en a donné la royauté pour exercer le droit et la justice. » [9] Elle donna au roi cent vingt
talents d'or, une grande quantité d'aromates et des pierres
précieuses. Les aromates que la reine de Saba apporta au
roi Salomon étaient incomparables. [10] De même les serviteurs de Huram et les serviteurs de Salomon qui rapportèrent l'or d'Ophir, ramenèrent en plus du bois
d'algummim et des pierres précieuses. [11] Le roi fit avec
le bois d'algummim des planchers[c] pour le Temple de
Yahvé et pour le palais royal, des lyres et des harpes pour
les musiciens; on n'avait encore jamais rien vu de pareil
dans le pays de Juda. [12] Quant au roi Salomon, il offrit
à la reine de Saba tout ce dont elle manifesta l'envie, sans
compter ce qu'elle avait apporté au roi[d]. Puis elle s'en
retourna et alla dans son pays, elle et ses serviteurs.

---

7. « *tes femmes* » nâšêkâ 1 *R* **10** 8 *G* ; « *tes gens* » 'ănâšêkâ *H*.

---

a) Le Chroniste souligne que Dieu reste le roi d'Israël.
b) Litt. « pour Yahvé ton Dieu ».
c) Litt. « chaussées ».
d) Le livre des Rois rédige la phrase autrement. Il semble que dans la
pensée du Chroniste la magnificence de Salomon aille jusqu'à rendre à la
reine les cadeaux qu'elle lui a faits.

‖ 1 R **10** 14-15 [13] Le poids de l'or qui arriva à Salomon en une année fut de six cent soixante-six talents d'or, [14] sans compter ce qui venait des redevances des marchands et des courtiers importateurs; tous les rois d'Arabie, tous les gouverneurs du pays apportaient également de l'or et de ‖ 1 R **10** 16-17 l'argent à Salomon. [15] Le roi Salomon fit deux cents grands boucliers d'or battu, sur chacun desquels il appliqua six cents sicles d'or battu, [16] et trois cents petits boucliers d'or battu, sur chacun desquels il appliqua trois cents sicles d'or*a*, et il les déposa dans la Galerie de la Forêt du ‖ 1 R **10** 18-20 Liban. [17] Le roi fit aussi un grand trône d'ivoire et le plaqua d'or raffiné. [18] Ce trône avait six degrés, il comprenait un agneau*b* d'or, des poignées*c*, des bras de part et d'autre du siège et deux lions debout près des bras. [19] Douze lions se tenaient de part et d'autre des six degrés. On n'a rien fait de semblable dans aucun royaume.

‖ 1 R **10** 21-25 [20] Tous les vases à boire du roi Salomon étaient en or et tout le mobilier de la Galerie de la Forêt du Liban était en or fin; car on faisait fi de l'argent au temps du roi Salomon. [21] En effet le roi avait des navires allant à Tarsis avec les serviteurs de Huram et tous les trois ans les navires revenaient de Tarsis chargés d'or, d'argent, d'ivoire, de singes et de guenons*d*.

[22] Le roi Salomon surpassa en richesse et en sagesse tous les rois de la terre. [23] Tous les rois de la terre voulaient

---

16. « *sur chacun desquels il appliqua trois cents sicles d'or* » omis par G.

---

a) Cette valeur est double de celle qu'indique le livre des Rois.
b) Sans doute par défiance vis-à-vis des cultes cananéens, le Chroniste substitue un agneau d'or au taureau du texte des Rois. Ce détail change d'ailleurs la symbolique de la monarchie : l'agneau du sacrifice au lieu du taureau, symbole de la puissance.
c) Litt. : « des prises » pour porter le trône; les consonnes du texte des Rois sont légèrement différentes.
d) Autre traduction : « paons ».

être reçus par Salomon pour profiter de la sagesse que
Dieu lui avait mise au cœur ²⁴ et chacun apportait son
présent : vases d'argent et vases d'or, vêtements, armes
et aromates, chevaux et mulets, et ainsi d'année en année.

²⁵ Salomon eut quatre mille stalles pour ses chevaux
et ses chars, et douze mille chevaux qu'il cantonna dans
les villes de chars et près du roi à Jérusalem[a].

|| 1 R 5 6; 10
26
= 2 Ch 1 14

²⁶ Il domina tous les rois depuis le Fleuve jusqu'au
pays des Philistins et jusqu'à la frontière d'Égypte. ²⁷ Il
rendit l'argent aussi commun à Jérusalem que les cailloux,
et les cèdres aussi nombreux que les sycomores du Bas-
Pays. ²⁸ On importait pour Salomon des chevaux de
Muçur et de tous les pays.

|| 1 R 5 1

|| 1 R 10 27-
28

Mort de Salomon[b].   ²⁹ Le reste de l'histoire de
                        Salomon, du début à la fin,
                        n'est-ce pas écrit dans l'his-
toire de Natân le prophète, dans la prophétie d'Ahiyya
de Silo, et dans la vision de Yédo le voyant[c] concernant
Jéroboam fils de Nebat ? ³⁰ Salomon régna quarante ans
à Jérusalem sur tout Israël. ³¹ Puis il se coucha avec ses
pères et on l'enterra dans la Cité de David, son père, et
son fils Roboam régna à sa place.

|| 1 R 11 41
43

28. « *Muçur* » *conj.*; « *Miçrayim* » H (*cf.* **1** 16).

a) Le Chroniste a fusionné deux textes en ce résumé final, où il reprend
également 1 R **5** 1 et **10** 27, déjà utilisés par lui en 2 Ch **1** 14.

b) Notice conclusive rédigée sur le modèle de celle des autres règnes.
Elle ajoute la mention des sources (voir Introduction) au texte du livre
des Rois.

c) C'est le nom que donne Josèphe au prophète anonyme de 1 R **13**
1-10.

IV

LES PREMIÈRES RÉFORMES
DE LA MONARCHIE

I. ROBOAM ET LE REGROUPEMENT DES LÉVITES

|| I R 12 I-19

10. ¹ Roboam se rendit
Le schisme*ᵃ*.   à Sichem, car c'est à Sichem
que tout Israël était venu
pour le proclamer roi. ² Dès que Jéroboam fils de Nebat
en fut informé, — il était en Égypte, où il avait fui le roi
Salomon, — il revint d'Égypte. ³ On le fit appeler et il
vint avec toute l'assemblée.

On parla ainsi à Roboam : ⁴ « Ton père a rendu pénible
notre joug, allège maintenant le dur servage de ton père,
la lourdeur du joug qu'il nous imposa, et nous te servi-
rons. » ⁵ Il leur répondit : « Attendez trois jours *ᵇ*, puis
revenez vers moi. » Et le peuple s'en alla.

⁶ Le roi Roboam prit conseil des anciens, qui avaient
servi son père Salomon de son vivant, et demanda : « Que
conseillez-vous de répondre à ce peuple ? » ⁷ Ils lui répondirent : « Si tu te montres bon envers ces gens, si tu leur
es bienveillant *ᶜ* et leur donnes de bonnes paroles, alors
ils resteront toujours tes serviteurs. » ⁸ Mais il repoussa

---

10 3. « *toute l'assemblée* » *d'après* G ; « *tout Israël* » H.

    a) Ce récit est, sauf en de minimes exceptions, une copie littérale du
récit des Rois.
    b) Litt. « Encore trois jours ».
    c) Le Chroniste a adouci l'expression première : « Si tu te fais aujour-
d'hui le serviteur de ces gens et si tu te soumets ».

le conseil que les anciens lui avaient donné et consulta des jeunes gens de son service, ses compagnons d'enfance[a].
[9] Il leur demanda : « Que conseillez-vous que nous répondions à ce peuple, qui m'a parlé ainsi : ' Allège le joug que ton père nous a imposé ' ? » [10] Les jeunes gens, ses compagnons d'enfance, lui répondirent : « Voici ce que tu diras au peuple qui t'a dit : ' Ton père a rendu pesant notre joug, mais toi allège notre charge ', voici ce que tu leur répondras : ' Mon petit doigt est plus gros que les reins de mon père ! [11] Ainsi mon père vous a fait porter un joug pesant, moi, j'ajouterai encore à votre joug; mon père vous a châtiés avec des lanières, je le ferai, moi, avec des fouets à pointes de fer ! ' »
[12] Jéroboam, avec tout le peuple, vint à Roboam le troisième jour, selon cet ordre qu'il avait donné : « Revenez vers moi le troisième jour. » [13] Le roi leur répondit durement. Le roi Roboam rejeta le conseil des anciens [14] et, suivant le conseil des jeunes, il leur parla ainsi : « Mon père a rendu pesant votre joug, moi j'y ajouterai encore; mon père vous a châtiés avec des lanières, je le ferai, moi, avec des fouets à pointes de fer. » [15] Le roi n'écouta donc pas le peuple : c'était une intervention de Dieu, pour accomplir la parole que Yahvé avait dite à Jéroboam, fils de Nebat, par le ministère d'Ahiyya de Silo, [16] et à tous les Israélites, à savoir : que le roi ne les exaucerait pas. Ils répliquèrent alors au roi :

« Quelle part avons-nous sur David ?
Nous n'avons pas d'héritage sur le fils de Jessé.
Chacun à ses tentes, Israël !
Et maintenant, pourvois à ta maison, David. »

---

14. « *Mon père a rendu* » *conj.*; « *Je rendrai* » H.

---

a) Autre traduction : « ceux de sa famille qui avaient grandi avec lui ».

Israël regagna ses tentes; [17] et c'est sur les enfants d'Israël qui habitaient les villes de Juda, que régna Roboam. [18] Le roi Roboam dépêcha Adoram, le chef de la corvée, mais les enfants d'Israël le lapidèrent et il mourut; alors le roi Roboam se vit contraint de monter sur son char pour fuir à Jérusalem. Et Israël fut séparé de la maison de David, jusqu'à ce jour[a].

|| 1 R **12** 21-24

11. [1] Roboam se rendit **Activité de Roboam.** à Jérusalem; il rassembla la maison de Juda et de Benjamin, soit cent quatre-vingt mille guerriers d'élite, pour combattre Israël et rendre le royaume à Roboam. [2] Mais la parole de Yahvé fut adressée à Shemaya, l'homme de Dieu, en ces termes : [3] « Dis ceci à Roboam, fils de Salomon, roi de Juda, et à tous les Israélites qui sont en Juda et en Benjamin : [4] Ainsi parle Yahvé. N'allez pas vous battre contre vos frères; que chacun retourne chez soi, car cet événement vient de moi. » Ils écoutèrent les paroles de Yahvé et firent demi-tour au lieu de marcher contre Jéroboam.

[5] Roboam habita Jérusalem et construisit des villes fortifiées en Juda. [6] Il restaura Bethléem, Étam et Teqoa, [7] Bet-Çur, Soko, Adullam, [8] Gat, Maresha, Ziph, [9] Adorayim, Lakish, Azéqa, [10] Çoréa, Ayyalôn, Hébron; c'étaient des villes fortifiées en Juda et en Benjamin[b]. [11] Il les for-

---

18. « *Adoram* »; *Var. G*[B] *Syr* : « *Adoniram* » (*cf.* 1 R).

---

a) 1 R **12** 20 est omis, le Chroniste y voit une redite.

b) Le Chroniste a retenu quelques mots du v. 25 de R pour introduire cette liste de villes fortifiées de Juda. Ayyalôn et Çoréa étaient danites. Peut-être, après le départ des Danites vers le Nord (Jg **18**) ces cités passèrent-elles à Benjamin, mais Juda et Benjamin semblent désigner ici l'ensemble du royaume. Toutes sont au sud ou à l'ouest de Jérusalem, aucune ne la couvre contre le royaume d'Israël; la fin du v. **12** suggère que ces mesures étaient surtout destinées à assurer la sûreté intérieure de

tifia puissamment et y mit des commandants, ainsi que des réserves de vivres, d'huile et de vin. [12] Dans chacune de ces villes il y avait des boucliers et des lances. Il les rendit extrêmement fortes pour être maître de Juda et de Benjamin.

Le clergé près de Roboam[a].

[13] Les prêtres et les lévites qui se trouvaient dans tout Israël quittèrent leur territoire pour s'établir près de lui. [14] Les lévites, en effet, abandonnèrent leurs pâturages[b] et leurs patrimoines et vinrent en Juda et à Jérusalem, Jéroboam et ses fils les ayant exclus du sacerdoce de Yahvé. [15] Jéroboam s'était constitué un sacerdoce de hauts lieux, pour satyres[c] et pour veaux fabriqués. [16] Des membres de toutes les tribus d'Israël donnés[d] de tout cœur au culte de Yahvé, Dieu d'Israël, les suivirent et vinrent à Jérusalem afin de sacrifier à Yahvé, Dieu de leurs pères. [17] Ils renforcèrent le royaume de Juda et, pendant trois ans, soutinrent Roboam, fils de Salomon, car c'est pendant trois ans[e] qu'il suivit la voie de David et de Salomon.

Roboam. On est étonné de voir mentionnée ici la Gat philistine; mais 2 R **12** 18 peut faire croire qu'elle a dépendu de la monarchie judéenne.

a) Conjointement aux mesures politiques, les mesures religieuses. Ce paragraphe auquel rien ne répond dans le livre des Rois ne paraît pas venir d'une autre source. Pour le Chroniste, dont les idées religieuses sont inspirées par le Pentateuque et les documents sacerdotaux, les lévites avaient des villes réparties sur tout le territoire selon Jos **21**, dont il a reproduit la liste en 1 Ch **6**. Ne pouvant respecter la Loi cultuelle sous la domination de Jéroboam, ils ont donc dû venir en Juda. Nombreux sont les indices qu'une émigration de ce genre se produisit après la chute de Samarie.

b) Cf. Nb **35** 2 et la note.

c) Cf. Lv **17** 7; 2 R **23** 8. Le Chroniste donne ici au mot le sens large de fausses divinités.

d) Les « donnés » au retour d'exil (Esd **2** 43) étaient une catégorie de gens chargés d'un service liturgique. Les textes sacerdotaux les assimilaient aux lévites (Nb **3** 9) mais notre texte considère comme tels tous les fidèles.

e) L'auteur savait par 1 R **14** 25 que l'invasion égyptienne (cf. **12** 2) avait eu lieu pendant la cinquième année du règne.

¹⁸ Roboam prit pour
femme Mahalat, fille de Yerimot, fils de David, et
d'Abihayil, fille d'Éliab, fils
de Jessé. ¹⁹ Elle lui donna des fils : Yéush, Shemarya et
Zaham. ²⁰ Il épousa après elle Maaka, fille d'Absalom^b, qui
lui enfanta Abiyya, Attaï, Ziza et Shelomit. ²¹ Roboam
aima Maaka, fille d'Absalom, plus que toutes ses autres
femmes et concubines. Il avait en effet pris dix-huit femmes
et soixante concubines, et engendré vingt-huit fils et
soixante filles^c. ²² Roboam fit d'Abiyya, fils de Maaka,
le chef de famille, prince parmi ses frères, afin de le faire
roi. ²³ Il fit plus de constructions^d et de démolitions que
tous ses descendants dans toutes les terres de Juda et de
Benjamin et dans toutes les villes fortifiées qu'il pourvut
de nombreux silos.

Mais il consulta la multitude des dieux de ses femmes^e,

**L'infidélité
de Roboam^a.**

I R **15** 2

---

11 18. « *fille de Yerimot* » *Qer Vers.*; « *fils de Yerimot* » H *Ket.* — « *et d'Abihayil* » *d'après G ; d'après* H *Abihayil serait femme de Roboam.*

22. « *afin de le faire roi* »; *Var.* G : « *car il avait l'intention de le faire roi* ».

---

a) Nous ignorons la source où a puisé le Chroniste pour les vv. 18-23,
sans doute des listes comme celles de 1 Ch **3** 1 s.

b) Sur le point de parler du désastre que va subir le roi, l'auteur souligne cette alliance avec la fille de celui qui s'était révolté contre David.

c) Le livre des Rois avait raconté (1 R **11** 1 s) comment Salomon, ayant
épousé sur le tard beaucoup de femmes, avait été entraîné par elles à l'idolâtrie, ce qui ne lui avait point réussi. Le Chroniste a tu ces fâcheux souvenirs, mais il en évoque de semblables à propos de Roboam.

d) Le livre des Rois reproche aussi à Salomon certaines constructions
(1 R **11** 7, cf. **11** 27).

e) Litt. « il consulta la multitude de ses femmes ». Phrase difficile. Il
semble que le Chroniste songe encore au reproche fait à Salomon en 1 R **11**
6-8, sans vouloir appeler « dieux » ces divinités étrangères. Ceci correspondrait à l'abandon de la Loi de Yahvé (**12** 1) par Roboam, interprétation de 1 R **14** 22. Le Chroniste est très attaché à la doctrine de la rétribution personnelle (cf. Ez **14** 12) et cherche toujours à établir que les malheurs
des rois viennent de leurs propres fautes.

12. ¹ et, alors que sa royauté s'était établie et affermie, Roboam abandonna la Loi de Yahvé, ainsi que tout Israël. ² La cinquième année du règne de Roboam, le roi d'Égypte, Sheshonq, marcha contre Jérusalem, car elle avait été infidèle à Yahvé. ³ Avec 1.200 chars, 60.000 chevaux et une innombrable armée de Libyens, de Sukkiens*a* et d'Éthiopiens, qui vint avec lui d'Égypte, ⁴ il prit les villes fortifiées de Juda et atteignit Jérusalem. ⁵ Shemaya*b*, le prophète, vint trouver Roboam et les officiers judéens qui, devant Sheshonq, s'étaient regroupés près de Jérusalem, et il leur dit : « Ainsi parle Yahvé. Vous m'avez abandonné, aussi vous ai-je abandonnés moi-même aux mains de Sheshonq. » ⁶ Alors les officiers israélites et le roi s'humilièrent et dirent : « Yahvé est juste. » ⁷ Quand Yahvé vit qu'ils s'humiliaient, la parole de Yahvé fut adressée à Shemaya en ces termes : « Ils se sont humiliés, je ne les exterminerai pas ; je leur ferai sous peu don du salut et ce n'est pas par les mains de Sheshonq que ma colère s'abattra sur Jérusalem. ⁸ Mais ils deviendront ses esclaves et ils apprécieront ce que c'est que de me servir et de servir les royaumes des pays ! »

⁹ Le roi d'Égypte Sheshonq marcha contre Jérusalem. Il se fit livrer les trésors du Temple de Yahvé et ceux du palais royal, absolument tout, jusqu'aux boucliers d'or

a) Ce sont des troupes étrangères recrutées par les Pharaons du temps, eux-mêmes étant alors plus ou moins des étrangers dans cette période troublée de l'histoire égyptienne. Les Nubiens (ou Éthiopiens) n'interviennent que plus tard dans l'histoire d'Égypte, mais peut-être déjà à cette époque certains contingents y étaient-ils recrutés. Le Chroniste suit vraisemblablement ici une source sûre, mais nous ignorons laquelle.

b) Ce prophète, inconnu par ailleurs, intervient comme était intervenu Ahiyya de Silo. Le Chroniste fait constamment intervenir ces prophètes, prototypes de Michée, Isaïe et Jérémie. Il est possible que des cérémonies liturgiques consécutives à des défaites aient été en usage et qu'elles aient supposé l'intervention d'un prophète. Sur des cérémonies analogues, cf. Jl 1 14 s ; 2 17, mais l'intervention de prophètes n'y est pas mentionnée.

qu'avait faits Salomon; [10] à leur place le roi Roboam fit
des boucliers de bronze et les confia aux chefs des gardes
qui veillaient à la porte du palais royal : [11] chaque fois
que le roi allait au Temple de Yahvé, les gardes venaient
les prendre, puis ils les rapportaient à la salle des gardes.
[12] Grâce à son humiliation, la colère de Yahvé se
détourna de lui et ne l'anéantit pas complètement. Qui
plus est, d'heureux événements survinrent en Juda, [13] le

‖ 1 R 14 21-
22

roi Roboam put s'affermir dans Jérusalem et régner[a]. Il
avait en effet quarante et un ans à son avènement et il
régna dix-sept ans à Jérusalem, la ville que Yahvé avait
choisie entre toutes les tribus d'Israël pour y mettre son
Nom.

Sa mère s'appelait Naama, l'Ammonite. [14] Il fit le mal,
parce qu'il n'avait pas disposé son cœur à rechercher
Yahvé. [15] L'histoire de Roboam, du début à la fin, cela

‖ 1 R 14 29-
31

n'est-il pas écrit dans l'histoire du prophète Shemaya et
du voyant Iddo sur le groupement des lévites[b] et
les conflits permanents entre Roboam et Jéroboam ?
[16] Roboam se coucha avec ses pères et fut enterré dans la
Cité de David; son fils Abiyya régna à sa place.

---

12 15. *Au lieu de « groupement » G_a « ses actions ».*

a) Après un verset rédactionnel où il rappelle la miséricorde divine
envers le pécheur repentant, le Chroniste conclut par un nouvel extrait
du livre des Rois qu'il complète par une référence à ses sources prophétiques.
b) « Lévites » n'est pas dans le texte, mais il semble bien qu'il s'agisse
ici du passage propre relatif à l'établissement des lévites en Juda. Sur le
sens du mot « groupement » cf. p. 44, note *c*.

II. Abiyya et la fidélité
au sacerdoce légitime

La guerre.

13. ¹ La dix-huitième année du règne de Jéroboam, Abiyya*ᵃ* devint roi de Juda ² et régna trois ans à Jérusalem. Sa mère s'appelait Mikayahu*ᵇ*, fille d'Uriel, de Gibéa. Il y eut guerre entre Abiyya et Jéroboam*ᶜ*. ³ Abiyya engagea le combat avec une armée de guerriers vaillants, — quatre cent mille hommes d'élite, — et Jéroboam se rangea en bataille contre lui avec huit cent mille hommes d'élite, guerriers vaillants*ᵈ*.

Le discours d'Abiyya.

⁴ Abiyya se posta sur le mont Çemarayim*ᵉ*, situé dans la montagne d'Éphraïm, et s'écria*ᶠ* : « Jéroboam et vous tous, Israélites, écoutez-

‖ ı R **15** ı-2, 7

---

13 2. « *Mikayahu* »; *Var. G Syr :* « *Maaka* ».

---

a) Le même qu'Abiam du livre des Rois (ı R **14** 31; **15** 1, 7, 8).

b) Elle est appelée Maaka dans le texte grec et le livre des Rois, et donnée là comme fille d'Absalom. Cela correspond à **11** 20 qui mentionne comme seconde épouse de Roboam Maaka fille d'Absalom. Mais ı R **15** 10, suivi par 2 Ch **15** 16, donne également pour mère d'Asa, et donc femme d'Abiyya, une Maaka fille d'Absalom (du moins dans ı R). Peut-être était-elle en fait la grand-mère d'Asa, mais le Chroniste a évité d'une autre manière cette apparence de contradiction.

c) Le Chroniste omet les quelques vv. du livre des Rois consacrés à ce roi, pour ne retenir que la mention d'un état de guerre avec Israël sur lequel il va greffer un discours et une leçon de foi.

d) On retrouve en ce v. le style de notre auteur.

e) Comme Yotam en Jg **9** 7, Abiyya adresse son discours du haut d'une montagne. Çemarayim, d'après Jos **18** 22, est une ville de Benjamin que Dalman propose d'identifier avec El Biré à quelque 20 km. de Jérusalem.

f) Comme les discours des anciens historiographes de l'Antiquité, ce discours n'a pas été prononcé tel quel. Le Chroniste y développe un de ses

moi ! ⁵ Ne savez-vous pas que Yahvé, le Dieu d'Israël, a donné pour toujours à David la royauté sur Israël ? C'est un pacte infrangible^a pour lui et pour ses fils. ⁶ Jéroboam, fils de Nebat, serviteur de Salomon, fils de David, s'est dressé et révolté contre son seigneur; ⁷ des gens de rien, des vauriens, se sont unis à lui et se sont imposés à Roboam, fils de Salomon; Roboam n'était encore qu'un jeune homme, timide de caractère, et n'a pas pu leur résister. ⁸ Or vous parlez maintenant de tenir tête à la royauté de Yahvé qu'exercent les fils de David, et vous voilà en horde immense^b, accompagnés des veaux d'or que vous a faits pour dieux Jéroboam ! ⁹ N'avez-vous pas expulsé les prêtres de Yahvé, fils d'Aaron et lévites, pour vous faire des prêtres comme s'en font les peuples des pays : quiconque vient avec un taureau et sept béliers pour se faire donner l'investiture, peut devenir prêtre de ce qui n'est point Dieu ! ¹⁰ Notre Dieu à nous, c'est Yahvé, et nous ne l'avons pas abandonné : les fils d'Aaron sont prêtres au service de Yahvé et les lévites officient. ¹¹ Chaque matin et chaque soir nous faisons pour Yahvé, notre Dieu, fumer les holocaustes; nous avons l'encens aromatique, les pains rangés sur la table pure, le candélabre^c

---

thèmes : la légitimité du seul sacerdoce des prêtres et des lévites. Dieu n'accorde ses bienfaits qu'au peuple dont il reçoit un culte conforme aux données de la législation sacerdotale du Pentateuque : sacerdoce d'Aaron (v. 10, cf. Lv **8**), holocaustes et aromates (Lv **1** s), pains rangés sur la table (cf. 2 Ch **2** 4 et la note), avec mention du candélabre d'or d'Ex **37** 17; Lv **24** 2, qu'il substitue aux chandeliers du Temple de Salomon (1 R **7** 49; 2 Ch **4** 7).

a) Litt. « pacte de sel »; cf. Lv **2** 13.

b) Litt. « grande masse ». Le Chroniste aime cette formule qu'il a empruntée à Is **17** 12.

c) Selon la tradition d'Ex **25** 31, il n'y a qu'un candélabre ou chandelier. Mais voir 2 Ch **4** 7 (cf. 1 Ch **28** 15). C'est un des cas où le Chroniste semble utiliser une source plus dépendante que lui du Code sacerdotal.

d'or avec ses lampes qui brûlent chaque soir. Car nous gardons les ordonnances de Yahvé notre Dieu que vous, vous avez abandonnées. [12] Voici que Dieu est en tête avec nous, voici ses prêtres et les trompettes[a] dont ils vont sonner pour que l'on pousse le cri de guerre contre vous ! Israélites, ne luttez pas avec Yahvé, le Dieu de vos pères, car vous n'aboutirez à rien. »

La bataille[b].   [13] Jéroboam fit tourner les Judéens par une embuscade qui atteignit leurs arrières; les Israélites étaient face à Juda, l'embuscade par derrière. [14] Faisant volte-face, les Judéens se virent combattus de front et de dos. Ils firent appel à Yahvé, les prêtres sonnèrent de la trompette, [15] les hommes de Juda poussèrent le cri de guerre, et, tandis qu'ils poussaient ce cri, Dieu frappa Jéroboam et tout Israël devant Abiyya et Juda. [16] Les Israélites s'enfuirent devant Juda et Dieu les livra aux mains des Judéens. [17] Abiyya et son armée leur infligèrent une cuisante défaite : cinq cent mille[c] hommes d'élite tombèrent morts parmi les Israélites. [18] En ce temps-là, les enfants d'Israël furent humiliés, les enfants de Juda raffermis pour s'être appuyés sur Yahvé, Dieu de leurs pères.

---

13. « *les Israélites étaient* » *conj.*; « *ils étaient* » H.

---

a) Seules retentissent les trompettes sacerdotales (Nb **10** 9). Le Chroniste réserve à la liturgie le chant lévitique.

b) La bataille est décrite en termes très généraux, qui rappellent le stratagème de Jg **20** 36 s (imité de Jos **8** 18-21). L'auteur retient surtout la leçon du v. final : Dieu agrée la prière, le cri, cf. **18** 31, qu'accompagne la sonnerie de trompettes prévue dans la liturgie du Pentateuque.

c) Ce chiffre est hors de proportion avec les possibilités des deux royaumes. Comme le font souvent les inscriptions assyriennes, le Chroniste utilise les chiffres comme procédé littéraire.

¹⁹ Abiyya poursuivit Jéro-
Fin du règne.   boam et lui conquit des
villes : Béthel et ses dépen-
dances, Yeshana et ses dépendances, Éphrôn^a et ses dépendances. ²⁰ Jéroboam perdit alors sa puissance durant la
vie d'Abiyyahu^b; Yahvé le frappa et il mourut. ²¹ Abiyyahu
s'affermit; il épousa quatorze femmes et engendra vingt-
‖ I R **15** 7-8 deux fils et seize filles. ²² Le reste de l'histoire d'Abiyya,
sa conduite et ses actions sont écrits dans le Midrash du
14. ¹ prophète Iddo^c. ²³ Puis Abiyya se coucha avec ses pères
et on l'enterra dans la Cité de David; son fils Asa régna
à sa place.

III. Asa et ses réformes cultuelles

Le pays, de son temps, fut
La paix d'Asa.   tranquille pendant dix ans^d.
‖ I R **15** 11-12   **14.** ¹ Asa fit ce qui est
³ bien et juste aux yeux de Yahvé, son Dieu. ² Il supprima
les autels de l'étranger^e et les hauts lieux, il brisa les stèles^f,

---

19. « *Éphrôn* » HKet Vers.; « *Éphraïn* » Qer.

a) Ces trois villes sont proches les unes des autres, à une vingtaine de
km. au nord de Jérusalem. Cette conquête en tous cas ne devait pas être
durable. Dès le règne d'Asa, la frontière d'Israël se trouve plus au sud
(**16** 1), et au temps d'Amos (**7** 13) et d'Osée (**10** 5), Béthel est un sanctuaire
royal du royaume du Nord.
b) Autre graphie du nom du roi qui vient peut-être d'une autre source.
c) Cf. **12** 15.
d) Cette formule semble empruntée au livre des Juges (**3** 11, 30; **5** 31)
pour décrire la paix accordée après délivrance.
e) Ce terme est synonyme d'idolâtre (cf. Ne **13** 30). L' « étranger »
est à la fois la nation païenne et son faux dieu. Sur les autels, stèles..., voir
I S **9** 12; Ex **23** 24; **34** 13.
f) Cf. Dt **12** 3. Le Chroniste a assez profondément remanié le texte
du livre des Rois en remplaçant par des formules deutéronomiques les

⁴ mit en pièces les ashéras ³ et dit aux Judéens de rechercher Yahvé, le Dieu de leurs pères, et de pratiquer loi et
⁵ commandement. ⁴ Il supprima de toutes les villes de Juda
les hauts lieux et les autels à encens *ᵃ*. Aussi le royaume
⁶ fut-il en repos sous son règne *ᵇ*; ⁵ il restaura les villes fortifiées de Juda, car le pays était en repos et ne participa
à aucune guerre en ces années-là, Yahvé lui ayant donné
la paix.

⁷   ⁶ « Restaurons ces villes, dit-il à Juda, entourons-les
d'un mur, de tours, de portes et de barres; nous resterons
de nos jours *ᶜ* au pays, car nous avons cherché Yahvé,
notre Dieu; aussi nous a-t-il recherchés et nous a-t-il
donné la paix sur toutes nos frontières. »

⁸   Ils restaurèrent et prospérèrent. ⁷ Asa disposa d'une
armée de trois cent mille Judéens, portant le bouclier et
la lance, et de deux cent quatre-vingt mille Benjaminites
portant la rondache et tirant de l'arc *ᵈ*, tous preux valeureux.

⁹   ⁸ Zérah le Kushite fit une

L'invasion de Zérah*ᵉ*.   incursion avec une armée
                                    de mille milliers et de trois
¹⁰ cents chars, et il atteignit Maresha. ⁹ Asa sortit à sa ren-

---

14 4. *Gᴮ omet les deux derniers mots, et le premier au v. 5.*

actes précis cités en 1 R **15** 12 : élimination de la prostitution sacrée, suppression d'idoles. C'est à propos de Josias que le livre des Rois parle de
mesures analogues à celles que le Chroniste attribue ici à Asa, et la réforme
fut faite sous l'influence du Deutéronome (cf. 2 R **22** 13, 18; **23** 14).

a) Sur ce terme difficile, cf. Lv **26** 30.
b) Litt. « devant lui ».
c) Cette inquiétude de l'exil est typique du Deutéronome (voir **28** 63 s),
qui fait ici écho à Amos (**5** 27; **6** 7; **7** 16).
d) Cf. 1 Ch **8** 40.
e) Zérah est un nom édomite et judéen, donc du Négeb. De plus, le
butin mentionné au v. 14 avec ces tentes, moutons et chameaux, suggère
non une grande campagne militaire mais une razzia de nomades dans le
genre de celles des Amalécites sur Çiqlag au temps de David (1 S **30**).
Or il existait une tribu madianite, connue aussi des textes égyptiens, du
nom de Kush (voisine des Arabes, **21** 16), ou Kushân (Ha **3** 7; cf. Nb **12** 1

contre et se rangea en bataille dans la vallée de Çephata[a],
11 à Maresha. [10] Il invoqua Yahvé son Dieu et dit : « Toi
seul interviendras, Yahvé, entre la grande puissance et
celui qui est démuni. Porte-nous secours, Yahvé notre
Dieu ! C'est sur toi que nous nous appuyons et c'est en
ton nom que nous nous heurtons à cette horde. Yahvé,
tu es notre Dieu. Que l'homme te laisse seul agir ! »

12   [11] Yahvé battit les Kushites devant Asa et les Judéens :
13 les Kushites s'enfuirent [12] et Asa les poursuivit avec son
armée jusqu'à Gérar. Il tomba tant de Kushites qu'ils
ne purent subsister[b], car ils s'étaient brisés devant Yahvé
et son camp. On ramassa une grande quantité de butin,
14 [13] on conquit toutes les villes aux alentours de Gérar, car
la Terreur de Yahvé s'était appesantie sur elles, et on les
rançonna toutes car il s'y trouvait beaucoup de butin.
15 [14] On s'en prit même aux tentes des troupeaux et l'on
razzia nombre de moutons et de chameaux, puis l'on
revint à Jérusalem.

La prophétie[c] d'Azaryahu
et l'engagement
de fidélité.

15. [1] L'esprit de Dieu
vint sur Azaryahu, fils
d'Oded, [2] qui sortit au-devant d'Asa. Il lui dit : « Asa,
et vous tous, de Juda et de

---

9. « *à Maresha* »; *Var. G* : « *au nord de Maresha* ».

13. « *Gérar* »; *Var. G* : « *Gedor* ».

---

et la note), très capable d'une pareille opération. Mais il se peut qu'au
temps du Chroniste on ait rapproché de ce Kush l'autre Kush, c'est-à-dire
l'Éthiopie, et qu'on ait vu en ce Zérah un membre de cette puissante
dynastie, dite éthiopienne, qui domina l'Égypte au VIIIe siècle av. J. C.

a) Çephata doit être identifiée à Çephat de Jg **1** 17, dans le Négeb.
Maresha est beaucoup plus au nord et a pu souffrir de l'intervention du roi
éthiopien lors de l'invasion de Sennachérib (2 R **19** 8-9; cf. Mi **1** 15). La
rédaction embarrassée du Chroniste semble due à la fusion de ces deux
traditions. Sur les chiffres, cf. **13** 17 et la note.

b) Il semble que cela veuille dire que la tribu a été anéantie.

c) Ce petit discours reprend les thèmes prophétiques, en particulier

Benjamin, écoutez-moi ! Yahvé est avec vous quand vous êtes avec lui. Quand vous le recherchez il se laisse trouver par vous, quand vous l'abandonnez il vous abandonne. [3] Israël passera bien des jours sans Dieu fidèle, sans prêtre pour l'enseigner, et sans loi; [4] mais dans sa détresse il reviendra à Yahvé, Dieu d'Israël, il le recherchera et Yahvé se laissera trouver par lui. [5] En ce temps-là, aucun adulte[a] ne connaîtra la paix, mais des tribulations multiples pèseront sur tous les habitants du pays. [6] Les nations s'écraseront l'une contre l'autre, les villes l'une contre l'autre[b], car Dieu les frappera par toutes sortes de détresses. [7] Mais vous, soyez fermes et que vos mains ne faiblissent point, car vos actions auront leur récompense[c]. »

[8] Quand Asa entendit ces paroles et cette prophétie[d], il se décida à faire disparaître les horribles idoles du pays de Juda et de Benjamin et des villes qu'il avait conquises dans la montagne d'Éphraïm, puis il remit en état l'autel de Yahvé qui se trouvait devant le Vestibule de Yahvé[e].

---

15 8. *Après « prophétie » on omet « Oded le prophète » (glose) de H. — « dans la montagne » G ; « de la montagne » H.*

---

d'Osée (**3** 4-5) et Michée (**2** 4 s; **3** 12). Il termine (vv. 66 s) par une exhortation à la foi dans le genre de l'apostrophe d'Isaïe à Achaz (Is **7** 4 s). Voir aussi Dt **4** 29-30.

a) Litt. « sortant et entrant »; cf. 1 Ch **11** 2. Il s'agit de ceux qui sont aptes à faire la guerre.

b) Is **19** 2.

c) Nouvel aperçu sur la doctrine de la rétribution. Cf. Jr **31** 16. Sur la fermeté du croyant, cf. Is **7** 4.

d) Une glose rattache ce discours au prophète Oded et non à son fils.

e) Ézéchias eut à restaurer l'autel déplacé par Achaz (2 R **16** 11, 14). De même Jr **26** 19 attribue à la prophétie de Michée les réformes d'Ézéchias. C'est ce roi qui, après la chute de Samarie (2 Ch **30** 25), recueillit des Israélites à Jérusalem qui s'agrandit d'un quartier, le Mishneh (2 R **22** 14). Au temps du Chroniste ces souvenirs anciens ont pu être reportés sur Asa, à moins qu'il n'ait voulu systématiquement placer ces réformes avant Ézéchias, pour réserver à ce roi celles dont il parlera plus loin. Le Chroniste a un plan et suit le schéma du document sacerdotal du Pentateuque. De même que celui-ci plaçait chaque loi dans l'histoire du monde et d'Israël, le Chroniste attribue à chaque étape de la monarchie un élément de la théocratie.

⁹ Il réunit tout Juda et Benjamin, ainsi que les Éphraïmites, les Manassites et les Siméonites qui séjournaient
avec eux, car beaucoup d'Israélites s'étaient ralliés à Asa
en voyant que Yahvé, son Dieu, était avec lui. ¹⁰ Le troisième mois de la quinzième année du règne d'Asa, ils se
réunirent à Jérusalem. ¹¹ Ils offrirent en sacrifice à Yahvé,
ce jour-là, une part du butin qu'ils rapportaient, sept cents
bœufs et sept mille moutons*ᵃ*. ¹² Ils s'engagèrent par un
pacte*ᵇ* à chercher Yahvé, le Dieu de leurs pères, de tout
leur cœur et de toute leur âme; ¹³ quiconque ne cherche-
rait pas Yahvé, Dieu d'Israël, serait mis à mort, grand
ou petit, homme ou femme. ¹⁴ Ils prêtèrent serment*ᶜ* à
Yahvé à voix haute et par acclamation, au son des trompettes et des cors; ¹⁵ tous les Judéens furent joyeux de ce
serment qu'ils avaient prêté de tout leur cœur. C'est de
plein gré qu'ils cherchèrent Yahvé. Aussi se laissa-t-il
trouver par eux et leur donna-t-il la paix sur toutes leurs
frontières.

‖ı R 15 13-
15

Autres activités d'Asa.

¹⁶ Même Maaka, mère du
roi Asa, se vit retirer par lui
la dignité de Grande Dame,
parce qu'elle avait fait une horreur pour Ashéra; Asa
abattit son horreur, la pulvérisa et la brûla dans la vallée
du Cédron. ¹⁷ Les hauts lieux ne disparurent pas d'Israël*ᵈ*;
pourtant le cœur d'Asa resta intègre toute sa vie. ¹⁸ Il

---

a) Ce sont à peu près les proportions de Nb **31** 32 s.

b) Litt. « Ils entrèrent dans l'alliance ».

c) Le serment n'est pas expressément mentionné dans les actes solen-
nels de ce genre qui eurent lieu pendant la monarchie (2 R **18** 4; **23** 3;
Jr **34** 8-22). Mais Yehoyada fit prêter serment lors de la conjuration contre
Athalie (2 R **11** 4); après l'exil le serment intervient en particulier lors de
la réforme d'Esdras (Ne **10** 30), où le Chroniste décrit une rénovation de
l'alliance.

d) Dans ces trois vv. le Chroniste suit à peu près littéralement le texte
des Rois et insère même cette notice qui n'est pas en accord avec ce qui
est dit en **14** 4 sur les hauts lieux.

déposa dans le Temple de Dieu les saintes offrandes de
son père et ses propres offrandes, de l'argent, de l'or et
du mobilier.

[19] Il n'y eut point de guerre jusqu'à la trente-cinquième[a]
année du règne d'Asa. **16.** [1] La trente-sixième année
du règne d'Asa, Basha, roi d'Israël, marcha contre Juda;
il fortifia Rama pour bloquer les communications d'Asa,
roi de Juda. [2] Alors Asa puisa de l'or et de l'argent dans
les trésors du Temple de Yahvé et du palais royal pour en
faire l'envoi à Ben-Hadad, le roi d'Aram, qui résidait à
Damas, avec ce message : [3] « Alliance entre moi et toi,
entre mon père et ton père ! Je t'envoie de l'argent et de
l'or; va, romps ton alliance avec Basha, roi d'Israël, pour
qu'il s'éloigne de moi ! » [4] Ben-Hadad exauça le roi Asa
et envoya ses chefs d'armée contre les villes d'Israël; il
conquit Iyyôn, Dan, Abel-Mayim[b] et tous les entrepôts[c]
des villes de Nephtali. [5] Quand Basha l'apprit, il arrêta
les travaux de Rama et fit cesser l'ouvrage. [6] Alors le roi
Asa amena tout Juda; on enleva les pierres et le bois avec
lesquels Basha fortifiait Rama, et on s'en servit pour
fortifier Géba et Miçpa.

[7] C'est alors que Hanani[d] le voyant vint trouver Asa,

|| 1 R **15** 16-22

---

16 4. « *entrepôts* »; *Var. G :* « *entourages* ».

---

a) Le texte continue à être celui des Rois, sauf en ce qui concerne cette
date et la suivante qui ne concordent pas avec les données de 1 R **15** 33,
selon lesquelles Basha était mort dès la vingt-septième année d'Asa. La
modification du Chroniste est certainement intentionnelle, soit qu'il ait
eu une autre source (les dates du livre des Rois sont souvent sujettes à
caution), soit qu'il ait tenu à placer l'événement à la fin du règne d'Asa.
b) C'est Abel-Bet-Maaka de 1 R **15** 20.
c) L'auteur remplace par ce terme, que l'on rencontre souvent sous sa
plume (cf. 2 Ch 8 4, etc.), le « Kinnerot » de 1 R **15** 20, dont le nom disparaît au cours de la période postexilique (Abel).
d) Ce prophète, qui n'est pas plus connu que Azaryahu et Oded, reproche à Asa la politique que reprochera plus tard Isaïe à Achaz (Is **7** 13 s),

roi de Juda. Il lui dit : « Parce que tu t'es appuyé sur le roi d'Aram et non sur Yahvé ton Dieu, les forces du roi d'Aram échapperont à tes mains. ⁸ Kushites et Libyens ne formaient-ils pas une armée nombreuse avec une grande multitude de chars et de chevaux*ᵃ* ? Or n'ont-ils pas été livrés entre tes mains parce que tu t'étais appuyé sur Yahvé ? ⁹ Puisque Yahvé parcourt des yeux toute la terre pour affermir ceux dont les cœurs tout entiers sont à lui*ᵇ*, tu as cette fois-ci agi en insensé et tu auras désormais la guerre. » ¹⁰ S'emportant contre le voyant, Asa le mit aux ceps en prison*ᶜ*, car ces menaces l'avaient irrité; il prit en ce temps-là de dures mesures contre une partie du peuple*ᵈ*.

Fin du règne. ¹¹ L'histoire d'Asa, du début à la fin, est écrite au livre des Rois de Juda et d'Israël.

¹² Asa tomba malade des pieds à la tête*ᵉ* dans la trente-neuvième année de son règne; qui plus est, il n'eut pas recours dans sa maladie à Yahvé mais aux médecins*ᶠ*. ¹³ Asa se coucha avec ses pères et mourut dans la quarante et unième année de son règne. ¹⁴ On l'enterra dans le tombeau qu'il s'était fait creuser dans la Cité de David.

---

14. « *le tombeau* » G *Vulg ;* « *les tombeaux* » H.

---

lequel s'appuiera sur une autre puissance politique et non sur Dieu lors-qu'il sera menacé par Samarie. Les prophètes n'ont jamais admis les luttes fratricides entre les deux parties du peuple de Yahvé (cf. Os **5** 10).

a) Cf. **14** 8-14.
b) Sur cette doctrine, cf. Ps **33** 13-15.
c) Même chose arriva à Jérémie (**20** 2).
d) La politique analogue d'Achaz fut aussi impopulaire (Is **7** 13; cf. **8** 6).
e) Autre traduction : « très malade aux pieds ».
f) La médecine était alors souvent contaminée par la magie. Il faut dire aussi qu'en assyrien *asa* ou *asu* veut dire « médecin » et que le même mot hébreu qui signifie « médecin » s'applique aux divinités souterraines, que l'Israélite était souvent tenté de consulter en cas de danger (1 S **28** 6 s; cf. 2 R **1** 2 s).

On l'étendit sur un lit tout rempli d'aromates, d'essences et d'onguents préparés[a]; l'on fit pour lui un feu tout à fait grandiose[b].

IV. Josaphat et l'administration

La puissance de Josaphat[c]. **17.** [1] Son fils Josaphat régna à sa place et affermit son pouvoir sur Israël. [2] Il mit des troupes dans toutes les villes fortifiées de Juda et établit des gouverneurs dans le pays de Juda et dans les villes[d] d'Éphraïm qu'avait conquises Asa, son père.

Son souci de la Loi. [3] Yahvé fut avec Josaphat, car sa conduite fut celle qu'avait d'abord suivie son père et il ne rechercha pas les Baals. [4] C'est bien le Dieu de son père qu'il rechercha, et il marcha selon ses commandements sans imiter les actions d'Israël. [5] Yahvé maintint le royaume entre ses mains; tous les Judéens payaient tribut

---

17 3. *Avant « son père » on omet « David » avec Mss G.*

a) Litt. « rempli de baumes et d'espèces d'onguents d'un travail d'onguent ».

b) On verrait à première vue ici une crémation, et cela conviendrait à la note un peu sévère par laquelle le Chroniste termine ce règne; mais la plupart des commentateurs estiment ceci trop contraire aux coutumes juives et voient là des combustions de parfums agréables au mort, comme on en fait chez les Arabes et en Babylonie. Voir en ce sens **21** 19.

c) Ce ch. n'a pas de répondant dans le livre des Rois. La manière du Chroniste y est particulièrement reconnaissable. De même qu'Asa était pour lui le type du roi pacifique, Josaphat est le type du roi qui gouverne son pays avec fermeté. Il ne faut pas oublier que le nom du roi signifie « Yahvé juge » et que juger, chez les Sémites, c'est aussi administrer et gouverner. Au temps du Chroniste, Loi se dit à la fois *Tora* et *Mišpat*.

d) Dans notre documentation actuelle on ne voit pas de quelles villes il s'agit.

à Josaphat, si bien qu'il eut beaucoup de richesses et d'honneur. ⁶ Mais son cœur progressa dans les voies de Yahvé et il supprima de nouveau en Juda les hauts lieux et les ashéras.

⁷ La troisième année de son règne, il envoya ses officiers : Ben-Hayil, Obadya, Zekarya, Netanéel, Mikayahu, instruire les cités judéennes. ⁸ Des lévites les accompagnaient : Shemayahu, Netanyahu, Zebadyahu, Asahel, Shemiramot, Yehonatân, Adoniyyahu, Tobiyyahu, lévites, ainsi que les prêtres Élishama et Yehoram*ᵃ*. ⁹ Ils se mirent à enseigner en Juda, munis du livre de la Loi de Yahvé, et firent le tour des cités judéennes, en instruisant le peuple. ¹⁰ La Terreur de Yahvé s'étendit sur tous les royaumes des pays qui entouraient Juda; ils ne firent pas la guerre à Josaphat. ¹¹ Des Philistins lui apportèrent en tribut des présents et de l'argent; les Arabes*ᵇ* eux-mêmes lui amenèrent du petit bétail : sept mille sept cents béliers et sept mille sept cents boucs. ¹² Josaphat grandissant allait au plus haut; il édifia en Juda des citadelles et des villes à entrepôts*ᶜ*.

---

8. « *Tobiyyahu* » *omis par* G *; dédoublé par* H *en* « *Tob-Adoniyyah* » (*dittographie*).

---

a) Le Chroniste avait sans doute dans ses sources cette liste pourvue d'une date, analogue à nombre de ces listes que nous l'avons déjà vu utiliser. Il est assez symptomatique qu'il ait laissé les prêtres en dernier. Il a vu dans cette mission une mission d'instruction concernant la Loi. Ce sera le sens de la mission d'Esdras envoyé par Artaxercès (Esd **7** 25); l'époque du Chroniste est déjà celle des docteurs de la Loi et celle des instructions dans les synagogues.
b) Les Arabes (cf. **21** 16) ne sont pas toutes les tribus d'Arabie, mais un groupe nomade qui s'infiltra vers cette époque dans les régions d'Édom et de Moab. Ézéchias y recruta des troupes et les armées assyriennes les combattirent.
c) Cette mission des officiers accompagnés de lévites-scribes (**19** 8) avait donc sans doute également un but militaire, Josaphat se faisant respecter de ses voisins avant de rejoindre Achab pour la campagne contre Ramot. Sur les tributs, cf. Is **16** 1.

L'armée.

¹³ Il eut d'importants ser-
vices^a dans les cités judéennes et une garnison de vail-
lants preux à Jérusalem. ¹⁴ En voici la répartition par
familles : Pour Juda : officiers de milliers^b : Adna l'officier,
avec 300 milliers de vaillants preux^c; ¹⁵ à ses ordres,
Yehohanân l'officier, avec 280 milliers; ¹⁶ à ses ordres,
Amasya, fils de Zikri, engagé volontaire au service de
Yahvé, avec 200 milliers de vaillants preux.

¹⁷ De Benjamin : le vaillant preux Élyada avec 200 milliers armés de l'arc et de la rondache^d; ¹⁸ à ses ordres,
Yehozabad, avec 180 milliers en tenue de campagne.

¹⁹ Tels étaient ceux qui servaient le roi, sans compter
les hommes qu'il avait mis dans les places fortes de tout
Juda.

L'alliance avec Achab
et les prophètes^e.

18. ¹ Josaphat eut donc
beaucoup de richesses et
d'honneur et il s'allia par mariage avec Achab^f. ² Au bout
de quelques années, il vint visiter Achab à Samarie.
Achab immola quantité de moutons et de bœufs^g pour
lui et pour sa suite afin de l'inciter à attaquer Ramot de
Galaad. ³ Achab, roi d'Israël, dit à Josaphat, roi de Juda :

‖ 1 R 22 1-35

---

a) Ces services, d'après la liste qui en accompagne la mention, sont
surtout des charges militaires. Là encore le Chroniste semble avoir présenté à sa manière une ancienne liste relative aux dispositions prises pour
assurer la tranquillité en Juda pendant l'absence du roi.

b) Unité militaire dont le chiffre était souvent bien loin d'atteindre le
millier.

c) Cette expression et plusieurs de celles qui suivent appartiennent à la
phraséologie du Chroniste.

d) Sur les soldats benjaminites, voir 1 Ch **8** 40.

e) L'auteur suit d'assez près le récit de R, surtout des vv. 4 à 34.

f) Son fils Joram épousa la fille d'Achab, Athalie.

g) Ce sacrifice, contraire aux règles de Lv **17**, puisqu'il est fait loin du
sanctuaire légitime, sera funeste. Le livre des Rois n'en parlait pas.

« Viendras-tu avec moi à Ramot de Galaad ? » Il lui répondit : « Il en sera de la bataille pour moi comme pour toi, pour mes gens comme pour tes gens. »

⁴ Cependant Josaphat dit au roi d'Israël : « Je te prie, consulte d'abord*ᵃ* la parole de Yahvé. » ⁵ Le roi d'Israël rassembla les prophètes, au nombre de quatre cents, et leur demanda : « Devons-nous aller attaquer Ramot de Galaad, ou dois-je y renoncer ? » Ils répondirent : « Monte, Dieu la livrera aux mains du roi. » ⁶ Mais Josaphat dit : « N'y a-t-il donc ici aucun autre prophète de Yahvé, par qui nous puissions le consulter ? » ⁷ Le roi d'Israël répondit à Josaphat : « Il y a encore un homme par qui on peut consulter Yahvé, mais je le hais, car il ne prophétise jamais le bien à mon sujet, mais toujours du mal : c'est Michée, fils de Yimla. » Josaphat dit : « Que le roi ne parle pas ainsi ! » ⁸ Le roi d'Israël appela un chambellan et dit : « Fais vite venir Michée, fils de Yimla. »

⁹ Le roi d'Israël et Josaphat, roi de Juda, étaient assis, chacun sur son trône, en grand costume; ils siégeaient sur l'aire devant la porte de Samarie et tous les prophètes se livraient à leurs transports devant eux. ¹⁰ Sédécias, fils de Kenaana, se fit des cornes de fer et dit : « Ainsi parle Yahvé. Avec cela tu encorneras les Araméens jusqu'au dernier. » ¹¹ Et tous les prophètes faisaient la même prédiction, disant : « Monte à Ramot de Galaad ! Tu réussiras, Yahvé la livrera aux mains du roi. »

¹² Le messager qui était allé chercher Michée lui dit : « Voici que les prophètes n'ont qu'une seule bouche pour parler en faveur du roi. Tâche de parler comme l'un d'eux et prédis le succès. » ¹³ Mais Michée répondit : « Par Yahvé vivant ! Ce que mon Dieu dira, c'est cela que j'énoncerai. »

---

a) Autre traduction : « Comme d'habitude ».

¹⁴ Il arriva près du roi, et le roi lui demanda : « Michée, devons-nous aller combattre à Ramot de Galaad, ou dois-je y renoncer ? » Il répondit : « Montez ! Vous réussirez, ses habitants seront livrés entre vos mains. » ¹⁵ Mais le roi lui dit : « Combien de fois me faudra-t-il t'adjurer de ne me dire que la vérité au nom de Yahvé ? » ¹⁶ Alors Michée prononça :

> « J'ai vu tout Israël dispersé sur les montagnes
> comme un troupeau sans pasteur.
> Et Yahvé a dit : Ils n'ont plus de maître,
> que chacun retourne en paix chez soi ! »

¹⁷ Le roi d'Israël dit alors à Josaphat : « Ne t'avais-je pas dit qu'il prophétisait pour moi non le bien mais le mal ? » ¹⁸ Michée reprit :

« Écoutez plutôt la parole de Yahvé : J'ai vu Yahvé assis sur son trône; toute l'armée du ciel se tenait à sa droite et à sa gauche. ¹⁹ Yahvé demanda : ' Qui trompera Achab, le roi d'Israël, pour qu'il marche contre Ramot de Galaad et qu'il y succombe ? ' Ils répondirent celui-ci d'une manière et celui-là d'une autre. ²⁰ Alors l'Esprit s'avança et se tint devant Yahvé : ' C'est moi, dit-il, qui le tromperai. ' Yahvé lui demanda : ' Comment ? ' ²¹ Il répondit : ' J'irai et je me ferai esprit de mensonge dans la bouche de tous ses prophètes. ' Yahvé dit : ' Tu le tromperas, tu réussiras. Va et fais ainsi. ' ²² Voici donc que Yahvé a mis un esprit de mensonge dans la bouche de tes prophètes qui sont là, mais Yahvé a prononcé contre toi le malheur. »

²³ Alors Sédécias, fils de Kenaana, s'approcha et frappa

---

18 18. « *Écoutez plutôt* » lâkén šimᵉʿû; *Var. G* : « *Il n'en est pas ainsi, écoutez* » lo' kén šimᵉʿû.

Michée à la mâchoire, en disant : « Par quelle voie *a* l'esprit de Yahvé m'a-t-il quitté pour te parler ? » [24] Michée repartit : « C'est ce que tu verras le jour où tu fuiras dans une chambre retirée pour te cacher. » [25] Le roi d'Israël ordonna : « Saisissez Michée, et remettez-le à Amon, gouverneur de la ville, et au prince Joas. [26] Vous leur direz : ʽ Ainsi parle le roi. Mettez cet homme en prison et nourrissez-le strictement de pain et d'eau jusqu'à ce que je revienne sain et sauf ʼ. » [27] Michée dit : « Si tu reviens sain et sauf, c'est que Yahvé n'a pas parlé par ma bouche. Écoutez, vous tous, peuples *b* ! »

[28] Le roi d'Israël et Josaphat, roi de Juda, marchèrent contre Ramot de Galaad. [29] Le roi d'Israël dit à Josaphat : « Je me déguiserai pour marcher au combat, mais toi, revêts ton costume ! » Le roi d'Israël se déguisa et ils marchèrent au combat. [30] Le roi d'Aram avait donné cet ordre à ses commandants de chars : « Vous n'attaquerez ni petit ni grand, mais seulement le roi d'Israël. » [31] Lorsque les commandants de chars virent Josaphat, ils dirent : « C'est le roi d'Israël », et ils concentrèrent sur lui le combat; mais Josaphat poussa un cri et Yahvé lui vint en aide et Dieu les entraîna loin de lui. [32] Lorsque les commandants de chars virent que ce n'était pas le roi d'Israël ils s'éloignèrent de lui.

[33] Or un homme banda son arc sans savoir qui il visait et atteignit le roi d'Israël entre le corselet et les appliques de la cuirasse. Celui-ci dit au charrier : « Tourne bride

---

27. *Avant* « *Écoutez* » *H ajoute* « *et il dit* »; *omis par* G.
29. « *Je me déguiserai pour marcher* » *G* ; « *Déguise-toi et marche* » *H cf.* 1 R **22** 30.

a) Le Chroniste a introduit ce mot qui a une résonance morale et lui vient du courant sapientiel (Pr **1** 31; **12** 15...) par les Prophètes (Jr **2** 33).
b) Le Chroniste termine par une citation de Michée de Moreshet (Mi **1** 2), qu'il a peut-être délibérément rapproché de Michée ben Yimla.

et fais-moi sortir de la mêlée, car je me sens mal. » [34] Mais le combat se fit à ce moment plus violent; le roi d'Israël, jusqu'au soir, resta debout sur son char en face des Araméens et, au coucher du soleil, il mourut[a].

19. [1] Josaphat retourna sain et sauf chez lui, à Jérusalem[b]. [2] Jéhu, fils de Hanani le voyant, sortit à sa rencontre et dit au roi Josaphat : « Porte-t-on secours au pervers[c] ? Aimerais-tu ceux qui haïssent Yahvé, pour attirer ainsi sur toi sa colère ? [3] Néanmoins, on a trouvé en toi quelque chose de bon, car tu as extirpé du pays les ashéras et tu as disposé ton cœur à la recherche de Dieu. »

Les mesures prises pour la propagation du yahvisme.

[4] Josaphat, roi de Juda, après un séjour à Jérusalem, repartit à travers son peuple depuis Bersabée jusqu'à la montagne d'Éphraïm, afin de le ramener à Yahvé, le Dieu de ses pères. [5] Il établit des juges dans le pays pour toutes les villes fortifiées de Juda, dans chaque ville. [6] Il dit à ces juges : « Considérez vos fonctions, car vous ne jugez pas au nom des hommes mais de Yahvé, lui qui est avec vous quand vous prononcez une sentence. [7] Que la crainte de Yahvé pèse maintenant sur vous ! Gardez la Loi, mettez-la en pratique, car

---

33. « *de la mêlée* » hummilḥâmâh (?) *G Vulg* ; « *du camp* » hammaḥănèh *H*.
19 7. « *la Loi* » *conj.*; *absent de H Vers.*

---

a) Le Chroniste abandonne brusquement le récit du livre des Rois, qui avait été composé du point de vue d'Achab et de Samarie. Il est à remarquer qu'il a omis tout ce qui concernait Élie et Élisée.
b) C'est à la communauté qui vit autour du Temple de Jérusalem que s'intéresse le Chroniste.
c) Nouvel aspect de la doctrine prophétique. Osée (**7** 11; **8** 9-10), Isaïe (**30**), Ézéchiel (**23**) avaient blâmé, comme étant vaines, les alliances politiques où Israël croyait trouver sa sécurité. Les paroles de Hanani dégagent le sens religieux et moral de cette attitude.

Yahvé notre Dieu ne consent ni aux fraudes, ni aux privilèges, ni aux cadeaux acceptés*a*. »

8 En outre, Josaphat établit à Jérusalem des prêtres, des lévites et des chefs de familles israélites*b*, pour promulguer les sentences de Yahvé et juger les procès. Ils habitaient Jérusalem 9 et Josaphat leur donna ainsi ses prescriptions : « Vous remplirez de telles fonctions dans la crainte de Yahvé, dans la fidélité et l'intégrité du cœur. 10 Quel que soit le procès qu'introduiront devant vous vos frères établis dans leurs villes : affaire de vengeance du sang, contestations sur la Loi, sur un commandement, sur des décrets ou des coutumes*c*, vous les éclairerez pour qu'ils ne se rendent point responsables devant Yahvé et que sa colère n'éclate pas contre vous et vos frères; en agissant ainsi vous ne serez point responsables.

11 « Voici qu'Amaryahu, le premier prêtre, vous contrôlera pour toute affaire divine*d* et Zebadyahu, fils de Yishmaël, intendant de la maison de Juda, pour toute affaire royale*e*. Les lévites vous serviront de scribes*f*. Soyez fermes, mettez cela en pratique, et Yahvé sera là avec le bonheur. »

---

8. « *Ils habitaient (Jérusalem)* » wayyéš*e*bû *conj. cf. G ;* « *Ils revinrent (à Jérusalem)* » wayyâšubû *H ;* « (*pour juger) les habitants (de Jérusalem)* » yoš*e*bê *G. (Les copistes n'avaient pas compris la fonction du tribunal. Voir note b.)*

---

a) Comparer avec Dt **1** 16-17; cf. **16** 19.

b) A côté des tribunaux locaux, un tribunal suprême est prévu comme en Dt **17** 8-13, et ce tribunal comprend des laïcs et des clercs (Dt **17** 9).

c) Ce tribunal a donc surtout pour fonction de bien interpréter la Loi de Yahvé. Il correspondrait plus à notre Cour de Cassation qu'à nos Cours d'appel. Sur le droit de vengeance, cf. Nb **35** 19.

d) Litt. « affaire de Yahvé ».

e) Cette distinction du religieux et du profane est des plus intéressantes, mais elle reflète l'influence de la théologie d'Ézéchiel.

f) Litt. : « Les lévites seront scribes devant vous »

Foi et chant sacré
dans la guerre
édomite[a].

20. [1] Après cela les Moabites et les Ammonites, accompagnés de Méûnites[b], s'en vinrent combattre Josaphat. [2] On vint en informer Josaphat en ces termes : « Une horde immense s'avance contre toi d'au-delà de la mer, d'Édom; la voici à Haçaçôn Tamar, c'est-à-dire En-Gaddi. »

[3] Josaphat prit peur et se tourna vers Yahvé. Il s'adressa à lui et proclama un jeûne[c] pour tout Juda. [4] Les Judéens se rassemblèrent pour chercher secours auprès de Yahvé; ce sont même toutes les cités judéennes qui vinrent s'adresser à Yahvé. [5] Lors de cette Assemblée des Judéens et des Hiérosolymites dans le Temple de Yahvé, Josaphat se tint debout devant le nouveau parvis[d] [6] et s'écria[e] : « Yahvé, Dieu de nos pères, n'est-ce pas toi le Dieu qui est dans les cieux ? N'est-ce pas toi qui domines sur tous les royaumes des nations ? Dans ta main sont la force et

---

20 1. « *Méûnites* » G[BA]; « *Ammonites* » H.
    2. « *Édom* » *conj.*; « *Aram* » H (*confusion fréquente*).

---

a) Ce ch. également n'a pas été pris dans le livre des Rois.

b) Méûn est en Édom près de Pétra, et Haçaçôn Tamar est la voie normale que ces bandes doivent emprunter pour pénétrer en Juda par le sud. Ce site antique (Gn **14** 7; cf. Nb **21** 1 et la note) avait cessé d'être connu des Israélites après l'exil et le Chroniste en indique approximativement la direction par rapport à Jérusalem en parlant d'En-Gaddi sur la rive occidentale de la mer Morte (v. 2). Il se peut qu'il se soit surtout agi d'une razzia dans le genre de celle de Zérah le Kushite (2 Ch **14** 8-14) et que la mention des Moabites et Ammonites soit rédactionnelle.

c) Ces jeûnes prescrits par l'autorité en cas de calamité publique nous sont surtout connus après l'exil (Jl **1** 14), mais voir 1 R **21** 9 et Jr **36** 6.

d) C'est sans doute la grande cour de **4** 9, qui est destinée au peuple; mais cette expression n'est pas usitée ailleurs, même chez Josèphe. Des travaux avaient-ils été faits ? Ceux d'Asa (**15** 8) devant le Vestibule ?

e) Cet appel commence par reprendre les thèmes de la prière de Salomon au jour de la Dédicace (**6** 1 s).

la puissance, et tu ne laisses place à nul autre[a]. [7] N'est-ce pas toi qui es notre Dieu, toi qui, devant Israël ton peuple, as dépossédé les habitants de ce pays ? Ne l'as-tu pas donné à la race d'Abraham que tu aimeras[b] éternellement ? [8] Ils s'y sont établis et y ont construit un sanctuaire à ton Nom en disant : [9] ' Si le malheur s'abat sur nous, guerre, punition, peste, ou famine, nous nous tiendrons devant ce Temple et devant toi, car ton Nom est dans ce Temple. Du fond de notre détresse nous crierons vers toi, tu nous entendras et tu nous sauveras. '

[10] « Vois à cette heure les Ammonites, Moab et les montagnards de Séïr; tu n'as pas laissé Israël les envahir lorsqu'il venait du pays d'Égypte, il s'est au contraire écarté d'eux sans les détruire[c]; [11] vois-les qui nous récompensent en venant nous chasser des possessions que tu nous as léguées. [12] O notre Dieu, n'en feras-tu pas justice, car nous sommes impuissants devant cette horde immense qui nous attaque. Nous, nous ne savons que faire, aussi est-ce sur toi que se portent nos regards[d]. »

[13] Tous les Judéens se tenaient debout en présence de Yahvé, et même leurs plus jeunes enfants et leurs femmes. [14] Au milieu de l'Assemblée, l'Esprit de Yahvé fut sur Yahaziel, fils de Zekaryahu, fils de Benaya, fils de Yeïel, fils de Mattanya[e] le lévite, l'un des fils d'Asaph. [15] Il s'écria : « Prêtez l'oreille, vous tous Judéens et habitants

---

8. *Après « construit » H ajoute « pour toi »; omis par Vers.*

12. *« notre Dieu »; Var. G : « Yahvé notre Dieu ».*

13. *Après « leurs femmes » H ajoute « et leurs fils »; omis par G.*

---

a) Litt. « nul avec toi de se tenir ».

b) Sur cet amour, cf. Is **41** 8.

c) Nb **20** 21 et Dt **2** 8 (comparer Dt **2** 29).

d) Comparer avec le Ps **123**.

e) Sur Mattanya, cf. 1 Ch **9** 15 et Ne **11** 17 et 22, mais son descendant Yahaziel n'est pas autrement connu. Remarquons cependant que le Chroniste voit dans ce chantre un prophète, cf. 1 Ch **25** 1 et la note.

de Jérusalem, et toi, roi Josaphat ! Ainsi vous parle Yahvé : Ne craignez pas, ne vous effrayez pas[a] devant cette horde immense; ce combat n'est pas le vôtre mais celui de Dieu. [16] Descendez demain contre eux : voici qu'ils empruntent la monté de Çiç et vous les rencontrerez au val de Soph[b], près du désert de Yeruel. [17] Vous n'aurez pas à y combattre. Tenez-vous là, prenez position, vous verrez le salut que Yahvé vous réserve. Juda et Jérusalem, ne craignez pas, ne vous effrayez pas, partez demain à leur rencontre et Yahvé sera avec vous[c]. »

[18] Josaphat s'inclina, la face contre terre, tous les Judéens et les habitants de Jérusalem se prosternèrent devant Yahvé pour l'adorer. [19] Les lévites — des Qehatites et des Coréites[d] — se mirent alors à louer Yahvé, Dieu d'Israël, à pleine voix.

[20] De grand matin, ils se levèrent et partirent pour le désert de Teqoa. A leur départ, Josaphat, debout, s'écria : « Écoutez-moi, Judéens et habitants de Jérusalem ! Ayez foi en Yahvé votre Dieu et vous subsisterez[e], ayez foi en ses prophètes et vous réussirez. » [21] Puis, après avoir tenu conseil avec le peuple, il plaça au départ, devant les guerriers, les chantres de Yahvé qui le louaient, vêtus d'ornements sacrés. « Louez Yahvé, disaient-ils, car éternel[f] est son amour. » [22] Au moment où ils entonnaient l'exaltation et la louange, Yahvé tendit une embuscade contre

---

22. « *l'exaltation et la louange* »; *Var. G* : « *son exaltation de louange* ».

---

a) Cette exhortation à la foi était souvent la fonction du prophète, cf. Is **7** 4.
b) Autre traduction : « à l'extrémité de la vallée ». Ces trois sites n'ont pu être identifiés.
c) Comparer avec l'Emmanuel : « Dieu avec nous » de Is **8** 8 et 10.
d) Remarquer l'absence des Gershonites.
e) Cf. Is **7** 9.
f) Cf. Ps **136** 1.

les Ammonites, Moab et les montagnards de Séïr qui
attaquaient Juda, et qui se virent alors battus. [23] Les
Ammonites et les Moabites se dressèrent contre les habitants de la montagne de Séïr pour les vouer à l'anathème[a]
et les anéantir, mais en exterminant les habitants de Séïr
ils ne s'entraidaient que pour leur propre perte[b].

[24] Les Judéens atteignaient le point d'où l'on a vue sur
le désert et allaient faire face à la horde, quand il n'y avait
déjà plus que cadavres à terre et aucun rescapé. [25] Josaphat
vint avec son armée piller leur butin; l'on y trouva en
abondance du bétail, des biens, des vêtements et des
objets précieux; ils en ramassèrent plus qu'ils n'en pouvaient porter et ils passèrent trois jours à razzier ce butin
tant il était abondant. [26] Le quatrième jour, ils se rassemblèrent dans la vallée de Beraka[c]; ils y bénirent en effet
Yahvé, d'où le nom de vallée de Beraka donné à ce lieu
jusqu'à nos jours. [27] Puis tous les hommes de Juda et de
Jérusalem revinrent tout joyeux à Jérusalem, avec Josaphat à leur tête, car Yahvé les avait mis en liesse aux dépens
de leurs ennemis. [28] Ils entrèrent à Jérusalem, dans le
Temple de Yahvé, au son des lyres, des cithares et des
trompettes, [29] et la Terreur de Dieu[d] s'abattit sur tous les
royaumes des pays quand ils apprirent que Yahvé avait
combattu les ennemis d'Israël. [30] Le royaume de Josa-

---

25. « du bétail » G ; omis par H. — « vêtements » beɡâdîm 7 Mss Vulg ;
« cadavres » peɡârîm H.

a) Sur l'anathème, cf. Jos 6 17.
b) Litt. « il aidait l'autre dans la destruction ». Ézéchiel voit aussi la
grande coalition qui menace la nouvelle Jérusalem se dissoudre dans la
discorde (38 21).
c) Le site se trouve dans le désert de Juda entre En-Gaddi et Teqoa.
Le mot signifie en sémitique « bénédiction », d'où cette étymologie popu-
laire.
d) Sur cette terreur que Dieu inspire aux ennemis de son peuple, cf. Gn
35 5; Dt 2 25.

phat fut tranquille et Dieu lui donna la paix sur toutes
ses frontières.

Fin du règne*a*. [31] Josaphat régna sur Juda; il avait trente-cinq ans
à son avènement et il régna
vingt-cinq ans à Jérusalem; sa mère s'appelait Azuba,
fille de Shilhi. [32] Il suivit la conduite de son père Asa sans
dévier, faisant ce qui est juste au regard de Yahvé. [33] Cependant les hauts lieux ne disparurent pas*b* et le peuple continua à ne pas fixer son cœur dans le Dieu de ses pères.
[34] Le reste de l'histoire de Josaphat, du début à la fin, se
trouve écrit dans les Actes de Jéhu, fils de Hanani, qui
ont été portés sur le livre des Rois d'Israël.

[35] Après quoi, Josaphat, roi de Juda, se lia à Ochozias,
roi d'Israël. C'est celui-ci qui le poussa à mal faire. [36] Il
s'associa avec lui pour construire des navires à destination
de Tarsis*c*; c'est à Écyôn-Géber qu'ils les construisirent.
[37] Éliézer, fils de Dodavahu de Maresha, prophétisa alors
contre Josaphat : « Parce que tu t'es associé à Ochozias,
dit-il, Yahvé a fait une brèche dans tes œuvres. » Les
navires se brisèrent et ne furent pas en mesure de partir
pour Tarsis.

21. [1] Josaphat se coucha avec ses pères et on l'enterra
avec eux dans la Cité de David; son fils Joram régna à sa
place.

---

21 1. « *avec eux* » *omis par* G^B.

---

a) Reprenant le texte des Rois, le Chroniste s'expose à des redites
(cf. **17** 3), malgré quelques suppressions. Il ajoute comme à son habitude
la source prophétique qu'il utilise.

b) C'est la donnée du livre des Rois. Comparer avec **17** 6.

c) Le livre des Rois parle non d'aller à Tarsis mais de la construction
d'un « navire de Tarsis » (cf. 1 R **10** 22 et la note). Le Chroniste modifie
le texte pour mentionner l'intervention d'un prophète à l'occasion de
l'échec de Écyôn-Géber.

V. Impiété et désastres
de Joram, Ochozias, Athalie et Joas

**Avènement
et crime de Joram.**

² Joram avait six frères, fils de Josaphat : Azarya, Yehiel, Zekaryahu, Azaryahu, Mikaël et Shephatyahu; ce sont là tous les fils de Josaphat, roi d'Israël. ³ Leur père leur avait fait de multiples dons en argent, en or, en joyaux et en villes fortifiées de Juda, mais il avait laissé la royauté à Joram, car c'était l'aîné*a*. ⁴ Joram put se maintenir à la tête du royaume de son père, puis, s'étant affermi, il fit passer au fil de l'épée tous ses frères, plus quelques officiers d'Israël.

|| 2 R 8 17-19

⁵ Joram avait trente-deux ans à son avènement et il régna huit ans à Jérusalem. ⁶ Il imita la conduite des rois d'Israël, comme avait fait la maison d'Achab, car il avait épousé une fille d'Achab; et il fit ce qui déplaît à Yahvé. ⁷ Cependant Yahvé ne voulut pas détruire la maison de David à cause de l'alliance*b* qu'il avait conclue avec lui et selon la promesse qu'il lui avait faite de lui laisser toujours une lampe*c* ainsi qu'à ses fils.

|| 2 R 8 20-22

Les châtiments.

⁸ De son temps, Édom s'affranchit de la domination de Juda et se donna un roi. ⁹ Joram passa la frontière, et avec lui ses officiers et tous

---

2. « six » G ; *omis par H (à cause d'une mauvaise interprétation de* 22 8). — « Israël »; *Var. G :* « Juda ».

a) Voir les dispositions semblables de Roboam en 11 22 s.

b) Terminologie propre au Chroniste, importante au point de vue de la nouvelle alliance messianique, donc davidique.

c) Cf. 2 S 21 17; 1 R 11 36; on pourrait traduire « le pouvoir » en supposant un assyrianisme (*nîru* signifie « joug »).

ses chars. Il se leva de nuit, et força la ligne des Édomites qui l'encerclaient et les commandants de chars. [10] Ainsi Édom s'affranchit de la domination de Juda, jusqu'à ce jour. C'est aussi l'époque où Libna s'affranchit de sa domination[a].

Il[b] avait en effet abandonné Yahvé, le Dieu de ses pères. [11] C'est aussi lui qui institua des hauts lieux sur les montagnes de Juda, qui fit se prostituer les habitants de Jérusalem et s'égarer les Judéens. [12] Un écrit du prophète Élie[c] lui parvint alors, qui disait : « Ainsi parle Yahvé, le Dieu de ton père David. Parce que tu n'as pas suivi la conduite de Josaphat ton père, ni celle d'Asa, roi de Juda, [13] mais parce que tu as suivi la conduite des rois d'Israël et que tu es cause de la prostitution des Judéens et des habitants de Jérusalem, comme l'a été la maison d'Achab, et parce que tu as en outre assassiné tes frères, ta famille, qui étaient meilleurs que toi, [14] Yahvé va te frapper d'un

---

9. *G ajoute :* « *et le peuple s'enfuit à ses tentes* ».
11. « *montagnes* »; *Var. G :* « *villes* ».

---

a) Peut-être à cause de l'attaque philistine mentionnée plus loin (v. 16).
b) Le Chroniste ajoute dans ce paragraphe ses propres considérations religieuses.
c) C'est la seule mention d'Élie dans ce livre et cette intervention d'Élie est inconnue du livre des Rois; même lorsqu'il va à Bersabée pour gagner l'Horeb, Élie n'a pas d'action en Juda; d'ailleurs le Chroniste ne mentionne qu'un écrit. Ce qui est plus grave, c'est que, selon la chronologie du livre des Rois, Élie disparaît avant le règne de Joram d'Israël (cf. 2 R **2**; **3** 1) et que Joram de Juda n'accède au trône que dans la cinquième année de Joram d'Israël (**8** 16). Il est donc probable qu'Élie était mort à l'époque de Joram. Cependant la donnée de 1 R **1** 17, qui fait au contraire régner Joram d'Israël à partir de la deuxième année de Joram de Juda, peut avoir sa valeur (cf. note), à moins que ce soit seulement une glose pour mettre en accord le livre des Rois avec cette donnée des Chroniques. En tous cas le Chroniste semble surtout se référer à un écrit prophétique dans le genre des sources qu'il cite souvent. C'est l'attitude d'Élie contre les baals et son invective contre Achab meurtrier de Nabot qui sont ici évoquées, mais en fonction de Juda, seul royaume qui entre dans les perspectives messianiques du Chroniste.

grand désastre en ton peuple et en tes descendants, tes
femmes et tous tes biens. ¹⁵ Tu seras atteint toi-même
de graves maladies, d'une maladie d'entrailles telle que
par ce mal tu seras en deux ans *ᵃ* vidé de tes entrailles. »

¹⁶ Yahvé excita contre Joram l'animosité des Philistins et des Arabes voisins des Kushites *ᵇ*. ¹⁷ Ils attaquèrent
Juda, y pénétrèrent, et razzièrent tous les biens qui se
trouvaient appartenir à la maison du roi, voire ses fils et
ses femmes, et il ne lui resta plus d'autre fils qu'Ochozias, le plus petit d'entre eux. ¹⁸ Après tout cela, Yahvé
le frappa d'une maladie d'entrailles incurable; ¹⁹ elle dura
plus d'une année et au bout de deux ans, quand vint le
dernier moment, il fut vidé de ses entrailles et mourut
dans de cruelles souffrances. Le peuple ne lui fit pas de
feux comme il en avait fait pour ses pères *ᶜ*.

║ 2 R 8 24ᵃ   ²⁰ Il avait trente-deux ans à son avènement et régna
huit ans à Jérusalem. Il s'en alla sans laisser de regrets
et on l'enterra dans la Cité de David, mais non dans les
sépultures royales *ᵈ*.

║ 2 R 8 24ᵇ⁻
²⁹

**Ochozias
et sa politique.**

22. ¹ Les habitants de
Jérusalem firent roi à sa place
Ochozias, son plus jeune fils,
car la troupe qui, avec les
Arabes, avait fait incursion dans le camp, avait assassiné
les aînés. Ainsi Ochozias, fils de Joram, devint roi de

---

15. « *graves* » rà'îm *G Vulg ;* « *nombreuses* » rabbîm *H.*
16. « *l'animosité* » *omis par G.*

---

a) Cf. v. 19. Litt. « jours sur jours »; mais voir Ex **13** 10; Jg **11** 40, etc.
b) Sur les Kushites, voir p. 165, note *e.*
c) Cf. **16** 14.
d) Ceci est conforme à la doctrine du Chroniste sur la rétribution, mais
le livre des Rois, usant il est vrai d'une formule stéréotypée, suggère le
contraire.

Juda. ² Il avait vingt ans à son avènement et il régna un an à Jérusalem. Le nom de sa mère s'appelait Athalie, fille de Omri. ³ Lui aussi imita la conduite de la maison d'Achab, car sa mère lui donnait de mauvais conseils. ⁴ Il fit ce qui déplaît à Yahvé, comme la famille d'Achab, car ce sont ces gens qui, pour sa perte, devinrent ses conseillers après la mort de son père[a]. ⁵ Il suivit en outre leur politique et alla avec Joram, fils d'Achab, roi d'Israël, pour combattre Hazaël, roi d'Aram, à Ramot de Galaad. Mais les Araméens blessèrent Joram; ⁶ il revint à Yizréel pour faire soigner les blessures reçues à Ramot en combattant Hazaël, roi d'Aram.

Ochozias, fils de Joram, roi de Juda, descendit à Yizréel, pour visiter Joram, fils d'Achab, parce qu'il était souffrant[b]. ⁷ Dieu fit de cette visite à Joram la perte d'Ochozias. A son arrivée, il sortit avec Joram à la rencontre de Jéhu, fils de Nimshi, oint par Yahvé pour en finir avec la maison d'Achab. ⁸ Alors qu'il s'employait à faire justice de la maison d'Achab, Jéhu rencontra les officiers de Juda et les neveux[c] d'Ochozias, ses serviteurs; il les tua, ⁹ puis se mit à la recherche d'Ochozias. On se saisit

‖ 2 R **9** 21
‖ 2 R **10** 12-14

---

22 2. « *vingt ans* » *G*ᴮᴬ; « *vingt-deux ans* » *Mss grecs et* 2 R **8** 26; « *quarante-deux ans* » *H.*

5. « *Araméens* » hâ'ărammîm *Mss Vulg Targ* ; « *tireurs* » hârammîm *H.*
6. « *Ochozias* » *G* ; « *Azaryahu* » *H.*

a) C'est le Chroniste qui a inséré ce motif dans le texte du livre des Rois. Pour lui, Ochozias est le type du jeune roi mal conseillé, tel Roboam au moment du schisme, 2 Ch **10** 6 s, cf. Qo **10** 16. Sur les mauvais conseillers, Is **1** 26.

b) Le Chroniste a omis les longs développements relatifs à l'onction de Jéhu et reprend le récit des Rois en 2 R **9** 21, non sans être obligé de le remanier quelque peu en y insérant 2 R **10** 12-14 qui seul se référait à la parenté d'Ochozias.

c) Les frères, selon le livre des Rois, mais le terme pouvait être pris dans un sens large et, selon le Chroniste (v. 1), les frères ont été tués lors de l'invasion arabe.

de lui tandis qu'il essayait de se cacher dans Samarie[a] et on l'amena à Jéhu, qui l'exécuta. Mais on l'ensevelit[b] parce qu'on disait : « C'est le fils de Josaphat qui recherchait Yahvé de tout son cœur[c]. »

|| 2 R 9 28-29

Le crime d'Athalie. Il n'y avait personne dans la maison d'Ochozias qui fût en mesure de régner. [10] Lorsque la mère d'Ochozias, Athalie, eut appris que son fils était mort, elle entreprit d'exterminer toute la descendance royale de la maison de Juda. [11] Mais Yehoshéba, fille du roi, retira furtivement Joas, fils d'Ochozias, du groupe des fils du roi qu'on massacrait et elle le mit, avec sa nourrice, dans la chambre des lits. Ainsi Yehoshéba, fille du roi Joram et femme du prêtre Yehoyada[d] (et elle était sœur d'Ochozias), put le soustraire à Athalie et éviter qu'elle ne le tuât. [12] Il resta six ans avec eux, caché dans le Temple de Dieu, pendant qu'Athalie régnait sur le pays.

|| 2 R 11 1-3

Le clergé contre Athalie. **23.** [1] La septième année, Yehoyada se décida. Il envoya chercher les officiers de centaines, Azarya fils de Yeroham, Yishmaël fils de Yehohanân, Azaryahu fils d'Obed, Maaséyahu fils d'Adayahu, Élishaphat fils de Zikri, et s'unit à eux par un pacte. [2] Ils parcoururent Juda,

|| 2 R 11 4-16

---

10. « *exterminer* » t^e'abbéd *Vers.* 2 R **11** 1 ; « *dire* » t^edabbér H.

11. « *fille du roi* » *omis par* G. — « *prêtre* » *omis par* G (*dont le texte est embrouillé*).

12. « *avec eux* » ; *Var.* G^A *Syr* : « *avec lui* ».

a) Au centre du pays, vers la capitale ; en fait c'est à Mégiddo qu'il fut pris.

b) A Jérusalem, d'après le livre des Rois.

c) Ceci est un complément à la doctrine de la rétribution ; les mérites du père peuvent rejaillir sur le fils qui n'est qu'à moitié coupable (v. 3).

d) Semblable mariage devait être rare, mais le Chroniste est intéressé par cette union des maisons de Juda et de Lévi.

rassemblèrent les lévites de toutes les cités judéennes et
les chefs de famille israélites *a*. Ils vinrent à Jérusalem
³ et toute cette Assemblée *b* conclut un pacte avec le roi
dans le Temple de Dieu. « Voici l'enfant royal, leur dit
Yehoyada. Qu'il règne, comme l'a déclaré Yahvé des fils
de David ! ⁴ Voici ce que vous allez faire : tandis que le
tiers d'entre vous *c*, prêtres, lévites et portiers des seuils *d*,
entrera pour le sabbat, ⁵ un tiers se trouvera au palais
royal, un tiers à la porte du Fondement *e* et tout le peuple
dans les parvis du Temple de Yahvé. ⁶ Que personne
n'entre dans le Temple de Yahvé, sinon les prêtres et les
lévites de service, car ils sont consacrés. Tout le peuple
observera les ordonnances de Yahvé. ⁷ Les lévites feront
cercle autour du roi, chacun ses armes à la main, et ils
accompagneront le roi partout où il ira; mais quiconque
entrera dans le Temple sera mis à mort *f*. »

⁸ Les lévites et tous les Judéens exécutèrent tout ce
que leur avait ordonné le prêtre Yehoyada. Ils prirent

---

a) Ces lignes, depuis « Azarya... » sont du Chroniste. Elles supposent
un premier pacte avec des officiers aux noms authentiquement israélites,
tandis que le texte des Rois suggérait plutôt des gardes étrangers; cela
n'aurait plus été admis à l'époque postexilique, depuis qu'Ézéchiel avait
interdit aux étrangers l'accès au sanctuaire (44 9). D'autre part le Chroniste devait tenir compte du rôle dévolu aux lévites dans tout acte liturgique au Temple selon Nb 1-4 et 8; 1 Ch 15-28; d'où le grand rassemblement du v. 2, dont le livre des Rois ne dit rien et qui est difficilement
compatible avec la réussite du coup d'État.

b) La mention de l'Assemblée est aussi une addition du Chroniste, qui
conçoit la scène qui va suivre plus comme un événement liturgique que
comme une affaire politique.

c) Le Chroniste a remanié le v. correspondant du livre des Rois de
manière à ne laisser entrer que les prêtres et les lévites, la garde restant
aux portes ou dans le palais (où se trouvait Athalie) et le peuple occupant
le parvis comme dans les solennités.

d) Sur ces seuils, voir 1 Ch 9 19, 22.

e) Autre lecture du nom donné par le livre des Rois à cette porte, mal
localisée d'ailleurs.

f) Le texte des Rois disait seulement : « Quiconque voudra forcer vos
rangs sera mis à mort. »

chacun leurs hommes, ceux qui commençaient la semaine et ceux qui la terminaient, le prêtre Yehoyada n'ayant exempté aucune classes[a]. [9] Puis le prêtre donna aux centeniers les lances, les rondaches et les boucliers du roi David, qui étaient dans le Temple de Dieu. [10] Il rangea tout le peuple, chacun son arme à la main, depuis l'angle sud jusqu'à l'angle nord du Temple, entourant l'autel et le Temple pour faire cercle autour du roi. [11] On fit alors sortir le fils du roi, on lui imposa le diadème et la Loi[b], on le fit roi. Puis Yehoyada et ses fils[c] l'oignirent et s'écrièrent : « Vive le roi ! »

[12] Entendant les cris du peuple qui se précipitait vers le roi et l'acclamait, Athalie se rendit auprès du peuple au Temple de Yahvé. [13] Quand elle vit le roi debout près de la colonne, à l'entrée, les chefs et les trompettes auprès du roi, tout le peuple du pays exultant de joie et sonnant de la trompette, les chantres avec les instruments de musique dirigeant le chant des hymnes[d], Athalie déchira ses vêtements et s'écria : « Trahison ! Trahison ! » [14] Mais Yehoyada fit sortir les centeniers, qui commandaient la

---

23 14. « *fit sortir* »; *Var. G Syr :* « *prescrivit* ». — « *qui commandaient* » *G Vulg ;* « *recensés* » *H.*

---

a) L'ancien récit ne se préoccupait pas des classes. Mais de même qu'au v. 7 le Chroniste en avait utilisé l'une des phrases pour rappeler l'unique médiation du sacerdoce lévitique au Temple, il transforme ici une relève de la garde en un rappel des règles davidiques sur les classes (1 Ch **24** 19).

b) Litt. « le témoignage ». Sur le texte primitif, cf. 2 R **11** 12. Mais à l'époque du Chroniste le mot « témoignage », qui signifiait sans doute autrefois quelque chose comme « oracle », a pris le sens d' « alliance » (« arche du témoignage » pour « arche d'alliance », v. g. Nb **4** 5), c'est-à-dire de « Loi », et l'auteur songe ici à Dt **17** 18 qui prescrivait au roi de copier un exemplaire de la Loi.

c) L'ancien texte ne précisait pas que l'onction avait été faite par le sacerdoce.

d) Litt. « enseignant à louer ». Nouvelle notation propre au Chroniste et bien dans sa manière.

troupe, et leur dit : « Faites-la sortir hors des rangs[a], et si quelqu'un la suit, qu'il soit passé au fil de l'épée »; car le prêtre avait dit : « Ne la tuez pas dans le Temple de Yahvé. » [15] Ils mirent la main sur elle et, quand elle arriva au palais royal, à l'entrée de la porte des Chevaux[b], là ils la mirent à mort.

|| 2 R **11** 17-20

La réforme de Yehoyada. [16] Yehoyada conclut entre tout le peuple et le roi une alliance par laquelle le peuple s'obligeait à être le peuple de Yahvé. [17] Tout le peuple se rendit ensuite au temple de Baal et le démolit; on brisa ses autels et ses images et on tua Mattân, prêtre de Baal, devant les autels.

[18] Yehoyada remit aux mains des prêtres lévites la surveillance du Temple de Yahvé. C'est à eux que David avait donné pour part le Temple de Yahvé afin d'offrir les holocaustes de Yahvé comme il est écrit dans la Loi de Moïse, dans la joie et avec des chants, selon les ordres de David. [19] Il installa des portiers aux entrées du Temple de Yahvé pour qu'en aucun cas un homme impur n'y pénètrât[c]. [20] Puis il prit les centeniers, les notables, ceux qui avaient une autorité publique et tout le peuple du pays; et il fit descendre le roi du Temple de Yahvé. Ils entrèrent

---

18. « *des prêtres lévites* »; *Var. G* : « *des prêtres et des lévites* ».

---

a) Sur « rangs », cf. 2 R **11** 8. Mais on a plutôt l'impression qu'il s'agit d'une partie du Temple, cf. 1 R **6** 9.

b) C'est la porte sud du Temple qui donnait accès au palais royal, là où l'on peut voir encore ce que l'on appelle les « Écuries de Salomon ». Cf. 1 R **11** 16 et la note.

c) Ces deux vv. sont en grande partie de la plume du Chroniste, qui conçoit la réforme de Yehoyada comme un retour aux institutions davidiques. Cf. 1 Ch **23** 13; **24** 3 (pour les prêtres qualifiés ici de lévites dans les perspectives de 1 Ch **23**); **25** (pour le chant liturgique) et **26** (pour les portiers).

au palais royal par la voûte centrale de la porte supérieure[a], et ils firent asseoir le roi sur le trône royal. [21] Tout le peuple du pays était en liesse, et la ville ne bougea pas. Quant à Athalie, on la fit périr par l'épée.

|| 2 R **12** 1-17

Joas restaure le Temple.

24. [1] Joas avait sept ans à son avènement et il régna quarante ans à Jérusalem; sa mère s'appelait Çibya, elle était de Bersabée. [2] Joas fit ce qui était agréable à Yahvé tout le temps que vécut le prêtre Yehoyada, [3] qui lui avait fait épouser deux femmes[b] dont il eut des fils et des filles. [4] Après quoi Joas désira restaurer le Temple de Yahvé.

[5] Il réunit les prêtres et les lévites et leur dit : « Partez dans les cités judéennes[c] et recueillez auprès de tous les Israélites de l'argent pour réparer le Temple de votre Dieu, autant qu'il en faudra chaque année. Hâtez cette affaire. » Mais les lévites ne se pressèrent pas. [6] Alors le roi appela Yehoyada, le premier d'entre eux, et lui dit : « Pourquoi n'as-tu pas exigé des lévites qu'ils rapportent de Juda et de Jérusalem ce que Moïse, le serviteur de Yahvé, a imposé à l'assemblée d'Israël pour la Tente du

---

a) Le Chroniste a supprimé ici comme au v. 11 la mention des gardes, litt. « coureurs », qui évoquaient trop une présence profane dans le Temple. Sur la porte supérieure, cf. 1 Ch **26** 16 et la note. Au lieu de dire simplement « par la porte », il dit « au milieu de la porte »; il semble qu'il suggère par là non une simple porte mais une porte à trois voûtes, comme la Porte triple du Temple d'Hérode.

b) Nous sommes loin des chiffres de David (1 Ch **3** 1 s; **14** 3 s), Salomon (1 R **11** 3) et Roboam (2 Ch **11** 18 s). Remarquer l'intervention du grand prêtre.

c) Joas, selon le livre des Rois, n'avait pas organisé semblable collecte mais une simple utilisation des offrandes faites au Temple à l'occasion de vœux ou de pèlerinages (2 R **12** 5). Mais à l'époque postexilique tous les Juifs dispersés étaient invités à verser pour le Temple l'impôt du didrachme (cf. Mt **17** 23 s). Saint Paul quêtera de même dans toutes les collectivités chrétiennes pour la communauté de Jérusalem.

Témoignage[a] ? [7] Athalie et ses fils qu'elle a pervertis ont endommagé le Temple de Dieu et ont même attribué aux Baals les revenus sacrés du Temple de Yahvé. » [8] Et le roi ordonna de faire un coffre, qu'ils mirent devant la porte du Temple de Yahvé. [9] On proclama en Juda et à Jérusalem qu'il fallait apporter à Yahvé ce que Moïse, le serviteur de Dieu, avait imposé à Israël dans le désert. [10] Tous les officiers et tout le peuple vinrent avec joie jeter leur dû dans le coffre jusqu'à paiement complet.

[11] Or, au moment d'apporter le coffre à l'administration royale qui était aux mains des lévites, ceux-ci virent qu'il y avait beaucoup d'argent; le secrétaire royal vint avec le préposé du premier prêtre; ils soulevèrent[b] le coffre, l'emportèrent, puis le remirent en place. Ils firent ainsi chaque jour[c] et recueillirent beaucoup d'argent. [12] Le roi et Yehoyada le donnèrent au maître d'œuvre attaché au service du Temple de Yahvé. Les salariés, maçons et charpentiers, se mirent à restaurer le Temple de Yahvé; des forgerons et des bronziers travaillèrent aussi à le réparer. [13] Les maîtres d'œuvre s'étant donc mis au travail, les réparations progressèrent[d] entre leurs mains, ils réédifièrent le Temple de Dieu dans ses dimensions propres et le consolidèrent. [14] Quand ils eurent terminé, ils apportèrent au roi et à Yehoyada le reste de l'argent; on en fabriqua du mobilier[e] pour le Temple de Yahvé, vases

---

24 12. « *maître d'œuvre* »; *G Syr et quelques Mss hébr. ont le pluriel.*

---

a) Ceci aussi n'est pas dans le livre des Rois; le Chroniste invoque Ex 25 1-9; 38 25-31.
b) Autre traduction : « ils vidèrent ».
c) Le Chroniste rend quotidienne une institution primitivement beaucoup moins régulière.
d) Litt. « la longueur de ce travail monta dans leurs mains ».
e) A partir de ce v. le Chroniste s'affranchit de sa source. Il insiste sur

pour le service liturgique et les holocaustes, coupes et objets d'or et d'argent.

On put ainsi offrir l'holocauste perpétuel dans le Temple de Yahvé tout le temps que vécut Yehoyada. [15] Puis Yehoyada vieillit et mourut rassasié de jours. Il avait cent trente ans[a] à sa mort [16] et on l'ensevelit avec les rois dans la Cité de David, car il avait bien agi en Israël envers Dieu et son Temple.

Défaillance de Joas et châtiment.

[17] Après la mort de Yehoyada, les officiers de Juda vinrent se prosterner devant le roi, et cette fois le roi les écouta[b]. [18] Les Judéens abandonnèrent le Temple de Yahvé, Dieu de leurs pères, pour rendre un culte aux pieux sacrés et aux idoles. A cause de cette faute, la colère de Dieu s'abattit sur Juda et sur Jérusalem. [19] Des prophètes leur furent envoyés pour les ramener à Yahvé; mais ils leur transmirent le message sans qu'ils prêtent l'oreille. [20] L'Esprit de Dieu revêtit Zacharie, le fils du prêtre Yehoyada[c], qui se tint debout devant le peuple et lui dit : « Ainsi parle Dieu. Pourquoi transgressez-vous les commandements de Yahvé sans aboutir à rien ? Parce que vous avez abandonné Yahvé, il vous abandonne. » [21] Ils se liguèrent alors contre lui et sur l'ordre du roi le lapidèrent sur le parvis du Temple de Yahvé. [22] Le roi Joas, oubliant la générosité que lui avait témoignée Yehoyada,

---

18. « *Temple* » omis par G. — « *pieux sacrés* »; *Var. G* : « *Astartés* ».

le mobilier cultuel, cf. Ex **34** 13 s, ces vases sacrés qui jouent un si grand rôle dans le culte judaïque depuis leur retour de Babylone (Esd **6** 5 ; **1** 7). Comparer avec 2 R **12** 13.

a) Plus qu'Aaron d'après Nb **33** 39.
b) Encore les mauvais conseillers, comme pour Ochozias.
c) Voir les discussions sur Mt **23** 35 et Lc **11** 51.

père de Zacharie, tua Zacharie son fils qui en mourant s'écria : « Yahvé verra et demandera compte[a] ! »

²³ Or, au retour de l'année[b], l'armée araméenne partit en guerre contre Joas. Elle atteignit Juda et Jérusalem, exécuta parmi la population tous les officiers et envoya toutes leurs dépouilles au roi de Damas[c]. ²⁴ Certes, l'armée araméenne n'était venue qu'avec peu d'hommes, mais c'est une armée considérable que Yahvé livra entre ses mains pour l'avoir abandonné, lui, le Dieu de leurs pères.

‖ 2 R **12** 18-22

Les Araméens firent justice de Joas, ²⁵ et quand ils le quittèrent, le laissant gravement malade, ses serviteurs se conjurèrent contre lui pour venger le fils du prêtre Yehoyada et le tuèrent sur son lit[d]. Il mourut et on l'ensevelit dans la Cité de David, mais non pas dans les sépultures royales. ²⁶ Voici les conjurés : Zabad fils de Shiméat l'Ammonite, Yehozabad fils de Shimrit la Moabite. ²⁷ Quant à ses fils, l'importance du tribut qui lui fut imposé et la restauration[e] du Temple de Dieu, on trouvera cela consigné dans le Midrash du livre des Rois. Amasias, son fils, régna à sa place.

---

25. « *le fils* » G *Vulg* ; « *les fils* » H.
27. *G a un texte abrégé.*

---

a) Ce passage, qui insiste sur la doctrine de la rétribution, est propre au Chroniste. Il rattache à ces crimes l'invasion syrienne racontée en 2 R **12**.

b) C'est le début de l'année, à l'automne dans les temps anciens (Ex **34** 22), au printemps suivant le calendrier plus récent. Nous savons par les annales assyriennes que les armées partaient en campagne au printemps.

c) L'auteur abrège les détails historiques et ajoute au contraire un v. d'inspiration théologique (Dt **32** 30).

d) Revanche du parti évincé au v. 17. Mais le Chroniste va souligner que ces conjurés, qui ont porté la main sur l'oint de Yahvé, sont des étrangers, Ammonites et Moabites.

e) Litt. « fondation ».

VI. Demi-piété et demi-succès
d'Amasias, Ozias et Yotam

‖ 2 R **14** 2-6

**Attitude religieuse
d'Amasias.**

25. ¹ Amasias devint roi à l'âge de vingt-cinq ans et régna vingt-neuf ans à Jérusalem. Sa mère s'appelait Yehoaddân, et était de Jérusalem. ² Il fit ce qui est agréable à Yahvé, non pas pourtant d'un cœur sans défaillance. ³ Lorsque le royaume se fut affermi sous son gouvernement*ᵃ*, il mit à mort ceux de ses officiers qui avaient tué le roi son père. ⁴ Mais il ne fit pas mourir leurs fils, car il est écrit dans la Loi, dans le livre de Moïse, que Yahvé

Dt **24** 16 a prescrit : *Les pères ne mourront pas pour les fils, ni les fils pour les pères, mais chacun mourra pour son propre crime*ᵇ.

⁵ Amasias*ᶜ* réunit les Judéens et les constitua en familles avec officiers de milliers et de centaines pour tout Juda et Benjamin. Il recensa ceux qui avaient vingt ans et plus et il en trouva trois cent mille, hommes d'élite aptes au service militaire, la lance et le bouclier au poing. ⁶ Il enrôla ensuite comme mercenaires, pour cent talents d'argent, cent mille valeureux preux d'Israël*ᵈ*. ⁷ Un homme de Dieu vint alors le trouver et lui dit : « O Roi,

---

a) Litt. « sur lui ».

b) Citation explicite de Dt **24** 16.

c) Ici commence un développement important sur la donnée de 2 R **14** 7. On y retrouve la manière du Chroniste : un recensement militaire de même nature que **17** 14-19, l'intervention d'un prophète anonyme (comparer l'intervention de Jéhu en **19** 1-3), l'appel à la seule puissance divine (cf. **14** 10; **20** 6).

d) Cet enrôlement, dont ne parle pas le livre des Rois, paraît venir d'une autre source, assez sûre, à laquelle on devrait également la mention de l'affreux massacre du v. 12 qui, déjà à l'époque du Chroniste, n'était pas considéré comme étant à l'honneur du roi.

il ne faut pas que les troupes d'Israël viennent se joindre à toi, car Yahvé n'est ni avec Israël ni avec aucun des Éphraïmites. [8] Car s'ils viennent, tu auras beau agir et combattre vaillamment, Dieu ne t'en fera pas moins trébucher devant tes ennemis, car c'est en Dieu qu'est le pouvoir de soutenir et d'abattre. » [9] Amasias répondit à l'homme de Dieu : « Quoi ! Et les cent talents que j'ai donnés à la troupe d'Israélites ! » — « Yahvé a de quoi te donner beaucoup plus que cela », dit l'homme de Dieu. [10] Amasias détacha alors de la sienne la troupe qui lui était venue d'Éphraïm et la renvoya chez elle; ces gens furent très excités contre Juda et retournèrent chez eux fort en colère.

Infidélité après la campagne édomite.

[11] Amasias se décida à partir à la tête de ses troupes, il gagna la vallée du Sel et battit dix mille fils de Séïr. || 2 R **14** 7 [12] Les Judéens emmenèrent vivants dix mille captifs qu'ils conduisirent au sommet de la Roche[a], d'où ils les précipitèrent; tous s'écrasèrent. [13] Quant à la troupe qu'avait congédiée Amasias au lieu de l'emmener combattre avec lui, elle envahit les villes de Juda, de Samarie[b] à Bet-Horôn, battit une de leurs troupes forte de trois milliers[c] et fit un grand pillage.

[14] Une fois rentré de sa campagne victorieuse contre les Édomites, Amasias introduisit les dieux des fils de

---

25 8. « *viennent... vaillamment* » H *difficile. Cf. G Vulg.*

---

a) La Roche, Séla en hébreu, est dans le récit des Rois une forteresse en Édom. Le Chroniste a cherché à harmoniser ses deux sources.

b) Le royaume de Juda ne s'étendait pas alors jusqu'à Samarie. La source du Chroniste se réfère peut-être à une date postérieure.

c) Unité militaire.

Séïr, en fit ses dieux, se prosterna devant eux et les encensa[a]. [15] La colère de Yahvé s'enflamma contre Amasias, il lui envoya un prophète qui lui dit : « Pourquoi recherches-tu les dieux de ce peuple, qui n'ont pu le sauver de ta main ? » [16] Il lui parlait encore qu'Amasias l'interrompit : « T'avons-nous nommé conseiller du roi ? Arrête-toi, si tu ne veux pas qu'on te frappe. » Le prophète s'arrêta, puis il dit : « Je sais que Dieu a tenu conseil pour ta perte, puisque tu as agi ainsi et que tu n'as pas écouté mon conseil. »

‖ 2 R **14** 8-14

**Le désastre
de Bet-Shémesh.**

[17] Après avoir tenu conseil[b], Amasias, roi de Juda, envoya dire à Joas, fils de Joachaz, fils de Jéhu, roi d'Israël : « Viens et mesurons-nous ! » [18] Joas, roi d'Israël, retourna ce message à Amasias, roi de Juda : « Le chardon du Liban manda au cèdre du Liban[c] : 'Donne ta fille pour femme à mon fils', mais les bêtes sauvages du Liban passèrent et foulèrent le chardon. [19] 'Me voici vainqueur d'Édom', as-tu dit, et tu te montes la tête ! Sois glorieux et reste maintenant chez toi. Pourquoi provoquer le malheur et amener ta chute et celle de Juda avec toi ? »

[20] Mais Amasias n'écouta pas; c'était le fait de Dieu qui voulait livrer ces gens-là pour avoir recherché les dieux d'Édom[d]. [21] Joas, roi d'Israël, se mit en campagne. Ils se mesurèrent, lui et Amasias, roi de Juda, à Bet-

---

a) Le livre des Rois ignore cette idolâtrie. Elle permet à l'auteur d'expliquer le désastre qui va suivre.

b) Encore les mauvais conseillers. Seul Dieu, par ses prophètes, est d'un bon conseil.

c) Semblable apologue en Jg **9** 7-15. La rupture entre Israël et Juda eut pour cause soit l'affaire du renvoi des Israélites, soit une demande en mariage repoussée comme le suggérerait l'apologue.

d) Cette réflexion est du Chroniste qui, sans cela, suit de très près le récit du livre des Rois.

Shémesh qui appartient à Juda. ²² Les Judéens furent battus devant Israël et chacun s'enfuit à sa tente. ²³ Quant au roi de Juda, Amasias, fils de Joas, fils d'Ochozias, le roi d'Israël Joas le fit prisonnier à Bet-Shémesh et l'emmena à Jérusalem. Il fit une brèche au rempart de Jérusalem, depuis la porte d'Éphraïm jusqu'à la porte de l'Angle, sur quatre cents coudées. ²⁴ Il prit tout l'or et l'argent, tout le mobilier qui se trouvait dans le Temple de Dieu chez Obed-Édom*ᵃ*, les trésors du palais royal, des otages, et retourna à Samarie.

Fin du règne.   ²⁵ Amasias, fils de Joas, roi de Juda, vécut encore quinze ans après la mort de Joas, fils de Joachaz, roi d'Israël.   ‖ 2 R **14** 17-20

²⁶ Le reste de l'histoire d'Amasias, du début à la fin, n'est-il pas écrit au livre des Rois de Juda et d'Israël ? ²⁷ Après l'époque où Amasias se détourna de Yahvé*ᵇ*, on trama contre lui un complot à Jérusalem; il s'enfuit vers Lakish, mais on le fit poursuivre à Lakish et mettre à mort là-bas. ²⁸ On le transporta avec des chevaux et on l'enterra auprès de ses pères dans la Cité de David.

Les débuts d'Ozias.   **26.** ¹ Tout le peuple de Juda choisit Ozias, qui avait seize ans, et le fit roi à la place de son père Amasias. ² C'est lui qui rebâtit Élat*ᶜ* et   ‖ 2 R **14** 21-22

---

23. « *Ochozias* » *conj.*; « *Joachaz* » *H ; omis par G.*
24. « *Il prit* » *Syr* 2 R **14** 14; *omis par H.*
28. « *David* » 12 *Mss Syr* 2 R **14** 20; « *Juda* » *H.*

---

a) La maison d'Obed-Édom, gardienne du Temple et des magasins (?) d'après 1 Ch **26** 15, mais non des réserves et trésors d'après 1 Ch **26** 20 s.

b) Cette mention des fautes du roi est de la main du Chroniste. Pour le reste, voir le livre des Rois et les notes.

c) Le Chroniste semble utiliser le texte des Rois pour souligner que

la rendit à Juda, après que le roi se fut couché avec ses
|| 2 R **15** 2-4 pères. ³ Ozias avait seize ans à son avènement et il régna
cinquante-deux ans à Jérusalem; sa mère s'appelait Yekol-
yahu et était de Jérusalem. ⁴ Il fit ce qui est agréable à
Yahvé, comme tout ce qu'avait fait son père Amasias*ᵃ*;
⁵*ᵇ* il s'appliqua à rechercher Dieu tant que vécut Zekaryahu*ᶜ*, celui qui pénétrait si avant dans la crainte de Dieu.
Tant qu'il chercha Yahvé, celui-ci le fit réussir.

Sa puissance.
⁶ Il partit combattre les
Philistins, démantela les murailles de Gat, celles de Yabné
et d'Ashdod, puis restaura des villes dans la région
d'Ashdod et chez les Philistins. ⁷ Dieu l'aida contre les
Philistins, les Arabes, les habitants de Gur-Baal*ᵈ*, et les
Méûnites*ᵉ*. ⁸ Les Ammonites payèrent tribut à Ozias. Sa
renommée s'étendit jusqu'au seuil de l'Égypte, car il était
devenu étonnamment puissant.

---

26 5. « *dans la crainte de Dieu* » bᵉyirᵉat hâ'ĕlohîm *G* ; « *en voyant Dieu* »
birᵉ'ot 'ĕlohîm *H*.

    7. « *Méûnites* » *G*ᴮᴬ; « *Ammonites* » *H*.

    8. « *Ammonites* »; *Var. G* : « *Méûnites* » *cf. v.* 7.

---

cette conquête n'est pas le fait du père; il avait en effet mal fini. Comme son
prédécesseur, Ozias (appelé aussi Azarias, cf. 1 R **14** 21 et la note), commence bien et finit mal.

a) Cette phrase, peu en accord avec le ch. **25**, a été copiée dans le livre
des Rois.

b) Les vv. 5-20 n'ont pas de correspondants dans le livre des Rois.

c) Personnage inconnu qui n'est pas présenté comme prophète mais
comme un homme dont la sagesse est faite de piété; litt. : « qui comprenait
dans la crainte de Dieu ». Le Chroniste lui attribue vis-à-vis d'Ozias un
rôle analogue à celui de Yehoyada vis-à-vis de Joas (cf. **24** 2).

d) Ce lieu inconnu signifie « Séjour de Baal ». On peut se demander si
ce terme ne désigne pas ici Samarie; nous retrouverions ici les ennemis
du temps de Néhémie : Philistins-Ashdodiens, Ammonites, Samaritains,
Arabes (Ne **4** 1).

e) Sur Méûn, cf. **20** 1 et la note.

⁹ Ozias construisit des tours à Jérusalem, à la porte de l'Angle[a], à la porte de la Vallée[b], à l'Encoignure[c], et il les fortifia. ¹⁰ Il construisit aussi des tours dans le désert et creusa de nombreuses citernes, car il disposait d'un cheptel abondant dans le Bas-Pays et sur le Plateau, de laboureurs et de vignerons dans les montagnes et les vergers; il avait en effet le goût de l'agriculture[d].

¹¹ Ozias eut une armée entraînée[e], prête à entrer en campagne, répartie en groupes recensés sous la surveillance du scribe Yeïel et du greffier Maaséyahu; elle était sous les ordres de Hananyahu, l'un des officiers royaux. ¹² Le nombre total des chefs de famille de ces preux valeureux était de deux mille six cents[f]. ¹³ Ils avaient sous leurs ordres l'armée de campagne, soit trois cent sept mille cinq cents guerriers, d'une grande valeur militaire pour prêter main-forte au roi contre l'ennemi. ¹⁴ A chaque campagne Ozias leur distribuait boucliers, lances, casques, cuirasses, arcs et pierres de fronde. ¹⁵ A Jérusalem, il fit inventer par des techniciens un appareil de poutres que l'on plaçait sur les tours et aux angles pour lancer des traits et de grosses pierres[g]. Son renom s'étendit au loin, et il dut sa puissance[h] à un secours vraiment miraculeux.

---

a) Au N.-O. de Jérusalem, cf. 1 R **14** 13. Ozias répare les désastres de la guerre précédente.

b) Peut-être à l'angle S.-O. des murailles, cf. Ne **2** 13.

c) Sans doute à l'angle N.-E. (Simons), cf. Ne **3** 19.

d) La liste de 1 Ch **27** 25-31 pourrait convenir à cette époque. Le livre des Rois ne dit rien de ces activités d'Ozias.

e) Litt. « une force qui faisait la guerre ».

f) Nous retrouvons ici une de ces listes sous-jacentes à certains développements du Chroniste.

g) Équivalent des hourds de nos châteaux forts.

h) Ozias est le type du roi qui s'intéresse à la technique et au progrès. A l'époque hellénistique, Démétrius Poliorcète a laissé un souvenir semblable.

Orgueil et châtiment.

¹⁶ Quand il fut devenu puissant, son cœur s'enorgueillit jusqu'à le perdre : il prévariqua envers Yahvé son Dieu*ᵃ*. Il vint dans la grande salle du Temple de Yahvé pour faire l'encensement sur l'autel des parfums. ¹⁷ Le prêtre Azaryahu, ainsi que quatre-vingts vertueux prêtres de Yahvé, vinrent ¹⁸ s'opposer au roi Ozias et lui dirent : « Ce n'est pas à toi, Ozias, d'encenser Yahvé, mais aux prêtres descendants d'Aaron consacrés à cet effet. Quitte le sanctuaire, car tu as prévariqué et tu n'as plus droit à la gloire qui vient de Yahvé Dieu*ᵇ*. » ¹⁹ Ozias, tenant dans ses mains l'encensoir à parfum, s'emporta. Mais alors qu'il s'emportait contre les prêtres, la lèpre*ᶜ* bourgeonna sur son front, en présence des prêtres, dans le Temple de Yahvé, près de l'autel des parfums ! ²⁰ Azaryahu, premier prêtre, et tous les prêtres se tournèrent vers lui et lui virent la lèpre au front. Ils l'expulsèrent en hâte et il se hâta lui-même de sortir, car Yahvé l'avait frappé.

|| 2 R **15** 5-7   ²¹ Le roi Ozias fut affligé de la lèpre jusqu'au jour de sa mort. Il demeura confiné à la chambre, lépreux, vrai-

---

a) Le livre des Rois connaît le châtiment, mais non la faute. Cette faute est celle que Nb **16** reproche à Coré et le texte du Chroniste, qui vise ici, non un lévite comme Coré, mais un laïc comme Datân et Abiram, semble supposer l'état actuel du texte des Nombres où les châtiments de Coré, Datân et Abiram sont fusionnés en un seul récit. De même que les rois d'Israël sacrifiaient (v. g. 1 R **8** 64; 2 R **16** 13), il est très probable qu'ils offraient aussi l'encens comme les pharaons d'Égypte. Mais, à la suite d'Ézéchiel, les contemporains du Chroniste ne leur reconnaissaient pas ce droit, réservé aux prêtres (1 Ch **23** 13).

b) La gloire de Dieu descendait sur le sanctuaire (cf. Ex **40** 34 s) et pouvait remplir le Temple (2 Ch **7** 2).

c) Même châtiment pour Miryam, qui avait prétendu aux droits de Moïse (Nb **12** 10). La lèpre rendait impur et interdisait l'entrée au sanctuaire (Lv **13** 45).

ment exclu[a] du Temple de Yahvé. Son fils Yotam était
maître du palais et administrait le peuple du pays. [22] Le
reste de l'histoire d'Ozias, du début à la fin, a été écrit[b]
par le prophète Isaïe, fils d'Amoç. [23] Puis Ozias se coucha
avec ses pères et on l'enterra avec eux dans le terrain des
sépultures[c] royales, car on disait : « C'est un lépreux. »
Son fils Yotam devint roi à sa place.

27. Le règne de Yotam.   [1] Yotam avait vingt-
cinq ans à son avènement
et il régna seize ans à Jéru-
salem; sa mère s'appelait Yerusha, fille de Sadoq. [2] Il fit
ce qui est agréable à Yahvé, imitant en tout la conduite
de son père Ozias. Il n'entra pas toutefois dans le sanctuaire de Yahvé[d]. Le peuple continua à se perdre.

‖ 2 R **15** 32-35

[3] C'est lui qui construisit la Porte Supérieure du Temple de Yahvé, et fit de nombreux travaux au mur de
l'Ophel[e]. [4] Il construisit des villes dans la montagne de
Juda ainsi que des citadelles et des tours dans les terres
labourables[f].

[5] Il combattit le roi des Ammonites[g]. Il l'emporta sur

---

a) La mention de cette exclusion est due au Chroniste, cf. Lv **13** 46; Nb **19** 13, 20.

b) Cette référence est très curieuse. Cette source actuellement perdue était sans doute un récit édifiant, un midrash, composé sur Is **6** 1; Ozias n'est mentionné au livre du prophète Isaïe fils d'Amoç que dans des titres : **1** 1; **7** 1.

c) Donc dans le terrain, mais non dans le sépulcre.

d) Le Chroniste remplace la mention de la persistance des hauts lieux par cette curieuse donnée. Est-ce un éloge, le Chroniste opposant sa conduite à celle de son père ? Vu la fin du v., c'est plutôt un blâme. Il est possible que Yotam se soit défié du clergé, à cause du conflit qui avait opposé ce dernier à son père.

e) Vers le Cédron. Sur l'Ophel, cf. Ne **3** 26 s; c'est sans doute la partie de la colline au sud du Temple et au nord de la Sion de David.

f) Il suit donc la ligne de son père; ces données sont propres au Chroniste.

g) Les Ammonites n'avaient pas de frontière commune avec Juda. On peut se demander s'il ne s'agit pas encore des Méûnites, ces Édomites

eux et les Ammonites lui livrèrent cette année-là cent talents *a* d'argent, dix mille muids *b* de froment et dix mille d'orge. C'est cela que les Ammonites durent lui rendre; il en fut de même la seconde et la troisième année. ⁶ Yotam devint puissant, car il se conduisait avec fermeté en présence de Yahvé son Dieu.

‖ 2 R **15** 36-38
⁷ Le reste de l'histoire de Yotam, toutes ses guerres et sa politique, est écrit dans le livre des rois d'Israël et de Juda. ⁸ Il avait vingt-cinq ans à son avènement et il régna seize ans à Jérusalem. ⁹ Puis Yotam se coucha avec ses pères, on l'enterra dans la Cité de David, et son fils Achaz devint roi à sa place.

V

LES GRANDES RÉFORMES D'ÉZÉCHIAS ET DE JOSIAS

I. L'impiété d'Achaz, père d'Ézéchias

‖ 2 R **16** 2-4
Aperçu sur le règne.

28. ¹ Achaz avait vingt ans à son avènement et il régna seize ans à Jérusa-

---

27 5. « il en fut de même la seconde et la troisième fois »; *Var. G* : « chaque année, la première année, la seconde et la troisième ».

8. *Ce v. qui répète le v. 1 est omis par G Syr.*

28 1. « vingt ans »; *Var. de quelques Mss grecs* : « vingt-cinq ».

---

proches de Pétra (cf. **20** 1; **26** 7); Isaïe, contemporain de Yotam et d'Achaz, réclame à Pétra le paiement du tribut (**16** 1); il s'agit d'un agneau, mais les ch. **15** et **16** d'Isaïe traitaient de Moab, célèbre par ses moissons.

a) Six tonnes.

b) Sur le « muid », voir *Rois*, p. 41, note *a*.

lem. Il ne fit pas ce qui est agréable à Yahvé comme avait fait David son père. ² Il imita la conduite des rois d'Israël et même il fit fondre des idoles pour les Baals, ³ il fit fumer des offrandes *a* dans le val des fils de Hinnom *b* et fit passer son fils par le feu, selon les coutumes abominables des nations que Yahvé avait chassées devant les Israélites. ⁴ Il offrit des sacrifices et de l'encens sur les hauts lieux, sur les collines et sous tout arbre verdoyant.

L'invasion*c*.   ⁵ Yahvé son Dieu le livra aux mains du roi des Araméens qui le battirent et lui enlevèrent de nombreux captifs qu'ils emmenèrent à Damas. Il fut livré aussi aux mains du roi d'Israël, qui lui infligea une lourde défaite. ⁶ Péqah, fils de Remalyahu, tua en un seul jour cent vingt mille hommes en Juda, tous valeureux, pour avoir abandonné Yahvé, le Dieu de leurs pères. ⁷ Zikri, héros éphraïmite, tua Maaséyahu, fils du roi *d*, Azriqam l'intendant du palais, et Elqana le lieutenant *e* du roi. ⁸ Les Israélites firent à leurs frères deux cent mille *f* prisonniers, femmes, fils et filles; ils razzièrent de plus un important butin et emmenèrent le tout à Samarie.

---

a) Litt. « fumer »; ce terme comprend à la fois la fumée des holocaustes, des graisses et des parfums.

b) C'est la Géhenne, ravin au sud de Jérusalem; là se trouvait Tophèt où l'on brûlait les enfants, cf. Lv **18** 21; 2 R **23** 10 et la note.

c) Ce récit de la guerre syro-éphraïmite est fait d'un point de vue très différent de celui des autres sources judéennes, 2 R **16** et Is **7**-9. Le Chroniste semble avoir disposé d'une source éphraïmite.

d) D'après les données du v. 1 et les dates probables du règne de Yotam (740-736) et de la guerre syro-éphraïmite (734-732), il est difficile d'admettre qu'Achaz ait eu un fils capable de combattre. A moins de donner à « fils de roi » un sens vague (admis peut-être en Égypte; voir aussi **18** 25), il faudrait admettre que la source éphraïmite attribuait au général éphraïmite la mort du fils sacrifié par Achaz.

e) Sur cette fonction du « second » du roi, cf. 1 S **23** 17.

f) On a déjà eu l'occasion de voir la valeur à attribuer à ces chiffres.

**Les Israélites écoutent
le prophète Oded.**

⁹ Il y avait là un prophète
de Yahvé nommé Oded. Il
sortit au-devant des troupes
qui arrivaient à Samarie et
leur dit : « Voici que Yahvé, le Dieu de vos pères, a livré
les Judéens entre vos mains parce qu'il était irrité contre
eux, mais vous les avez massacrés avec une telle fureur
que le ciel en est atteint. ¹⁰ Et vous parlez maintenant
de réduire les enfants de Juda et de Jérusalem à devenir
vos serviteurs et vos servantes ! N'est-ce pas cependant
vous seuls qui êtes coupables*ᵃ* envers Yahvé votre
Dieu ? ¹¹ Écoutez-moi maintenant, rendez les prisonniers
faits à vos frères, car l'ardente colère de Yahvé vous
menace*ᵇ*. »

¹² Certains des chefs éphraïmites s'élevèrent alors contre
ceux qui revenaient de l'expédition : Azaryahu fils de
Yehohanân, Bérékyahu fils de Meshillemot, Yehizkiyyahu
fils de Shallum, Amasa fils de Hadlaï. ¹³ Ils leur dirent :
« Vous ne ferez pas entrer ici ces prisonniers, car nous
serions coupables envers Yahvé. Vous parlez d'ajouter
à nos péchés et à nos dettes, mais notre dette est vraiment
énorme et l'ardente colère de Yahvé menace Israël. »
¹⁴ L'armée abandonna alors les prisonniers et le butin
en présence des officiers et de toute l'assemblée. ¹⁵ Des
hommes, nominativement désignés à cet effet, se mirent
à réconforter les prisonniers. Prélevant sur le butin, ils
habillèrent tous ceux qui étaient nus; ils les vêtirent, les

---

9. « Oded »; *Var. Syr :* « Iddo ».

---

a) En hébreu *ăšâmôt,* cf. Lv 5 5 s; Am 8 14.
b) On retrouve dans ce paragraphe la manière du Chroniste : intervention d'un prophète, rétribution divine et excès humains, souci des fautes cultuelles. Oded rappelle au v. 10 le crime capital du schisme.

chaussèrent, les nourrirent, les désaltérèrent et les abri-
tèrent. Puis ils les reconduisirent, les éclopés montés sur
des ânes, et les amenèrent auprès de leurs frères à Jéricho,
la ville des palmiers. Puis ils rentrèrent à Samarie[a].

Fautes d'Achaz. [16] C'est alors que le roi   ‖ 2 R **16** 7
Achaz envoya demander aux
rois d'Assyrie de lui porter secours[b].

[17] Les Édomites[c] envahirent de nouveau Juda, le battirent et emmenèrent des prisonniers. [18] Les Philistins se
répandirent dans les villes du Bas-Pays et du Négeb de
Juda. Ils prirent Bet-Shémesh[d], Ayyalôn, Gedérot, Soko
et ses dépendances, Timna et ses dépendances, Gimzo
et ses dépendances, et s'y établirent. [19] Yahvé abaissa en
effet Juda à cause d'Achaz, roi d'Israël, qui laissait aller
Juda et était infidèle à Yahvé.

[20] Téglat-Phalasar, roi d'Assyrie, l'attaqua et l'assiégea

---

16. « *aux rois d'Assyrie* » : *G a le singulier (c'est peut-être le sens du
pluriel)*.
18. *Après* « *Bet-Shémesh* » *G ajoute une partie du v.* 21.
19. « *Israël* »; *Var. G* : « *Juda* ».

---

a) Ce passage est fort important. Les Samaritains sont meilleurs que
leur culte et leurs sacrifices. On voit ici la largeur d'esprit et de cœur du
Chroniste. Sa théologie lui est imposée par le Pentateuque et les lois sacerdotales, il entend bien n'en rien renier, mais ses frères du Nord lui sont
sympathiques. Jonas lui aussi voudra ouvrir le cœur des Judéens non
seulement aux schismatiques mais aux païens. On n'est pas loin de la
parabole du bon Samaritain (Lc **10** 29-37).
b) Le Chroniste souligne que l'attitude d'Achaz (blâmée par Isaïe, **7**)
est une ingratitude.
c) Une action édomite est mentionnée par le livre des Rois, et le Sud
judéen (ou Négeb) peut avoir été envahi par les Édomites. L'attaque philistine n'est pas mentionnée par le livre des Rois, mais elle est vraisemblable,
car il est sûr que Téglat-Phalasar (écrit ici, v. 20, Tillegat-Pilnéser),
appelé par Achaz, s'en prit au roi de Gaza et conquit la ville.
d) Ces villes se trouvent à l'ouest de Jérusalem et s'étendent jusqu'à
7 km. à l'est de Ramlé dans le Bas-Pays; mais aucune n'est dans le
Négeb.

‖ 2 R **16** 8 sans pouvoir l'emporter*a*; ²¹ mais Achaz dut prélever une part des biens du Temple de Yahvé et des maisons royale et princières, pour les envoyer au roi d'Assyrie, sans recevoir secours de lui. ²² Tandis qu'il était assiégé, il accrut son infidélité envers Yahvé, lui, le roi Achaz, ²³ en

‖ 2 R **16** 12-13 offrant des sacrifices aux dieux de Damas*b* dont il était la victime*c* : « Puisque les dieux des rois d'Aram leur prêtent main-forte, disait-il, je leur sacrifierai pour qu'ils m'aident. » Mais ce furent eux qui causèrent sa chute, et celle de tout Israël.

‖ 2 R **16** 17 ²⁴ Achaz rassembla quelques-uns des objets du Temple de Dieu, en démonta d'autres*d*, ferma les portes du Temple de Yahvé*e* et se fit des autels à tous les coins de rue de Jérusalem; ²⁵ il institua des hauts lieux dans toutes les cités judéennes pour y encenser d'autres dieux, et provoqua ainsi l'irritation de Yahvé, le Dieu de ses pères.

‖ 2 R **16** 19-20 ²⁶ Le reste de son histoire et de toute sa politique, du début à la fin, est écrit dans le livre des Rois de Juda et

---

21. « *dut prélever* » ḥâlaq; *Var. G* : « *prit* » lâqaḥ.

---

a) Ceci se réfère en réalité à Sennachérib, trente ans plus tard, sous Ézéchias. Il se peut d'ailleurs que la liste des conquêtes philistines se réfère également aux cessions que dut faire alors Ézéchias, comme nous le savons par la Bible (2 R **18** 13-16) et les annales assyriennes. En tous cas le Chroniste a voulu voir un châtiment dans la campagne de Téglat-Phalasar et les versements que lui fit Achaz.

b) Là encore le Chroniste part des données du livre des Rois mais les remanie profondément en en dégageant seulement le fait qui a une signification religieuse : la servilité d'Achaz vis-à-vis des divinités étrangères victorieuses. En fait, à Damas, qui venait d'être pris par les Assyriens, ce sont plutôt aux dieux assyriens qu'aux dieux syriens qu'il rendit hommage. Voir aussi Am **5** 26-27.

c) Litt. « qui le frappaient ». L'idée vient d'Is **10** 20.

d) Litt. « Achaz assembla des objets du Temple de Dieu, il brisa des objets du Temple de Dieu ».

e) Plus pervers que Yotam (**27** 2), Achaz va plus loin dans l'impiété. Ce sont d'autres mesures que semble rapporter le livre des Rois en 2 R **16** 18, texte il est vrai peu clair.

d'Israël. ²⁷ Achaz se coucha avec ses pères, on l'enterra dans la Cité, à Jérusalem, sans le transporter dans les tombeaux des rois d'Israël ᵃ. Son fils Ézéchias régna à sa place.

II. LA RESTAURATION D'ÉZÉCHIAS

Aperçu sur le règne ᵇ.   **29.** ¹ Ézéchias devint roi à l'âge de vingt-cinq ans et il régna vingt-neuf ans à Jérusalem; sa mère s'appelait Abiyya, fille de Zekaryahu. ² Il fit ce qui est agréable à Yahvé, imitant tout ce qu'avait fait David son ancêtre.   ‖ 2 R **18** 1-3

Purification du Temple.   ³ C'est lui qui ouvrit les portes du Temple ᶜ de Yahvé, le premier mois de la première année de son règne, et qui les restaura. ⁴ Puis il fit venir les prêtres et les lévites, les réunit sur la place orientale ⁵ et leur dit :

« Écoutez-moi, lévites ! Sanctifiez-vous maintenant, consacrez le Temple de Yahvé, Dieu de nos pères, et éliminez du sanctuaire l'impureté. ⁶ Nos pères ont prévariqué ᵈ et fait ce qui déplaît à Yahvé notre Dieu. Ils l'ont

---

²⁷. « *Cité, à Jérusalem* »; *Var. G* : « *Cité de David* ».

a) Il est exclu de la sépulture dynastique comme Joram, Joas et Ozias, autres mauvais rois.

b) Ce paragraphe est un résumé assez complet des premiers vv. du livre des Rois consacrés au règne d'Ézéchias. Mais dès le v. 3 le Chroniste abandonne cette source pour donner beaucoup plus d'ampleur aux mesures religieuses.

c) Sur leur fermeture, cf. **28** 24.

d) Nous avons ici un exemple de ces grandes confessions publiques comme on en trouve en Dn **9** 4-19; Ba **1** 15-2 34. Voir aussi la Vᵉ Lamentation et, plus brièvement, Jr **3** 22-25.

abandonné; ils ont détourné leurs faces de la Demeure de Yahvé, et lui ont tourné le dos. ⁷ Ils ont même fermé les portes du Vestibule, ils ont éteint les lampes et n'ont plus offert au Dieu d'Israël*ᵃ* d'encens ni d'holocaustes dans son saint lieu. ⁸ La colère de Yahvé s'est appesantie sur Juda et sur Jérusalem; il en a fait un objet d'épouvante, de stupeur et de raillerie*ᵇ*, comme vous le voyez de vos propres yeux. ⁹ Aussi nos pères sont-ils tombés sous l'épée, nos fils, nos filles et nos femmes sont-ils partis prisonniers*ᶜ*. ¹⁰ Je veux maintenant conclure un pacte avec Yahvé, Dieu d'Israël, pour qu'il détourne de nous l'ardeur de sa colère. ¹¹ O mes fils, ne soyez plus négligents, car c'est vous que Yahvé a choisis pour vous tenir en sa présence, pour le servir, pour vaquer à son culte et à ses encensements. »

¹² Les lévites se levèrent*ᵈ* : Mahat, fils de Amasaï; Yoël, fils de Azaryahu, des fils de Qehat; des Merarites : Qish fils d'Abdi et Azaryahu fils de Yehalléléel; des Gersho-

---

a) Comparer avec ce que dit Salomon sur le culte du Temple, **2** 4.

b) Cf. Dt **28** 25; Jr **25** 18; Lv **26** 32.

c) La restauration d'Ézéchias est l'esquisse de la restauration d'Esdras et de Néhémie après l'exil.

d) Cette liste est intéressante. Elle ne comprend pas de prêtres sadocites mais seulement des lévites. Ceux-ci sont répartis suivant les deux groupements qui se trouvent dans le livre des Chroniques : le groupement par Qehat, Merari, Gershôn (celui-ci, un peu suspect, cf. 1 Ch **6** 20 et la note, passe en dernier), et le groupement par Asaph, Hémân et Yedutûn. Cette union des chantres et des lévites, annonce d'un nouveau sacerdoce, se retrouve en 1 Ch **6** 18-32, où figurent de nouveau Mahat fils d'Amasaï, Yoël fils d'Azaryahu, Qish fils d'Abdi. Yoah fils de Zimma (dans la liste Gershonite de 1 Ch **6** 6), Zekaryahu et Mattanyahu sont des Asaphites en 2 Ch **20** 14. Éden et Azaryahu se retrouvent en 2 Ch **31** 13, 15... La plupart des personnages nommés sont considérés comme des lévites ou des musiciens, sauf Yehalléléel dont le nom évoque par lui-même le Hallel, la louange. La liste semble donc avoir quelque chose d'artificiel, mais de très significatif. Par rapport à la liste des lévites appelés par David au transport de l'arche (1 Ch **15** 4-10), elle augmente l'importance du chant et l'on a vu que le Chroniste dessinait par là toute une orientation cultuelle.

nites : Yoah fils de Zimma et Éden fils de Yoah; [13] des
fils d'Éliçaphân : Shimri et Yeïel; des fils d'Asaph : Zekaryahu et Mattanyahu; [14] des fils de Hémân : Yehiel et Shiméï; des fils de Yedutûn : Shemaya et Uzziel. [15] Ils réunirent leurs frères, se sanctifièrent et, conformément à
l'ordre du roi, selon les paroles de Yahvé, vinrent purifier
le Temple de Yahvé.

[16] Les prêtres [a] entrèrent dans le Temple de Yahvé pour
le purifier. Ils emportèrent sur le parvis du Temple de
Yahvé toutes les choses impures qu'ils trouvèrent dans
le sanctuaire de Yahvé, et les lévites en firent des tas qu'ils
allèrent déposer à l'extérieur, dans le val du Cédron [b].
[17] Ayant commencé cette consécration le premier jour du
premier mois, ils purent entrer dans le Vestibule de Yahvé
le huit du mois; ils mirent huit jours à consacrer le Temple
de Yahvé et terminèrent le seizième jour du premier
mois [c].

**Le sacrifice
d'expiation.**
[18] Ils se rendirent alors
dans les appartements du
roi Ézéchias et lui dirent :
« Nous avons entièrement
purifié le Temple de Yahvé, l'autel des holocaustes et
tous ses accessoires, la table [d] des rangées de pains et tous
ses accessoires. [19] Tous les objets qu'avait rejetés le roi

---

29 15. « *vinrent purifier le Temple de Yahvé* » omis par G[B].

---

a) Le Chroniste respecte ici les données du Pentateuque (sur le rôle des
prêtres en matière de purification, cf. Lv **13-16**).
b) De même en **15** 16.
c) Les purifications duraient sept jours (Lv **14** 9 s; Nb **19** 14), et la
Dédicace du Temple par Salomon avait demandé deux fois sept jours selon
le Chroniste (2 Ch **7** 8-10 et la note).
d) Le Chroniste n'en prévoit plus qu'une, comme dans Ex **37** 10, tandis
que pour l'époque précédente il en admettait plusieurs (cf. **4** 8).

Achaz durant son règne impie, nous les avons réinstallés et consacrés; les voici devant l'autel de Yahvé. »

²⁰ Le roi Ézéchias se leva aussitôt, il réunit les officiers de la ville et monta au Temple de Yahvé. ²¹ᵃ On fit venir sept taureaux, sept béliers et sept agneaux, plus sept boucs en vue du sacrifice pour le péché, pour la monarchie, pour le sanctuaire et pour Juda. Le roi dit alors aux prêtres, fils d'Aaron, d'offrir les holocaustes sur l'autel de Yahvé. ²² Ils immolèrent les taureaux; les prêtres recueillirent le sang qu'ils versèrent sur l'autel. Puis ils immolèrent les béliers, dont ils versèrent le sang sur l'autel, et les agneaux, dont ils versèrent le sang sur l'autel. ²³ Ils firent alors approcher les boucs, destinés au sacrifice pour le péché, devant le roi et l'Assemblée qui leur imposèrent les mains. ²⁴ Les prêtres les immolèrent et de leur sang versé sur l'autel firent un sacrifice pour le péché afin d'accomplir le rite d'expiation sur tout Israël; c'était en effet pour tout Israël que le roi avait ordonné les holocaustes et le sacrifice pour le péché.

²⁵ Il plaça ensuite les lévites dans le Temple de Yahvé avec des cymbales, des lyres et des cithares selon les prescriptions de David, de Gad le voyant du roi, et de Natân le prophète; l'ordre venait en effet de Dieu par l'intermédiaire de ses prophètes. ²⁶ Quand on eut placé les lévites avec les instruments de David et les prêtres avec les trompettes, ²⁷ Ézéchias ordonna d'offrir les holocaustes sur l'autel; l'holocauste commençait quand on entonna les chants de Yahvé, et quand les trompettes sonnèrent, accompagnées des instruments de David, roi d'Israël.

---

a) Ce rituel s'inspire de Lv **4** (cf. 13-21), mais il est systématisé dans la ligne de Nb **29** (cf. 7-11). L'offrande des graisses disparaît. Malgré certaines différences, la purification du Temple à l'époque maccabéenne semble s'être inspirée de ce modèle (1 M **4** 42-59).

²⁸ Toute l'Assemblée se prosterna, chacun chantant les hymnes ou faisant retentir les trompettes jusqu'à l'achèvement de l'holocauste.

²⁹ Quand l'holocauste fut terminé*^a*, le roi et tous ceux qui l'accompagnaient à ce moment fléchirent le genou et se prosternèrent. ³⁰ Puis le roi Ézéchias et les officiers dirent aux lévites de louer*^b* Yahvé avec les paroles de David et d'Asaph le voyant; ils le firent jusqu'à exaltation, puis tombèrent et se prosternèrent*^c*. ³¹ Ézéchias prit alors la parole et dit : « Vous voici maintenant chargés du service de Yahvé. Approchez-vous*^d*, apportez dans le Temple de Yahvé les victimes et les sacrifices de louange. » L'Assemblée apporta les victimes et les sacrifices de louange*^e* et toutes sortes d'holocaustes en dons votifs. ³² Le nombre des victimes de ces holocaustes fut de soixante-dix bœufs, cent béliers, deux cents agneaux, tous en holocaustes pour Yahvé; ³³ six cents bœufs et trois mille moutons furent consacrés*^f*. ³⁴ Les prêtres furent toutefois trop peu nombreux pour pouvoir dépecer tous ces holocaustes, et leurs frères les lévites leur prêtèrent main-forte jusqu'à ce que cette opération fût terminée et les prêtres sanctifiés*^g*; les lévites avaient été en effet mieux disposés

---

a) Au précédent rituel, inspiré par les traditions sacerdotales, le Chroniste ajoute un second rituel, lévitique celui-là, qu'il légitime par la médiation de David et de ses prophètes.

b) Ils ne sont même plus ici accompagnés par les trompettes sacerdotales.

c) Le Chroniste unit ici l'exaltation prophétique et l'adoration cultuelle.

d) La suite montre que le roi s'adresse ici au peuple. C'est le repas sacré qui va commencer.

e) Cf. Lv **7** 11 et la note.

f) Ils ne sont plus destinés à l'holocauste, mais au repas sacré. Litt. « firent les parts saintes ».

g) Sur la sanctification, cf. 1 Ch **15** 12. Le Chroniste note également avec soin cette intervention des lévites en matière de sacrifices. La chose est d'autant plus vraisemblable que le sacrifice de communion a connu une certaine défaveur dans le milieu sacerdotal à la suite des abus canaque les prêtres à se sanctifier. [35] Il y eut de plus un abondant holocauste des graisses des sacrifices de communion et des libations conjointes à l'holocauste. Ainsi fut rétabli le culte dans le Temple de Yahvé. [36] Ézéchias et tout le peuple se réjouirent de ce que Dieu eût disposé le peuple à agir sur-le-champ.

30. [1] Ézéchias envoya

Convocation pour la Pâque.

des messagers à tout Israël et Juda, et écrivit même des lettres à Éphraïm et à Manassé, pour que l'on vienne au Temple de Yahvé à Jérusalem célébrer une Pâque[a] pour Yahvé, le Dieu d'Israël. [2] Le roi, ses officiers et toute l'Assemblée de Jérusalem furent d'avis de la célébrer le second mois[b] [3] puisqu'on ne pouvait plus la faire au moment même[c], les prêtres ne s'étant pas sanctifiés en nombre suffisant et le peuple ne s'étant pas rassemblé à Jérusalem. [4] La chose parut juste aux yeux du roi et de toute l'Assemblée. [5] On décida de faire passer à travers tout Israël, de Bersabée à Dan, un appel à venir célébrer à Jérusalem une Pâque pour Yahvé, Dieu d'Israël; peu, en effet s'étaient conformés à

néens (cf. *Lévitique*, Introduction, p. 11); il est donc possible que le sacerdoce un peu suspect que représentaient les lévites (cf. Ez **44** 10 s) ait gardé certains pouvoirs sur ce point. Le Chroniste semble vouloir revaloriser leur sacerdoce.

a) Il n'y a point trace de cette Pâque dans le livre des Rois. Les circonstances historiques étaient peu favorables à une pareille démarche d'Ézéchias; elle aurait paru suspecte aux autorités assyriennes qui venaient de conquérir le royaume du Nord. Mais des Éphraïmites et des Manassites se sont très probablement réfugiés alors à Jérusalem et ont dû participer au renouveau yahviste de l'époque.

b) Le Chroniste utilise ici une disposition du livre des Nombres (**9** 6-13) sans doute postérieure à l'exil (voir la note). D'après **29** 17 (cf. v. 3) il était en effet trop tard pour faire la Pâque au mois de Nisan (Ex **12** 1). Mais le Chroniste donne une autre raison, le manque de zèle de trop de prêtres à se sanctifier.

c) C'est-à-dire comme normalement au premier mois (Nisan).

l'Écriture*. ⁶ Des courriers partirent, avec des lettres de
la main du roi et des officiers, dans tout Israël et Juda. Ils
devaient dire, selon l'ordre du roi : « Enfants d'Israël,
revenez à Yahvé, le Dieu d'Abraham, d'Isaac et d'Israël,
et il reviendra à ceux d'entre vous qui restent après avoir
échappé à la poigne des rois d'Assyrie. ⁷ Ne soyez pas
comme vos pères et vos frères qui ont prévariqué envers
Yahvé, le Dieu de leurs pères, et ont été livrés par lui à la
ruine comme vous le voyez. ⁸ Ne raidissez plus vos nuques
comme l'ont fait vos pères. Confessez* Yahvé, venez à
son sanctuaire qu'il a consacré pour toujours, servez
Yahvé votre Dieu et il détournera de vous son ardente
colère. ⁹ Si vous revenez vraiment à Yahvé, vos frères et
vos fils trouveront grâce devant leurs conquérants, ils
reviendront en ce pays, car Yahvé votre Dieu est misé-
ricordieux et compatissant. Si vous revenez à lui, il ne
détournera pas de vous sa face*. »

¹⁰ Les courriers parcoururent, de ville en ville, le pays
d'Éphraïm et de Manassé, et même de Zabulon, mais on
se moqua d'eux et on les tourna en dérision. ¹¹ Toutefois,
quelques hommes d'Asher, de Manassé et de Zabulon
s'humilièrent et vinrent à Jérusalem. ¹² C'est plutôt en
Juda que la main de Dieu agit pour donner à tous la
volonté unanime d'exécuter les prescriptions du roi et des
officiers contenues dans la Parole de Yahvé. ¹³ Un peuple

---

a) Le peuple aussi a manqué de zèle dans l'observance de la Loi de la
Pâque. Remarquer que l'appel s'adresse même aux provinces occupées
par l'Assyrie.

b) Litt. « Donnez gloire ». Autre traduction : « Tendez vos mains vers
Yahvé ».

c) Cet appel a quelque chose des exhortations qui ouvrent et concluent
le code deutéronomique. Mais il témoigne, au v. 9, du souci des frères
israélites exilés depuis la chute de Samarie. Au temps du Chroniste, on
avait l'espoir du rassemblement de toute la diaspora juive dans une Palestine redevenue indépendante. Cf. 1 R **8** 50, omis par le Chroniste dans le
discours de Salomon.

nombreux se rassembla à Jérusalem pour célébrer au
deuxième mois la fête des Azymes*. Une assemblée extrêmement nombreuse ¹⁴ se mit à enlever les autels qui
étaient dans Jérusalem*ᵇ et tous les brûle-parfums*ᶜ, pour
les jeter dans le val du Cédron.

**La Pâque
et les Azymes.**

¹⁵ On immola la Pâque le
quatorze du second mois.
Pleins de confusion*ᵈ, les
prêtres et les lévites se sanc-
tifièrent et purent porter les holocaustes au Temple de
Yahvé. ¹⁶ Puis ils se tinrent à leur poste, conformément
à leurs statuts selon la loi de Moïse, homme de Dieu. Les
prêtres versaient le sang qu'ils prenaient de la main des
lévites, ¹⁷ car il y avait beaucoup de gens dans l'Assemblée qui ne s'étaient pas sanctifiés et les lévites étaient
chargés d'immoler les victimes*ᵉ pascales au profit de ceux
qui n'avaient pas la pureté requise pour les consacrer à
Yahvé. ¹⁸ En effet, la majorité du peuple, beaucoup
d'Éphraïmites, de Manassites, de fils d'Issachar et de
Zabulon, ne s'étaient pas purifiés; ils avaient mangé la
Pâque sans se conformer à l'Écriture. Mais Ézéchias inter-

---

30 18. « *beaucoup* » *omis par G.*

---

a) Les textes sacerdotaux distinguaient Azymes et Pâque (Lv **23** 5-14;
Nb **28** 16-17). Le Deutéronome (**16** 1-8) les unissait et le Chroniste admet
ce point de vue; il ne faut pas oublier que dans le Deutéronome prêtres
et lévites ne font qu'un, et à deux ou trois reprises le Chroniste parle aussi
de « prêtres lévites ».
b) Cf. **28** 24-25. Les Judéens achèvent la restauration d'Ézéchias.
c) On a ici un terme rare en hébreu.
d) Non point pour ne pas s'être sanctifiés, car les lévites l'avaient fait,
mais dans des sentiments de pénitence. Cf. Esd **9** 6.
e) Lv **1** 4; **3** 2 ne prévoyait pas cette intervention des lévites et Nb **18** 3
leur interdisait d'approcher de l'autel. L'offrant lui-même immolait l'ani-
mal (Lv **1** 5). Le Chroniste accroît ainsi les pouvoirs sacrificiels des lévites
et justifie cela par l'impureté de la population. Elle n'a pas eu la possibilité
de recourir aux ablutions.

céda pour eux; il dit : « Que Yahvé dans sa bonté couvre la faute de [19] quiconque s'est disposé de cœur à chercher Dieu, Yahvé le Dieu de leurs pères, même s'il n'a pas la pureté requise pour les choses saintes ! » [20] Yahvé exauça Ézéchias et laissa le peuple sain et sauf[a].

[21] Les Israélites qui se trouvaient à Jérusalem célébrèrent pendant sept jours, et en grande liesse, la fête des Azymes, tandis que les lévites et les prêtres louaient chaque jour Yahvé de toutes leurs forces. [22] Ézéchias encouragea les lévites qui avaient tous l'intelligence des choses de Yahvé[b], et pendant sept jours ils prirent part au festin de la solennité, célébrant les sacrifices de communion et louant Yahvé[c], le Dieu de leurs pères. [23] Puis toute l'Assemblée fut d'avis de célébrer sept autres jours de fête[d] et ils en firent sept jours de joie. [24] Car Ézéchias, roi de Juda, avait fait un prélèvement de mille taureaux et de sept mille moutons pour l'Assemblée, et les officiers un autre de mille taureaux et de dix mille moutons[e]. Les

---

21. « *de toutes leurs forces* » b^ekol 'oz *conj.*; « *avec des instruments de force* » bik^elê 'oz H.

22. « *prirent part au festin* »; *Var. G :* « *achevèrent (de célébrer)* ».

a) Ce passage important réagit contre une conception trop rigide des lois de pureté. Il annonce la prise de position du Christ en Mc **7** 1-13.

b) Noter encore l'importance donnée par le Chroniste, non seulement au chant sacré comme exprimant les dispositions de l'âme, mais au sens religieux. Litt. « qui avaient compris (*maśkîl*) d'une bonne intelligence pour Yahvé ». Ce sont des termes sapientiels utilisés dans le sens d'une sagesse religieuse; le mot *maśkîl* se retrouve dans le titre de nombreux Psaumes.

c) C'est le « sacrifice de communion avec louange » de Lv **7** 12 s. Le Chroniste, qui ne mentionne plus ici d'holocaustes, lui donne un relief que ne lui donnaient pas les textes sacerdotaux du Pentateuque et lui attribue la sanctification des prêtres (cf. 1 Ch **15** 12). Il faudra attendre le N. T. pour que le sacerdoce saint des fidèles (1 P **2** 5) leur donne accès au sacrifice de communion de la Nouvelle alliance. Voir cependant **35** 13 et la note.

d) « de fête » n'est pas dans le texte.

e) Litt. « et les officiers avaient un prélèvement de mille taureaux et sept mille moutons ». La proportion de petit bétail a augmenté par rapport à Nb **28** 19.

prêtres se sanctifièrent en masse, [25] et toute l'Assemblée des Judéens se réjouit, ainsi que les prêtres, les lévites, tous ceux qui étaient venus d'Israël[a], les réfugiés venus du pays d'Israël aussi bien que ceux qui habitaient en Juda. [26] Il y eut grande liesse à Jérusalem, car depuis les jours de Salomon, fils de David, roi d'Israël, rien de semblable ne s'était produit à Jérusalem. [27] Les prêtres lévites se mirent à bénir[b] le peuple. Leur voix fut entendue et leur prière reçue en Son[e] saint séjour des cieux.

‖ 2 R **18** 4

31. [1] Quand tout cela fut

Réforme du culte.   terminé, tous les Israélites

qui se trouvaient là allèrent dans les villes de Juda briser les stèles, couper les pieux sacrés, saccager les hauts lieux et les autels pour en débarrasser entièrement tout Juda, Benjamin, Éphraïm et Manassé[d]. Puis tous les enfants d'Israël retournèrent dans leurs villes, chacun dans son patrimoine[e].

[2] Ézéchias rétablit les clas-

Restauration du clergé.   ses sacerdotales et lévitiques,

chacun dans sa classe, selon son service, qu'il fût prêtre ou lévite, qu'il s'agît d'holocaustes, de sacrifices de communion, de service liturgique,

---

27. « *Les prêtres lévites* »; *Var. Mss hébr.* G[BA] *Syr* : « *Les prêtres et les lévites* ».

---

a) Litt. « Toute l'Assemblée venue d'Israël ».

b) Nouveau pouvoir donné aux lévites en s'appuyant sur Dt **10** 8; **21** 5. En Nb **6** 22-27 les prêtres seuls bénissent, et dans la communauté sadocite qui au temps du Christ vivait près de la mer Morte, ce sont les prêtres qui bénissent, les lévites qui maudissent.

c) Le nom de Dieu est sous-entendu, par respect.

d) Le Chroniste, pour Ézéchias, suit le schéma de la réforme de Josias dans le livre des Rois; purification du Temple, de Juda, d'Israël. Mais une action semblable de Juda dans le royaume d'Israël, soumis à l'Assyrie, devait se heurter à de grosses difficultés. Le livre des Rois n'en parle pas.

e) Cf. Lv **25**, sur le patrimoine de chaque Israélite.

d'action de grâces ou d'hymne, — dans les portes du camp de Yahvé*a*. ³ Le roi prit une part sur ses biens*b* pour les holocaustes, holocaustes du matin et du soir, holocaustes des sabbats, des néoménies et des solennités, comme il est écrit dans la Loi de Yahvé*c*. ⁴ Puis il dit au peuple, aux habitants de Jérusalem, de livrer la part des prêtres et des lévites afin qu'ils puissent observer la Loi de Yahvé. ⁵ Dès qu'on eut répandu cette parole, les Israélites accumulèrent les prémices du froment, du vin, de l'huile, du miel et de tous les produits agricoles et ils apportèrent une large dîme*d* de tout. ⁶ Les Israélites et les Judéens, qui habitaient les cités judéennes, apportèrent eux aussi la dîme du gros et du petit bétail*e* et la dîme des choses saintes consacrées à Yahvé*f* leur Dieu; ils les entassèrent, monceaux après monceaux. ⁷ C'est au troisième mois qu'ils commencèrent à faire ces tas et ils les achevèrent

---

31 3. « *holocaustes* » non répété en G.

6. « *Les Israélites et les Judéens* » rattaché par G au v. précédent. — « *choses saintes* »; *Var. G* « *chèvres* » (αἰγῶν *pour* ἁγιῶν).

---

a) Le Chroniste reprend ici les données de 1 Ch **23-25**; ce texte suppose que les portiers sont devenus chantres, cf. 1 Ch **16** 38. Mais sur le camp de Yahvé, cf. 1 Ch **9** 19.

b) Cf. Ez **45** 17 et 1 Ch **29** 3 sur les dons de David.

c) Cf. Nb **28-29**.

d) C'est la « dîme-impôt » de Nb **18** (surtout au v. 21) et Lv **27** 30. Le miel était une offrande cananéenne (Ez **16** 19), et à ce titre interdite dans le culte de Yahvé (Lv **2** 11). Mais au temps du Chroniste ce n'est plus qu'un impôt sur les prémices qui, selon Nb **18** 12, devaient être données aux prêtres. L'impôt n'est plus ici que le dixième des prémices, puisque celles-ci ont perdu le caractère de nourriture dans un repas sacré qu'elles avaient dans le Deutéronome (**12** 17 s; **14** 22).

e) Sur la dîme du bétail, cf. Lv **27** 32 et la note.

f) Terminologie exceptionnelle. Elle semble impliquer une nouvelle extension de la dîme, inconnue du Pentateuque : un dixième des offrandes volontaires serait attribué au clergé. Voir sur ces livraisons Ne **12** 44-47; **13** 10-13.

le septième[a]. [8] Ézéchias et les officiers vinrent voir les monceaux et bénirent Yahvé et Israël, son peuple. [9]Ézéchias interrogea à ce sujet les prêtres et les lévites. [10] C'est Azarya, de la maison de Sadoq, et premier prêtre, qui lui répondit : « Dès les premiers prélèvements apportés au Temple de Yahvé, dit-il, on a pu manger, se rassasier, et avoir même de larges excédents, car Yahvé a béni son peuple; ce qui reste, c'est cette masse-ci[b]. »

[11] Ézéchias ordonna de mettre en état des pièces[c] dans le Temple de Yahvé. On le fit [12] et l'on apporta les prélèvements, les dîmes et les choses consacrées pour les mettre en lieu sûr. Le lévite Konanyahu en fut le préposé avec son frère Shiméï pour second. [13] Yehiel, Azazyahu, Nahat, Asahel, Yerimot, Yozabad, Éliel, Yismakyahu, Mahat et Benayahu en étaient les surveillants sous les ordres de Konanyahu et de son frère Shiméï[d], sous le gouvernement du roi Ézéchias et d'Azaryahu, préposé au Temple de Dieu. [14] Qoré, fils de Yimna le lévite, gardien de la porte orientale, avait la charge des dons volontaires faits à Dieu; il fournissait le prélèvement de Yahvé et les choses très saintes[e]. [15] Il avait sous ses ordres Éden,

---

a) Donc entre la fête de la Pentecôte et la fête des Tentes où s'achève la récolte.

b) Ézéchias semble s'être inquiété de savoir si le peuple n'avait pas été pressuré (cf. Ne **5** 1-13; le v. 13 vise le sacerdoce). La réponse du grand prêtre calme cette appréhension, elle s'inspire des mêmes principes théologiques que Lv **25** 19-22.

c) Sur ces pièces, voir Ne **13** 5, cf. Ez **42** 13[b]. Le Chroniste les a prévues dès avant David en 1 Ch **9** 26 (cf. **28** 12).

d) La liste a douze noms (que l'on retrouve ailleurs comme noms de lévites). Quatre suffisaient, selon le Chroniste, au temps de David (1 Ch **26** 20-28).

e) Ceci est important. A la faveur de leurs fonctions de portiers, voici que les lévites ont pouvoir sur le prélèvement de Yahvé (Lv **7** 14, 32; **10** 14; Nb **5** 9) et les parts très saintes (Lv **2** 3, 10; **6** 10, 22; **7** 6; **10** 12, etc.; Nb **18** 8 s) qui sont réservées aux prêtres.

Minyamîn, Yeshua, Shemayahu, Amaryahu et Shekanyahu
qui se trouvaient en permanence dans les villes sacerdotales pour faire les livraisons à leurs frères répartis en
classes, autant au grand qu'au petit[a].

[16] Il y eut en plus[b] l'organisation par groupes[c] des
hommes âgés de trente ans[d] et plus qui allaient tous au
Temple de Yahvé, selon le rôle quotidien, assurer leur
service rituel suivant leur classe. [17] Il y eut aussi le groupement des prêtres par familles, ainsi que celui des lévites,
âgés de vingt ans et plus, selon leurs tâches et leurs
classes[e]. [18] Il y eut le groupement de toutes leurs familles,
femmes, fils et filles, pour toute l'Assemblée[f], car ils
devaient se sanctifier avec fidélité par les choses saintes.
[19] Pour les prêtres, fils d'Aaron, qui se trouvaient dans les
terrains de pâturage[g] de leurs villes et dans chaque ville,
il y eut des hommes inscrits nominativement pour faire

---

a) Sur cette répartition, cf. Ne **13** 13 *in fine*. Mais le Chroniste combine
cette donnée avec la répartition en classes et l'attribution des villes lévitiques (1 Ch **6** 39-66 et **23**).

b) Le Chroniste continue à décrire la restauration d'Ézéchias comme
une restauration du culte et du clergé en fonction de l'organisation faite
par David, 1 Ch **23-26**.

c) C'est le *hityaḥéś* du Chroniste, cf. 1 Ch **4** 33 et la note.

d) Le texte porte « trois ans », ce qui ne correspond à rien, tandis que
le groupement des hommes de trente ans correspond à 1 Ch **23** 3 s (voir
les notes). Les hommes sont à la fois les prêtres et les lévites. Il est peu
probable que le Chroniste songe ici à la sanctification des laïcs, les inclue
dans le système des classes et considère comme service liturgique leur
venue au Temple à partir d'un âge qu'il fixe à trois ans.

e) Ceci correspond au groupement de 1 Ch **23** 7-23, qui considère les
prêtres comme un rameau des lévites et donne vingt ans (v. 24) pour âge
de l'entrée en fonction.

f) L'Assemblée, *qâhâl,* désigne toujours l'ensemble du clergé et des
laïcs. A la grande Pâque de Josias les gens du peuple, répartis en sections,
consommeront les saintes offrandes. Il semble donc bien que c'est à eux
que fait allusion ce v. Par cette réforme d'Ézéchias le Chroniste prépare
cette Pâque. Il est important de voir le Chroniste dire que ces familles se
sanctifient par la consommation des choses saintes, comme il dit que les
prêtres se sanctifient par la consommation des choses très saintes (**30** 24).

g) Cf. 1 Ch **6** 40 s.

les répartitions à chaque mâle parmi les prêtres[a]. Chaque groupement était l'œuvre des lévites.

²⁰ C'est ainsi qu'agit Ézéchias en tout Juda. Il fit ce qui était bon, juste et loyal devant Yahvé, son Dieu. ²¹ Tout ce qu'il entreprit au service du Temple de Dieu, au sujet de la loi et des commandements, il le fit en cherchant Dieu de tout son cœur, et il réussit[b].

|| 2 R **18** 13

L'invasion de Sennachérib.

32. ¹ Après ces actes de loyauté eut lieu l'invasion de Sennachérib, roi d'Assyrie.

Il envahit Juda, campa devant les villes fortes et ordonna de lui en forcer les murs[c]. ² Ézéchias, observant que Sennachérib, en arrivant, se proposait d'attaquer Jérusalem, ³ décida avec ses officiers et ses preux d'obstruer les eaux des sources qui se trouvaient à l'extérieur de la ville[d]. Ceux-ci lui prêtèrent leur concours ⁴ et beaucoup de gens se groupèrent pour obstruer toutes les sources ainsi que le cours d'eau qui coulait dans les terres : « Pourquoi, disaient-ils, les rois d'Assyrie trouveraient-ils à leur arrivée des eaux abondantes ? » ⁵ Ézéchias

---

32 4. « *dans les terres* »; *Var. G* : « *dans la ville* ».

---

a) Néhémie, lors de sa seconde réforme, avait chargé une commission, formée d'un prêtre, d'un scribe, d'un lévite et d'une quatrième personne, de faire les distributions aux lévites et aux chantres (Ne **13** 10-14). Le Chroniste prévoit pour les prêtres établis dans les villes sacerdotales une répartition semblable en tenant compte de Lv **22** 10-13, qui charge le prêtre de l'entretien de sa famille (cf. Nb **18** 11). La fin du v. semble charger les lévites de ces répartitions et non plus la commission néhémienne. Mais le texte est difficile et beaucoup hésitent sur sa traduction.

b) Noter encore ici, chez le Chroniste, le souci de la rétribution. Le ch. suivant en est une illustration.

c) Litt. « d'y faire brèche pour lui ». Déjà, dans ce v., le Chroniste modifie quelque peu le texte du livre des Rois. Il l'abandonne ensuite jusqu'au v. 9.

d) Sur ces travaux, cf. Is **22** 9-11. Mais l'auteur pense aussi aux travaux de restauration de Néhémie, cf. Ne **2** 17 s.

se fortifia : il fit maçonner toutes les brèches de la muraille
qu'il surmonta de tours et pourvut d'un second mur à
l'extérieur, répara le Millo de la Cité de David, et fabriqua
quantité d'armes de jet et de boucliers. ⁶ Puis il mit des
généraux à la tête du peuple, les réunit près de lui sur la
place de la porte de la cité et les encouragea en ces termes :
⁷ « Soyez fermes et tenez bon; ne craignez pas, ne trem-
blez pas devant le roi d'Assur et devant toute la horde
qui l'accompagne, car Ce qui est avec nous est plus puissant que ce qui est avec lui. ⁸ Avec lui il n'y a qu'un bras
de chair *a*, mais avec nous il y a Yahvé, notre Dieu, qui
nous secourt et combat nos combats. » Le peuple fut
réconforté par les paroles d'Ézéchias, roi de Juda.

**Paroles impies
de Sennachérib** *b*.

⁹ Après cela Sennachérib, roi d'Assyrie, qui se trouvait en personne devant La-
kish avec toutes ses forces,
‖ 2 R **18** 17-
37
‖ Is **36** 1-22

envoya ses serviteurs à Jérusalem, à Ézéchias, roi de Juda,
et à tous les Judéens qui se trouvaient à Jérusalem. Ils
dirent : ¹⁰ « Ainsi parle Sennachérib, roi d'Assyrie : Sur
quoi repose votre confiance pour demeurer ainsi dans
Jérusalem assiégée ? ¹¹ Ézéchias ne vous abuse-t-il pas,
ne vous livre-t-il pas à la mort, par la faim et par la soif,
quand il dit : ' Yahvé notre Dieu nous sauvera de la main
du roi d'Assyrie ' ? ¹² N'est-ce pas cet Ézéchias qui a supprimé ses hauts lieux et ses autels et qui a déclaré à Juda

---

6. « *porte de la cité* »; *Var. G* : « *porte de la vallée* ».

---

a) Cf. Is **31** 3. Voir aussi les discours d'Asa en **14** 10 s et de Josaphat
en **20** 6-12.

b) L'auteur suit ici sa source, celle qui est insérée à la fois dans le livre
des Rois et dans le livre d'Isaïe; mais il le fait avec beaucoup de suppressions et de transpositions. Ainsi, il omet les détails topographiques de
1 R **18** 17 s et les allusions au secours du Pharaon (21), détails historiques
qui lui paraissent secondaires.

et à Jérusalem : ' C'est devant un seul autel que vous vous prosternerez et sur lui que vous ferez monter l'encens ' ? ¹³ Ne savez-vous pas ce que moi-même et mes pères nous avons fait à tous les peuples des pays ? Les dieux des nations de ces pays ont-ils pu les sauver de ma main ? ¹⁴ Parmi tous les dieux des nations que mes pères ont vouées à l'anathème, quel est celui qui a pu sauver son peuple de ma main ? Votre dieu pourrait-il alors vous sauver de ma main ? ¹⁵ Qu'Ézéchias ne vous leurre pas ! Qu'il ne vous abuse pas ainsi ! Ne le croyez pas, car aucun dieu d'aucune nation ni d'aucun royaume ne peut sauver son peuple de ma main pas plus que de celle de mes pères; votre dieu ne vous sauvera pas davantage de ma main *a*. » ¹⁶ Ses serviteurs parlaient encore contre Yahvé Dieu et son serviteur Ézéchias, ¹⁷ quand Sennachérib écrivit une lettre pour insulter Yahvé, Dieu d'Israël; il en parlait ainsi : « Pas plus que les dieux des nations des pays n'ont sauvé leurs peuples de ma main, le dieu d'Ézéchias n'en sauvera son peuple *b*. » ¹⁸ Ils s'adressaient en criant, en judéen, au peuple de Jérusalem qui se trouvait sur les murs, pour le troubler et l'effrayer et par suite capturer la ville; ¹⁹ ils parlaient du Dieu de Jérusalem comme de l'un des dieux des peuples de la terre, œuvre de mains humaines.

‖ 2 R **19** 9-13
‖ Is **37** 9-13

‖ 2 R **19** 15
‖ Is **37** 15

**Succès de la prière
d'Ézéchias.**

²⁰ Dans cette situation, le roi Ézéchias et le prophète Isaïe, fils d'Amoç, prièrent et implorèrent le ciel. ²¹ Yah-vé envoya un ange qui extermina tous les vaillants guerriers, les capitaines et les officiers, dans le camp du roi d'Assyrie; celui-ci s'en retourna, le visage couvert de

‖ 2 R **19** 35-
37
‖ Is **37** 36-38

a) Ce petit discours amplifie ce que l'on trouve déjà dans le livre des Rois.
b) Le Chroniste insère ici un bref résumé d'un autre passage du livre des Rois qui provient sans doute d'une autre source que la première.

honte, dans son pays; puis il entra dans le temple de son dieu où quelques-uns de ses enfants l'abattirent sous l'épée. ²² Ainsi Yahvé sauva Ézéchias et les habitants de Jérusalem de la main de Sennachérib, roi d'Assyrie, et de la main de tous les autres. Il leur donna la paix sur toutes leurs frontières*a*. ²³ Beaucoup apportèrent à Jérusalem une oblation à Yahvé et des présents à Ézéchias roi de Juda qui, à la suite de ces événements, acquit du prestige aux yeux de toutes les nations*b*.

²⁴ En ces jours-là, Ézéchias tomba malade et fut sur le point de mourir. Il pria Dieu qui l'exauça et lui accorda un miracle*c*. ²⁵ Mais Ézéchias ne répondit pas au bienfait reçu, son cœur s'enorgueillit et la Colère s'appesantit sur lui, sur Juda et sur Jérusalem*d*. ²⁶ Il s'humilia toutefois de l'orgueil de son cœur, ainsi que les habitants de Juda et de Jérusalem : la colère de Yahvé cessa de s'appesantir sur eux du vivant d'Ézéchias*e*. ²⁷ Ézéchias eut pléthore de richesses et de gloire. Il se constitua des trésors en or, argent, pierres précieuses, onguents, boucles et toutes sortes d'objets précieux. ²⁸ Il eut des entrepôts pour ses rentrées de blé, de vin et d'huile, des étables pour les différentes espèces de son bétail, et des parcs pour ses

Marginal references:
|| 2 R 20 12

|| 2 R 20 1 s
|| Is 38 1 s

|| 2 R 20 12-19
|| Is 39 1-8

|| 2 R 20 13
|| Is 39 2

---

22. « *donna la paix* » wayyânaḥ lâhèm *G Vulg;* « *conduisit* » wayᵉnahălém *H.*
24. « *l'exauça* » wayyinnâśé' *Vers.;* « *lui dit* » wayyo'mèr *H.*

a) Après un résumé très schématique des événements, nous retrouvons avec ce v. la manière du Chroniste et ses préoccupations. Cf. 2 Ch 14 6.

b) Le Chroniste généralise ici ce qui était dit de l'ambassade de Mérodak-Baladan.

c) Nouveau résumé. Il s'agit cette fois-ci de la maladie à l'occasion de laquelle Ézéchias prononça son Psaume et de la guérison qui suivit. Le miracle est celui de l'ombre qui recula.

d) Ceci est une interprétation du récit de l'ambassade de Mérodak-Baladan. Le Chroniste suit l'ordre de sa source, mais historiquement l'imprudence d'Ézéchias avait précédé cette ambassade.

e) Le Chroniste interprète par ses principes théologiques la finale du récit en question.

troupeaux. [29] Il se procura des ânes et un cheptel abondant en gros et en petit bétail. Dieu lui avait vraiment donné pléthore de biens[a].

|| 2 R 20 20-21

Résumé du règne, sa fin[b].

[30] C'est Ézéchias qui obstrua l'issue supérieure des eaux du Gihôn et les dirigea vers le bas de la Cité de David, à l'ouest[c]. Ézéchias réussit dans toutes ses entreprises. [31] Et même lors des pourparlers avec les officiers des rois de Babylone envoyés près de lui pour enquêter sur le miracle qui avait eu lieu dans le pays, c'est pour l'éprouver que Dieu l'abandonna, et pour connaître le fond de son cœur[d]. [32] Le reste de l'histoire d'Ézéchias, les témoignages de sa piété et de ses travaux, se trouvent écrits dans la vision du prophète Isaïe, fils d'Amoç, au livre des rois de Juda et d'Israël. [33] Ézéchias se coucha avec ses pères et on l'enterra sur la montée aux tombeaux[e] des fils de David. Tous les Judéens et les habitants de Jérusalem lui rendirent honneur à sa mort. Son fils Manassé régna à sa place.

---

29. « *ânes* » 'ăyârîm *conj.*; « *villes* » 'ârîm *H.*

a) Ce restaurateur des institutions davidiques est mis sur le même plan que David (1 Ch 29 2; 27 25-31) et Salomon (2 Ch 9 10-28). Quoique ce développement soit bien dans sa manière (comparer 2 Ch 26 9-10), le Chroniste n'invente pas mais développe les données contenues dans le récit de l'ambassade.

b) Dans ce résumé le Chroniste reprend les choses déjà dites, mais sous un autre angle, et donne ainsi plus d'ampleur que ne le faisait le livre des Rois à la conclusion de ce règne important.

c) C'est-à-dire dans la fontaine de Siloé. Le canal d'Ézéchias sous la cité de David existe encore et on a retrouvé l'inscription faite par les mineurs lors de l'achèvement de la percée.

d) Noter cette nouvelle interprétation de l'événement (cf. v. 26), par laquelle le Chroniste cherche à analyser plus à fond tentation et piété.

e) Le sens de cette expression est discuté. Il s'agit sans doute d'un terrain déclive réservé à la famille royale à côté des tombeaux des souverains.

III. Impiété de Manassé et d'Amon

33. ¹ Manassé avait douze ans à son avènement et il régna cinquante-cinq ans à Jérusalem. ² Il fit ce qui déplaît à Yahvé, imitant les abominations des nations que Yahvé avait chassées devant les Israélites. ³ Il rebâtit les hauts lieux qu'avaient détruits Ézéchias son père, il éleva des autels aux Baals et fabriqua des pieux sacrés, il se prosterna devant toute l'armée du ciel et lui rendit un culte. ⁴ Il construisit des autels dans le Temple de Yahvé, dont Yahvé avait dit : « C'est à Jérusalem que mon Nom sera à jamais. »

⁵ Il construisit des autels à toute l'armée du ciel dans les deux cours du Temple de Yahvé. ⁶ C'est lui qui fit passer ses enfants par le feu dans la vallée des fils de Hinnom. Il pratiqua les présages, les incantations et la magie, installa des nécromants et des devins, et multiplia les actions que Yahvé regarde comme mauvaises, provoquant ainsi sa colère. ⁷ Il plaça l'idole, qu'il avait fait sculpter, dans le Temple de Dieu, dont Dieu avait dit à David et à son fils Salomon : « Dans ce Temple et dans Jérusalem, la ville que j'ai choisie entre toutes les tribus d'Israël, je ferai résider mon Nom à jamais. ⁸ Je ne détournerai plus les pas des Israélites de la terre où j'ai établi vos pères, pourvu qu'ils veillent à pratiquer tout ce que je

Manassé détruit l'œuvre d'Ézéchias [a].

‖ 2 R **21** 1-18

‖ 1 R **8** 16

---

33 8. « *j'ai établi* »; *Var. G :* « *j'ai donné* ».

---

a) Sur ce paragraphe, voir le livre des Rois dont il a été transcrit littéralement, sauf de minimes modifications (ainsi v. 6 la mention de la vallée des fils de Hinnom et au v. 8 « vos pères » au lieu de « leurs pères »).

leur ai commandé selon toute la loi, les prescriptions et les coutumes transmises par Moïse[a]. » [9] Mais Manassé égara les Judéens et les habitants de Jérusalem, au point qu'ils agirent encore plus mal que les nations que Yahvé avait exterminées devant les Israélites. [10] Yahvé parla à Manassé et à son peuple sans qu'ils prêtassent l'oreille[b].

Sa conversion. [11] Alors Yahvé fit venir contre eux les généraux du roi d'Assyrie qui capturèrent Manassé avec des crocs[c], le mirent aux fers et l'emmenèrent à Babylone. [12] A l'occasion de cette épreuve, il chercha à apaiser Yahvé, son Dieu, il s'humilia profondément devant le Dieu de ses pères; [13] il le pria et lui se laissa fléchir. Il entendit sa supplication et le réintégra dans son royaume à Jérusalem. Manassé reconnut que c'est Yahvé qui est Dieu. [14] Après quoi, il restaura la muraille extérieure de la Cité de David, à l'ouest du Gihôn situé dans le ravin, jusqu'à la porte des Poissons[d]; elle

---

a) Ce texte est inspiré du Deutéronome (**17** 3; **18** 9-14; **12** 5 et 29 s).

b) Ceci annonce un discours que l'on trouve au livre des Rois, mais que le Chroniste n'a pas transcrit. Il introduit à la place un développement, qui lui est propre, sur la conversion du roi.

c) Cette curieuse expression vient d'Ez **19** 9, ainsi que la conduite à Babylone qui est anormale puisqu'il s'agit de rois d'Assyrie. Un cylindre d'Assarhaddon (680-669) mentionne Mannassé de Juda parmi les vassaux qu'il convoque et qui lui envoient à Ninive toutes sortes de biens. Assurbanipal (668-633) le nomme également comme tributaire lors de sa campagne d'Égypte. Mais ni les textes assyriens, ni le livre des Rois ne parlent de sa captivité. Comme le texte d'Ézéchiel vise un roi postérieur, Joiakîn, et que dans le livre des Rois celui-ci est traité de mauvais roi (2 R **24** 9) avant d'être rétabli dans ses dignités (2 R **25** 27-30), il se peut qu'une transposition ait été faite de l'un à l'autre, soit chez le Chroniste, soit dans l'esprit de ses contemporains.

d) La porte des Poissons était au nord, légèrement à l'ouest de l'extrémité nord du Temple. Le P. Simons a récemment mis en relief l'importance de ces travaux de Manassé pour couvrir le nord et l'est du Temple et de l'Ophel. De même qu'en Égypte Psammétique Ier put se rendre indépendant avant même la mort d'Assurbanipal, il semble que Manassé,

entoura l'Ophel et il la suréleva beaucoup. Il mit des généraux dans toutes les villes fortifiées de Juda.

¹⁵ Il écarta alors du Temple de Yahvé les dieux de l'étranger*a* et la statue, ainsi que tous les autels qu'il avait construits sur la montagne du Temple et dans Jérusalem; il les jeta hors de la ville. ¹⁶ Il rétablit l'autel de Yahvé, y offrit des sacrifices de communion et de louange et ordonna aux Judéens de rendre son culte à Yahvé, Dieu d'Israël; ¹⁷ mais le peuple continuait de sacrifier sur les hauts lieux, bien qu'à Yahvé son Dieu*b*.

¹⁸ Le reste de l'histoire de Manassé, la prière*c* qu'il fit à son Dieu et les paroles des voyants qui s'adressèrent à lui au nom de Yahvé, Dieu d'Israël, se trouvent dans les Actes des rois d'Israël. ¹⁹ Sa prière et son exaucement, ses péchés et son impiété, les endroits où il avait construit des hauts lieux et dressé des pieux sacrés et des idoles avant de s'être humilié, sont consignés dans l'histoire de Hozaï*d*.

‖ 2 R **21** 17-18

---

19. « *Hozaï* »; *Var. G* : « *ses voyants* » (= hôzâyw).

à la fin de son long règne, a pu lui aussi s'assurer de nouveau une certaine autonomie et fortifier son pays. Ce fait a pu contribuer à constituer la tradition relative à sa conversion. Comme on le voit pour le règne de Josias, tout renouveau national était alors un renouveau religieux. De même c'est en restaurant les murs de Jérusalem que Néhémie commencera sa réforme.

a) Expression semblable en **14** 2. On retrouve ici la phraséologie du Chroniste qui décrit la réforme de Manassé sur le modèle de celles d'Asa, d'Ézéchias et de Josias.

b) C'était le cas général avant l'exil et le Chroniste savait par 2 R **23** 13-19 que la réforme de Josias avait dû distinguer hauts lieux de Baal et hauts lieux yahvistes.

c) Il existe une sorte de Psaume apocryphe intitulé « Prière de Manassé ». On y voit d'ordinaire une composition libre inspirée par ce passage des Chroniques. Mais on n'y trouve aucune allusion à la délivrance et à la restauration de Manassé; il n'y est question que du salut du pécheur et de la miséricorde divine. On pourrait admettre que c'est un prototype de cet apocryphe qui a conduit le Chroniste à faire les précédents développements sur la captivité et la délivrance du roi.

d) Prophète inconnu dont le nom signifie « Voyant ». Mais il n'est pas

[20] Manassé se coucha avec ses pères et on l'enterra dans son palais[a]. Son fils Amon régna à sa place.

|| 2 R **21** 19-26

Endurcissement d'Amon[b].

[21] Amon avait vingt-deux ans à son avènement et il régna deux ans à Jérusalem. [22] Il fit ce qui déplaît à Yahvé, comme avait fait son père Manassé. Amon sacrifia et rendit un culte à toutes les idoles qu'avait faites son père Manassé. [23] Il ne s'humilia pas devant Yahvé comme s'était humilié son père Manassé; et c'est bien lui, Amon, qui rendit si lourde la culpabilité de Juda[c]. [24] Ses serviteurs complotèrent contre lui et ils le tuèrent dans son palais; [25] mais le peuple du pays frappa tous ceux qui avaient conspiré contre Amon et proclama roi à sa place son fils Josias.

---

20. « *dans son palais* »; *Var. G* : « *dans le jardin de son palais* ».

---

impossible que ce nom ait quelque rapport avec le Oza (Uzza) de 2 R **21** 18, 26 (cf. *Rois*, p. 223, note *b*).

a) Au lieu de « dans son palais », le livre des Rois avait : « dans le jardin de son palais, dans le jardin d'Uzza ». On ne devait plus savoir qui était cet Uzza au temps du Chroniste. Celui-ci a d'ailleurs allégé la phrase, retenant seulement que, malgré sa pénitence, les fautes de Manassé l'avaient écarté du sépulcre de ses pères.

b) Le Chroniste reproduit en l'abrégeant le texte du livre des Rois, insistant seulement sur la culpabilité d'Amon. Le Chroniste reporte sur lui la condamnation que le livre des Rois portait sur Manassé (2 R **21** 12). Le règne d'Amon fut aussi bref que celui de son père avait été long; or le Chroniste attache une grande importance à la doctrine de la rétribution telle qu'on la trouve dans la littérature sapientielle. Pour celle-ci une longue vie est une récompense (Pr **4** 10 et cf. Ps **34** 13).

c) « de Juda » n'est pas dans le texte. Peut-être le Chroniste vise-t-il surtout la dynastie, mais sans vouloir diminuer l'espérance et la foi en cette dynastie.

IV. La réforme de Josias

34. **Aperçu sur le règne.** ¹ Josias avait huit ans à son avènement et il régna trente et un ans à Jérusalem*ᵃ*. ² Il fit ce qui est agréable à Yahvé et suivit la conduite de son ancêtre David sans en dévier ni à droite ni à gauche.

‖ 2 R **22** 1-2

Premières réformes*ᵇ*. ³ La huitième année de son règne, n'étant encore qu'un jeune homme, il commença à rechercher le Dieu de David son père. A douze ans, il commença à purifier Juda et Jérusalem des hauts lieux, des pieux sacrés, des idoles sculptées et fondues*ᶜ*. ⁴ On démolit devant lui les autels des Baals, il arracha les autels à encens qui étaient placés sur eux, il brisa les pieux sacrés, les idoles sculptées et fondues et les réduisit en une poussière qu'il répandit sur les tombeaux de ceux qui leur avaient offert des sacrifices*ᵈ*. ⁵ Il brûla les ossements des prêtres sur leurs autels et purifia*ᵉ* ainsi Juda et Jérusalem;

‖ 2 R **23** 4-20

---

a) Le Chroniste omet ici le nom de la mère; on n'en voit guère le motif, sinon le souci de l'auteur d'aller au plus vite à l'essentiel : la réforme.

b) Le livre des Rois ne parlait de réformes qu'à la dix-huitième année du règne (2 R **22** 3). Mais le Chroniste a fait précéder la découverte de la Loi, dont parle ce récit des Rois, par une réforme qu'il décrit en s'inspirant assez étroitement de 2 R **23** (il ne reproduira pas ces passages à la place où on les attendrait). Pour lui la grande Pâque n'inaugure pas la réforme mais la consacre, et c'est par elle qu'il terminera, tout en y saisissant l'occasion de donner quelques règles nouvelles sur le culte dans la communauté davidique.

c) Quoique dans la ligne du texte des Rois, ces premières phrases décrivent la réforme sur le modèle selon lequel le Chroniste décrivait les réformes d'Asa (**14** 1-4) et d'Ézéchias (**31** 1).

d) 2 R **23** 6 : « Sur les tombeaux des enfants du peuple (fosse commune) ». Le Chroniste entend dégager un lien entre cette profanation et une faute.

e) Le livre des Rois ne le précisait pas.

⁶ il fit de même dans les villes de Manassé, d'Éphraïm, de Siméon, et même de Nephtali *a*, et dans les territoires saccagés qui les entouraient. ⁷ Il démolit les autels, les pieux sacrés, brisa et pulvérisa les idoles et abattit les autels à encens dans tout le pays d'Israël, puis il revint à Jérusalem.

|| 2 R **22** 3-7

Les travaux du Temple.

⁸ La dix-huitième année de son règne, dans le but de purifier *b* le pays et le Temple, il envoya Shaphân, fils d'Açalyahu, Maaséyahu, gouverneur de la ville, et Yoah, fils de Yoahaz le héraut *c*, pour réparer le Temple de Yahvé son Dieu. ⁹ Ils allèrent remettre à Hilqiyya, le grand prêtre, l'argent qui avait été apporté au Temple *d* de Dieu et que les lévites gardiens du seuil avaient recueilli : l'argent provenant de Manassé, d'Éphraïm, de tout le reste d'Israël *e*, ainsi que de tous les Judéens et Benjaminites qui habitaient Jérusalem. ¹⁰ Ils le remirent aux maîtres d'œuvre attachés au Temple de Yahvé et ceux-ci l'utilisèrent pour les travaux de réparation et de restauration du Temple. ¹¹ Ils le donnèrent aux charpen-

---

34 6. « *dans les territoires saccagés* » beḥarbotêhèm *Qer* ; « *il choisit leurs maisons* » bâḥar bâttêhèm *H Ket* ; « *dans leurs lieux* » bireḥôbôtêhèm *G.*

9. « *qui habitaient Jérusalem* » weyoŝebê yerûŝâlém *HKet et Vers.* ; « *et ils revinrent à Jérusalem* » wayyâŝubû yerûŝâlayim *Qer.*

a) Le livre des Rois ne parlait que de Béthel et de Samarie, mais le Chroniste songe à la restauration totale qu'envisageait Ez **48**.

b) Cette purification a été ajoutée par le Chroniste à un texte qui traitait seulement de la restauration du Temple.

c) Le livre des Rois ne parle que de Shaphân. Il connaît aussi un gouverneur de la ville qui intervient dans la réforme (2 R **23** 8), mais il s'appelle Yeoshua. Il se peut que le Chroniste ait voulu suggérer l'identité de ce Maaséyahu avec le prêtre Maaséya, père de Sophonie, dont parle Jérémie en **21** 1 et **29** 25. Quant au nom de Yoah il est partout ailleurs dans la Bible porté par des lévites. Sur le héraut, *mazkir* en hébreu, cf. 2 S **20** 24; 1 R **4** 3.

d) Cf. **24** 8 s.

e) C'est le Chroniste qui précise que tous les Israélites ont participé de leurs deniers à cette restauration du Temple. Il insiste chaque fois qu'il le peut sur cette unité du peuple élu (cf. Ez **37** 15 s).

tiers et aux ouvriers du bâtiment pour acheter les pierres de taille et le bois nécessaire au chaînage et aux charpentes des bâtiments qu'avaient endommagés les rois de Juda.

¹² ᵃ Ces hommes travaillèrent avec fidélité à cette œuvre; ils étaient sous la surveillance de Yahat et de Obadyahu, lévites des fils de Merari, de Zekarya et de Meshullam, Qehatites contremaîtres, des lévites experts dans les instruments d'accompagnement du chant, ¹³ de ceux qui étaient à la tête des transporteurs et de ceux qui dirigeaient tous les maîtres d'œuvre de chaque service, et enfin de quelques lévites, scribes, greffiers et portiers.

Découverte de la Loi. ¹⁴ Quand l'on retira l'argent déposé au Temple de Yahvé, le prêtre Hilqiyya trouva le livre de la Loi de Yahvé transmise par Moïse. ¹⁵ Hilqiyya prit la parole et dit au secrétaire Shaphân : « J'ai trouvé le livre de la Loi dans le Temple de Yahvé. » Et Hilqiyya donna le livre à Shaphân. ¹⁶ Shaphân remit le livre au roi. Il faisait encore son rapport au roi en ces termes : « Tout ce qui a été confié à tes serviteurs, ils l'exécutent ᵇ, ¹⁷ ils ont fondu l'argent qui se trouvait dans le Temple de Yahvé et l'ont remis aux mains des subordonnés et des maîtres d'œuvre », ¹⁸ quand il informa le roi en ces termes : « Le prêtre Hilqiyya m'a donné un livre »; et Shaphân y fit une lecture ᶜ devant le roi.

‖ 2 R **22** 8-13

---

a) Ce paragraphe est propre au Chroniste qui entend laisser aux lévites la direction des travaux de réfection (noter encore l'absence des Gershonites). S'il confie cette charge principalement aux chantres, c'est à cause de la conception qu'il a du caractère de la liturgie qui doit être pratiquée dans la maison du vrai Dieu (cf. Introduction, p. 13). Il ajoute aux chantres les scribes, greffiers et portiers comme en 1 Ch **9** 14-27 et **25**-26.

b) Le Chroniste s'est efforcé de rendre le récit du livre des Rois plus coulant.

c) 2 R **22** 10 : « le lut ». Mais pour le Chroniste ce livre est le Pentateuque, trop long pour être lu en entier.

¹⁹ En entendant les paroles de la Loi, le roi déchira ses vêtements. ²⁰ Il donna cet ordre à Hilqiyya, à Ahiqam fils de Shaphân, à Abdôn[a] fils de Mika, au secrétaire Shaphân et à Asaya, ministre du roi : ²¹ « Allez consulter Yahvé pour moi et pour ce qui reste d'Israël et de Juda, à propos des paroles du livre qui vient d'être trouvé. Grande doit être la colère de Yahvé qui s'est répandue sur nous parce que nos pères n'ont pas observé la parole de Yahvé en pratiquant tout ce qui est écrit dans ce livre. »

‖ 2 R **22** 14-20

L'oracle de la prophétesse.

²² Hilqiyya et les gens du roi se rendirent auprès de la prophétesse Hulda, femme de Shallum, fils de Toqhat, fils de Hasra[b], le gardien des vêtements; elle habitait à Jérusalem dans la ville neuve. Ils lui parlèrent en ce sens ²³ et elle répondit : « Ainsi parle Yahvé, Dieu d'Israël. Dites à l'homme qui vous a envoyés vers moi : ²⁴ Ainsi parle Yahvé. Je vais amener le malheur sur ce lieu et sur ses habitants, toutes les malédictions écrites dans le livre qu'on a lu devant le roi de Juda, ²⁵ parce qu'ils m'ont abandonné et qu'ils ont sacrifié à d'autres dieux pour m'irriter par toutes leurs actions. Ma colère s'est enflammée contre ce lieu, elle ne s'éteindra pas. ²⁶ Et vous direz au roi de Juda qui vous a envoyés pour consulter Yahvé : Ainsi parle Yahvé, Dieu d'Israël : les paroles que tu as entendues... ²⁷ Mais parce que ton cœur a été touché et que tu t'es humilié devant Dieu en entendant les paroles dont il a menacé ce lieu et ses habitants, parce que tu t'es humilié, que tu as déchiré tes vêtements et que tu as

---

21. « *qui s'est répandue* »; *Var. G* : « *qui est allumée* » (*peut-être avec raison*).

a) Sans doute mauvaise lecture pour le « Akbor » du livre des Rois.
b) Toqhat et Hasra sont sans doute deux mauvaises lectures des Tiqva et Harhas du livre des Rois.

pleuré devant moi, moi aussi je t'ai entendu, oracle de Yahvé. [28] Voici que je te réunirai à tes pères, tu seras recueilli en paix dans ton sépulcre, tes yeux ne verront pas tous les malheurs que je fais venir sur ce lieu et sur ses habitants. » Ils portèrent la réponse au roi.

Renouvellement de l'alliance. [29] Alors le roi fit convoquer tous les anciens de Juda et de Jérusalem, [30] et le roi monta au Temple de Yahvé avec tous les gens de Juda, les habitants de Jérusalem, les prêtres, les lévites et tout le peuple, du plus grand au plus petit. Il lut devant eux tout le contenu du livre de l'alliance trouvé dans le Temple de Yahvé. [31] Le roi était debout près de la colonne[a], et il conclut devant Yahvé l'alliance qui l'obligeait à suivre Yahvé, à garder ses commandements, ses instructions et ses lois, de tout son cœur et de toute son âme, et à mettre en pratique les clauses de l'alliance écrites dans ce livre. [32] Il donna sa place[b] à quiconque se trouvait à Jérusalem ou dans Benjamin et les habitants de Jérusalem se conformèrent à l'alliance de Dieu, le Dieu de leurs pères. [33] Josias enleva toute chose abominable de tous les territoires appartenant aux enfants d'Israël. Pendant toute sa vie, il mit au service de Yahvé leur Dieu[c] quiconque se trouvait

‖ 2 R **23** 1-3

---

31. « *près de la colonne* » 'al-hâ'ammûd *G* 2 R **23** 3; « *à son poste* » 'al-'om^edô *H*.

---

a) Sur cette attitude, voir **23** 13; cf. 2 R **11** 14.

b) Le Chroniste conserve encore quelques mots de sa source (2 R **23** 4 s), mais il leur donne un sens nouveau et voit déjà dans l'alliance l'établissement d'une communauté où chacun est à sa place, une communauté liturgique. Il résume rapidement au v. 33 les données du livre des Rois qu'il a transposées au début de son récit (2 Ch **34** 3 s) afin de décrire la grande Pâque de Josias.

c) Cette phrase sur le service de Yahvé qui incombe aux Israélites prépare à leur culte dans la Pâque qui va être décrite.

en Israël. Ils ne s'écartèrent pas de Yahvé, le Dieu de leurs pères.

‖ 2 R **23** 21   **35.** [1] Josias célébra alors
Préparation de la Pâque.   à Jérusalem une Pâque pour
                                             Yahvé et on immola la
Pâque le quatorzième jour du premier mois[a].

[2] Josias rétablit les prêtres dans leurs offices et les mit en mesure[b] de vaquer au service du Temple de Yahvé. [3] Puis il dit aux lévites, eux qui avaient l'intelligence[c] pour tout Israël et qui étaient consacrés à Yahvé : « Déposez l'arche sainte dans le Temple qu'a bâti Salomon, fils de David, roi d'Israël. Ce n'est plus un fardeau pour vos épaules[d]. Servez maintenant Yahvé votre Dieu et Israël son peuple. [4] Disposez-vous par familles selon vos classes, comme l'a fixé par écrit David, roi d'Israël, et libellé son fils Salomon. [5] Tenez-vous dans le sanctuaire, à la disposition des fractions des familles, à la disposition de vos frères laïcs[e]; les lévites auront une part dans la famille[f]. [6] Immolez la Pâque, sanctifiez-vous, et soyez à la disposi-

---

35 6. « *sanctifiez-vous* » *omis par* G.

---

a) Après ce premier v., emprunté au livre des Rois, le Chroniste abandonne sa source pour décrire la solennité.

b) Litt. « les fortifia », ou « les décida ». Comme dans le cas d'Ézéchias, la cérémonie est précédée par une restauration du clergé (**31** 2 s) suivant les normes davidiques (1 Ch **24**). Mais ici encore c'est aux lévites que s'attache le Chroniste. Ce sont eux qui sont chargés d'éduquer les Israélites et qui vont immoler pour eux la victime pascale.

c) L'intelligence, au sens que ce terme avait pris dans les écrits de sagesse : le discernement des choses de Dieu.

d) Cf. 1 Ch **15** 15; 2 Ch **5** 4. Josias rappelle que la royauté davidique et son culte sont symboles de stabilité. Car on ne voit pas pourquoi l'arche aurait été déplacée depuis Salomon.

e) Josias généralise ce qui était exception lors de la Pâque d'Ézéchias (**30** 17). C'est encore un indice de la tendance du Chroniste à augmenter les pouvoirs religieux des lévites par rapport à ceux du sacerdoce sadocite.

f) Sur cette participation des lévites au repas sacré familial, cf. Dt **12** 18 s.

tion de vos frères en agissant selon la parole de Yahvé transmise par Moïse. »

La solennité. [7] Josias préleva[a] alors pour les laïcs du petit bétail, des agneaux et des chevreaux[b], au nombre de trente mille, toutes victimes pascales pour tous ceux qui se trouvaient là, plus trois mille bœufs[c]. Ce bétail était pris sur les biens du roi[d]. [8] Ses officiers firent aussi un prélèvement pour des offrandes volontaires[e] au bénéfice du peuple, des prêtres et des lévites. Les préposés donnèrent aux prêtres du Temple de Dieu, Hilqiyyahu, Zekaryahu et Yehiel, comme victimes pascales, en petit bétail, deux mille six cents agneaux et chevreaux et trois cents bœufs. [9] Les officiers des lévites Konanyahu, Shemayahu et Netanéel son frère, Hashabyahu, Yeïel et Yozabad prélevèrent pour les lévites, comme victimes pascales, cinq mille têtes de petit bétail et cinq cents bœufs. [10] L'ordre de la liturgie fut fixé, les prêtres à leur place et les lévites selon leurs classes, conformément aux prescriptions royales. [11] Ils immolèrent la Pâque; les prêtres

---

8. « *en petit bétail, deux mille six cents agneaux et chevreaux* » G ; « *deux mille six cents* » H.

---

a) Le verbe est généralement employé par le Chroniste pour « élever » la voix dans le chant liturgique (v. g. 1 Ch **15** 16); c'est un indice de plus sur les tendances déjà notées du Chroniste en matière de culte. Mais ici il s'agit certainement des prélèvements de Nb **18** 11 et 26, qui généralisent au profit du sacerdoce les prélèvements originairement végétaux de Lv **2** 9; **6** 3; **7** 14; Nb **15** 19-21, mais déjà animaux en Lv **7** 32. En Nb **18** ces prélèvements étaient réservés aux prêtres. Le Chroniste semble encore l'admettre pour la Pâque d'Ézéchias (**30** 24; **31** 10), mais ici le prélèvement est fait aussi bien pour les prêtres que pour les lévites et les laïcs (v. 8).

b) Il n'y a pas que l'agneau à être victime pascale, Ex **12** 5.

c) C'est la même proportion que sous Ézéchias (**30** 24).

d) Sur cette obligation du prince, cf. Ez **45** 17; 1 Ch **29** 2 s (David); 2 Ch **30** 24 (Ézéchias).

e) Attitude identique en Nb **7**; 1 Ch **29** 6-9.

répandirent le sang qu'ils recevaient des mains des lévites, et les lévites dépecèrent les victimes[a]. [12] Ils mirent à part l'holocauste pour le donner aux groupes des familles du peuple qui devaient faire une offrande à Yahvé[b], comme il est écrit dans le livre de Moïse; il en fut de même pour le gros bétail. [13] Ils firent cuire la Pâque selon la règle[c], ainsi que les mets sacrés[d] dans des terrines, des marmites et des plats creux qu'ils portèrent en hâte à tout le peuple. [14] Après quoi ils préparèrent la Pâque pour eux-mêmes et pour les prêtres, — les prêtres, fils d'Aaron, ayant été occupés jusqu'à la nuit à offrir l'holocauste et les graisses; c'est pourquoi les lévites préparèrent la Pâque pour eux-mêmes et pour les prêtres, fils d'Aaron[e]. [15] Les chantres, fils d'Asaph, étaient à leur poste, selon les prescriptions de David; ni Asaph, ni Hémân, ni Yedutûn[f] le voyant du roi, ni les portiers à chaque porte, n'eurent à quitter leur service, car leurs frères lévites leur préparèrent tout.

[16] C'est ainsi que toute la liturgie de Yahvé fut, ce

---

a) D'après Lv **1** 6, c'était le rôle du laïc.

b) Il semble qu'il s'agisse là d'une extension à la Pâque de l'usage mentionné en Lv **3** 5 pour les sacrifices de communion : la combustion des graisses en holocauste. Un apocryphe, qui date sans doute du IIe siècle av. J. C., le livre des Jubilés (**49** 20), témoigne de cette combustion.

c) Cf. Ex **12** 2-11.

d) Ce terme ne vise pas les herbes amères et les pains sans levain, mais le sacrifice de communion prévu par Dt **16** 2 et ignoré, semble-t-il, par la législation sacerdotale. Le Chroniste y destine les animaux énumérés ci-dessus et la Mishna juive, au IIe siècle de notre ère (*Pesahim*, **6** 3 s), semble avoir suivi le Chroniste. On peut se demander si le Chroniste ne voulait pas évoquer dans cette Pâque royale le festin messianique d'Is **25** 6. Le N. T. reprendra souvent cette image du festin messianique (Mt **22** 1-14). En tout cas le Chroniste admet que, dans la communauté davidique, même les laïcs reçoivent des mets sacrés qu'ils vont consommer comme ils doivent consommer la Pâque.

e) Ce sont donc les lévites qui ont assuré le repas pascal des prêtres.

f) L'auteur précise qu'il s'agit non seulement d'Asaph, mais des autres chantres. Les chantres et les portiers sont servis comme les prêtres, sans quitter leurs postes, ce qui indique la grande importance religieuse de ces postes.

jour-là, organisée de manière à célébrer la Pâque et à offrir des holocaustes sur l'autel de Yahvé selon les prescriptions du roi Josias. ¹⁷ C'est à ce moment que les Israélites présents célébrèrent la Pâque et pendant sept jours la fête des Azymes. ¹⁸ On n'avait pas célébré une Pâque comme celle-là en Israël depuis l'époque de Samuel le prophète; aucun roi d'Israël n'avait célébré une Pâque semblable à celle que célébra Josias*a* avec les prêtres, les lévites, tous les Judéens et Israélites présents, et les habitants de Jérusalem.

|| 2 R **23** 22

¹⁹ C'est la dix-huitième an-
née du règne de Josias que cette Pâque fut célébrée.

Fin tragique du règne*b*.

|| 2 R **23** 23,
29-30

²⁰ Après tout ce que fit Josias pour remettre en ordre le Temple, Neko, roi d'Égypte, monta combattre à Karkémish sur l'Euphrate. Josias s'étant porté à sa rencontre, ²¹ il lui envoya des messagers pour lui dire : « Qu'ai-je à faire avec toi, roi de Juda ? Ce n'est pas toi que je viens attaquer aujourd'hui, mais c'est une autre maison que j'ai à combattre, et Dieu m'a dit de me hâter. Laisse donc faire Dieu qui est avec moi, de peur qu'il ne cause ta perte. » ²² Mais Josias persista à l'affronter; il était en effet décidé à le combattre et n'écouta pas ce que lui disait Neko au nom de Dieu*c*. Il livra bataille dans la trouée de Megiddo;

19. *G ajoute ici un éloge de Josias qui reproduit* 2 R **23** 24-27.
22. « *il était décidé à* » hithazzéq *G Vulg* ; « *il se déguisa pour* » hithappés *H* (*cf.* 2 R **22** 30).

a) Cf. **30** 26, où la même chose est dite de la Pâque d'Ézéchias. Le but du Chroniste est de faire remarquer le caractère nouveau et exceptionnel de ces Pâques royales par rapport aux Pâques prédavidiques.
b) Le Chroniste modifie assez profondément sa source tout en gardant l'essentiel des faits.
c) Cet hommage du Chroniste à la connaissance de Dieu chez les païens est très remarquable.

²³ les archers tirèrent sur le roi Josias et le roi dit à ses serviteurs : « Emportez-moi, car je me sens très mal. » ²⁴ Ses
serviteurs le tirèrent hors de son char, le firent monter
sur un autre de ses chars et le ramenèrent à Jérusalem où
il mourut*ᵃ*. On l'enterra dans les sépultures de ses pères.
Tout Juda et Jérusalem firent un deuil pour Josias; ²⁵ Jérémie composa une lamentation sur Josias, que tous les
chanteurs et chanteuses récitent encore aujourd'hui dans
leurs lamentations sur Josias; on en a fait une règle en
Israël, et on trouve ces chants consignés dans les Lamentations*ᵇ*.

²⁶ Le reste de l'histoire de Josias, les témoignages de
sa piété, conformes à tout ce qui est écrit dans la loi de
Yahvé, ²⁷ son histoire, du début à la fin, tout cela est écrit
dans le livre des Rois d'Israël et de Juda.

V. ÉTAT D'ISRAËL A LA FIN DE LA MONARCHIE*ᶜ*

|| 2 R **23** 30-34

Joachaz.

36. ¹ Le peuple du pays
prit Joachaz, fils de Josias,
et on le proclama roi à la
place de son père à Jérusalem. ² Joachaz avait vingt-trois

---

a) Comparer ce récit à celui de la mort d'Achab en **18** 33-34; le livre des
Rois ne donnait aucun détail sur le combat.

b) Le Chroniste semble s'inspirer de Jr **22** 10, 15, 18, d'après lequel
on ne se lamentera pas sur les fils de Josias comme on s'est lamenté sur
ce roi. Le deuil de Josias paraît aussi avoir été célébré en Za **12** 11-14 et
la date de composition de ce passage est proche de celle de notre livre.
Peut-être le Chroniste a-t-il vu dans l'une des Lamentations du livre canonique souvent appelé « Lamentations de Jérémie » des allusions à Josias
(Lm **2** 1, 2, 3...).

c) Ce dernier paragraphe n'est essentiellement qu'un résumé des données du livre des Rois, qui prépare à la grande réforme d'Esdras et de Néhémie comme le règne d'Achaz introduisait celle d'Ézéchias, et ceux de
Manassé et d'Amon à celle de Josias.

ans à son avènement et il régna trois mois à Jérusalem.
[3] Le roi d'Égypte l'enleva de Jérusalem et imposa au pays
une contribution de cent talents d'argent et d'un talent
d'or. [4] Puis le roi d'Égypte établit son frère Élyaqim
comme roi sur Juda et Jérusalem, et il changea son nom
en celui de Joiaqim. Quant à Joachaz, son frère, Neko
le prit et l'emmena en Égypte.

Joiaqim.   [5] Joiaqim avait vingt-cinq ans à son avènement et il régna onze ans à Jérusalem; ‖ 2 R **23** 36-37

il fit ce qui déplaît à Yahvé, son Dieu. [6] Nabuchodonosor, ‖ 2 R **24** 1 s
roi de Babylone, fit campagne contre lui et le mit aux fers
pour l'emmener à Babylone[a]. [7] Nabuchodonosor emporta
aussi à Babylone une partie du mobilier du Temple de
Yahvé et le déposa dans son palais de Babylone. [8] Le reste ‖ 2 R **24** 5
de l'histoire de Joiaqim, les abominations qu'il commit et
ce qui a été relevé contre lui, cela est écrit dans le livre des
Rois d'Israël et de Juda. Joiakîn son fils régna à sa place.

Joiakîn.   [9] Joiakîn avait huit ans à son avènement et il régna trois mois et dix jours[b] à ‖ 2 R **24** 8-9

Jérusalem; il fit ce qui déplaît à Yahvé. [10] Au retour de ‖ 2 R **24** 10-16

---

36 2. *G ajoute* 2 R **23** 31ᵃ-33ᵇ.
   3. « *Le roi d'Égypte l'enleva de Jérusalem* »; *Var. G :* « *Le roi l'emmena en Égypte* ».
   4. *A la fin G ajoute :* « *et il mourut* ».
   5. *G complète d'après* 2 R **24** 1-4.
   9. « *huit ans* »; *beaucoup de Mss et Vers. ont corrigé en* « *dix-huit ans* » (2 R **24** 28).

---

a) Cette captivité et ce pillage ne sont pas autrement connus. Il semble qu'à une époque tardive on ait attribué au pervers Joiaqim quelques-uns des malheurs de son fils Joiakîn. C'est ainsi que Daniel (**1** 1-2) reproduit la donnée du Chroniste en y ajoutant la mention d'un siège de Jérusalem.
b) Cette précision se trouve dans l'Apocryphe dit Esdras grec (I, 43). Elle ne se trouve pas dans 2 R **24**, que le Chroniste résume par ailleurs.

l'année[a], le roi Nabuchodonosor l'envoya chercher et
le fit conduire à Babylone avec le mobilier précieux du
‖ 2 R 24 17 Temple de Yahvé, et il établit Sédécias son frère[b] comme
roi sur Juda et Jérusalem.

‖ 2 R **24** 18-
20
‖ Jr **52** 1-3   **Sédécias.**

[11] Sédécias avait vingt et
un ans à son avènement et il
régna onze ans à Jérusalem.
[12] Il fit ce qui déplaît à Yahvé, son Dieu. Il ne s'humilia pas
devant le prophète Jérémie venu sur l'ordre de Yahvé[c]. [13] Il
se révolta en outre contre le roi Nabuchodonosor auquel
il avait prêté serment[d] par Dieu. Il raidit sa nuque et endur-
cit son cœur au lieu de revenir à Yahvé, le Dieu d'Israël.

La nation[e].

[14] De plus, tous les chefs
des prêtres et le peuple multiplièrent les infidélités, imi-
tant toutes les abominations des nations, et souillèrent le
Temple que Yahvé s'était consacré à Jérusalem. [15] Yahvé,
le Dieu de leurs pères, leur envoya sans se lasser des messagers, car il voulait épargner son peuple et sa Demeure.
[16] Mais ils tournaient en dérision les envoyés de Dieu, ils
méprisaient ses paroles, ils se moquaient de ses prophètes,
tant qu'enfin la colère de Yahvé contre son peuple fut
telle qu'il n'y eut plus de remède.

---

14. « *les chefs des prêtres* »; *Var. G* : « *les chefs de Juda, les prêtres* ». —
« *s'était consacré* » *omis par G.*

a) Cf. 2 Ch **20** 1.
b) En réalité son oncle, 2 R **24** 17. Mais 1 Ch **3** 16 dédouble Sédécias.
c) Ceci est une addition du Chroniste qui tient à marquer, à chaque
étape, l'intervention d'un prophète. Sur Jérémie et Sédécias, cf. Jr **37-39**.
d) Ceci vient plutôt d'Ez **17** 13-16 que de Jérémie, qui reproche aux
Israélites la rupture d'un contrat plutôt qu'un parjure (**34** 8-22).
e) Le Chroniste semble résumer brièvement les premiers ch. de Jérémie et d'Ézéchiel (cf. Ez **8** pour les souillures du Temple, mais aussi Jr **7**).
Puis il donne quelques réflexions personnelles qui présagent d'importants
passages du N. T. : Mt **23** 34-36; He **1** 1 s.

La ruine.
¹⁷ Il fit monter contre eux le roi des Chaldéens qui passa au fil de l'épée leurs jeunes guerriers dans leur sanctuaire et n'épargna ni le jeune homme, ni la jeune fille, ni le vieillard, ni l'homme à la tête chenue*ᵃ*. Dieu les livra tous entre ses mains. ¹⁸ Tous les objets du Temple de Dieu, grands et petits, les trésors du Temple de Yahvé, les trésors du roi et de ses officiers, il emporta le tout à Babylone. ¹⁹ On brûla le Temple de Dieu, on abattit les murailles de Jérusalem, on incendia et on consuma tous ses palais et l'on détruisit tous ses objets précieux. ²⁰ Puis Nabuchodonosor déporta à Babylone ceux qui avaient échappé à l'épée; ils durent le servir ainsi que ses fils jusqu'à l'établissement du royaume perse, ²¹ accomplissant ainsi ce que Yahvé avait dit par la bouche de Jérémie : « Jusqu'à ce que le pays ait acquitté ses sabbats, il chômera durant tous les jours de la désolation, jusqu'à ce que soixante-dix ans soient révolus*ᵇ*. »

‖ 2 R **25** 14 s
‖ 2 R **25** 9 s

Vers l'avenir*ᶜ*.
²² Et la première année de Cyrus, roi de Perse, afin d'accomplir la parole de

‖ Esd **1** 1-3

---

a) Le Chroniste semble ici s'inspirer des Lamentations (**1** 15; **5** 11-14). Puis il résume brièvement, mais sans suivre son texte, le ch. **25** du livre des Rois.

b) Seuls ces derniers mots rappellent la prophétie de Jérémie (**25** 11 et **29** 10). Ce qui précède se trouve dans les malédictions du Lévitique qui terminent la Loi de sainteté (**26** 34 s). Le Chroniste marque par là une fois de plus sa dépendance à l'égard de la théologie des textes sacerdotaux; le respect du sabbat est un des principes fondamentaux de la religion juive à cette époque; elle se distinguait par là des autres religions et affirmait la Toute-Puissance du Dieu d'Israël qui peut se passer de l'activité de l'homme pour faire vivre son peuple.

c) Ces deux derniers vv. reproduisent mot à mot le début du livre d'Esdras. Mais le Chroniste s'interrompt brusquement au milieu d'une phrase, ce qui change l'accent du paragraphe. Au lieu d'être le début d'un labeur pénible, c'est une sorte de cri de triomphe sur la restauration du Temple, affirmant ainsi la pérennité des institutions davidiques.

Yahvé prononcée par Jérémie, Yahvé éveilla l'esprit de
Cyrus, roi de Perse, qui fit proclamer — et même afficher
— dans tout son royaume : [23] « Ainsi parle Cyrus, roi de
Perse : Yahvé, le Dieu du ciel, m'a remis tous les royaumes
de la terre; c'est lui qui m'a chargé de lui bâtir un Temple
à Jérusalem, en Juda. Quiconque, parmi vous, fait partie
de tout son peuple, que son Dieu soit avec lui et qu'il
monte ! »

TABLE

ACHEVÉ D'IMPRIMER SUR LES
PRESSES DE L'IMPRIMERIE
DARANTIERE A DIJON, LE
QUATRE AVRIL M. CM. LXI

Numéro d'édition 5.077
Dépôt légal 2e trimestre 1961

19231